실크로드 세계사

고대 제국에서 G2 시대까지

실크로드 세계사

피터 프랭코판 지음 | 이재황 옮김

①

A NEW
HISTORY
OF THE WORLD

책과함께

차례

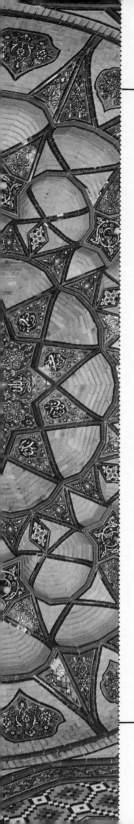

.

일러두기

1. 이 책은 Peter Frankopan의 THE SILK ROADS(Bloomsbury, 2015)를 완역한 것이다.
2. 각국의 인명과 지명은 기본적으로 외래어 표기법을 따랐다. 다만 한 가지 원칙이나 일관성을 지키기에는 이 책이 포괄하는 기간, 지역, 나라가 원체 길고 많고 복잡하여 필요한 경우 병기를 하는 등 다소 융통성을 부여했다. 널리 알려져 익숙해진 표현이나 용례를 적용하기 어려운 경우에도 예외를 두었다.
3. 본문의 소제목은 독자의 편의를 돕기 위해 원문에 없는 내용을 추가하였음을 밝혀둔다.

머리말

어린 시절 내가 가장 소중하게 지녔던 물건 중 하나가 커다란 세계 지도였다. 지도를 침대 옆 벽에 핀으로 붙여놓고 매일 밤 잠자기 전에 자세히 들여다보곤 했다. 오래지 않아 나는 모든 나라의 이름과 위치를 암기하고 그 나라들의 수도와 크고 작은 바다, 그리고 그곳으로 흘러드는 강들을 알게 됐다. 굵은 이탤릭체로 표시된 큰 산맥과 사막의 이름을 볼 때면 모험심과 긴장감에 흥분하곤 했다.

십대 때 학교에서 서유럽과 미국에 대해서만 가르치고 세계의 다른 지역은 거의 다루지 않는 것이 불만스러웠다. 우리는 로마의 브리튼 점령과 1066년 노르만인의 잉글랜드 정복, 헨리 8세와 튜더 왕가, 미국 독립전쟁, 빅토리아 여왕 시대의 산업화, 솜 전투(1916년 프랑스 북부 솜 강 부근에서 벌어진 1차 세계대전 최대의 전투 — 옮긴이), 나치 독일의 흥망 등을 배웠다. 내 방의 지도에 나온 세계의 많은 지역이 아무런 언급 없이 그냥 지나갔다.

열네 살 생일에 부모님은 인류학자 에릭 울프Eric Wolf의 책을 선물해주셨는데, 그것이 내게는 정말로 부싯깃이 되었다. 울프가 설명하는 공인된 대략의 문명사는 이런 내용이었다.

'고대 그리스는 로마를 낳았고, 로마는 기독교가 지배한 유럽을 낳았고, 기독교가 지배한 유럽은 르네상스를 낳았고, 르네상스는 계몽주의 시대를 낳았고, 계몽주의 시대는 정치적 민주주의와 산업혁명을 낳았다. 이어 산업은 민주주의와 만나 미국을 낳고 생존권, 자유권, 행복 추구권을 구현했다.'[1]

이것은 바로 내가 내내 들어오던 그 이야기였다. 서유럽의 정치적·문화적·도덕적 승리라는 주문呪文이었다. 그러나 이런 설명은 문제가 있었다. 역사를 바라보는 다른 시각도 있을 수 있다. 바로 승자의 관점에서 본 역사가 아닌 다른 역사 말이다.

나는 속은 것이었다. 학교에서 배우지 않은 지역은 유럽의 흥성興盛을 줄곧 이야기하는 통에 사라지고 질식사해버렸음이 갑자기 분명해졌다. 나는 아버지에게 헤리퍼드 마파문디Hereford Mappa Mundi(1300년 무렵에 만들어진 세계 지도로, 영국 헤리퍼드 대성당에 있다 ― 옮긴이)를 보러 가자고 졸랐다. 그 지도에는 예루살렘이 한가운데 있고, 영국과 다른 서유럽 나라들은 한쪽 구석에 위치해서 거의 눈에 들어오지 않았다. 나는 아랍 지리학자들에 관해 읽다가 충격을 받았다. 함께 실린 지도들은 위아래가 뒤집혀 있었고, 카스피해가 한가운데 있었다. 이스탄불에 있는 중세 튀르크의 중요한 지도에는 중앙에 발라사군이라는 도시가 있다는 사실을 알았을 때도 놀라긴 마찬가지였다. 그 도시는 들어본 적도 없고, 어느 지도에도 나오지 않으며, 최근까지 그 정확한 위치조차도 분명하지 않았다. 그렇지만 그곳은 한때 세계의 중심이라고 생

각되었던 것이다.[2]

　나는 러시아와 중앙아시아에 대해, 페르시아와 메소포타미아에 대해 더 알고 싶었다. 아시아의 관점에서 기독교의 기원을 이해해보고 싶었다. 그리고 중세에 콘스탄티노플이나 예루살렘, 바그다드, 카이로에 살던 사람들은 십자군을 어떻게 생각했는지에 관해서 말이다. 나는 동방의 대제국들에 관해서, 몽골족과 그들의 정복에 관해서 알고 싶었다. 그리고 두 차례의 세계대전이 플랑드르나 동부전선 쪽에서가 아니라 아프가니스탄과 인도 쪽에서 보면 어떤 모습이었는지를 이해해보고 싶었다.

　따라서 내가 학교에서 러시아어를 배운 것은 행운이었다. 해군 정보기관에서 근무했던 명석한 인물 딕 해든에게서 배웠다. 그는 러시아어와 두샤dusha(영혼)는 번득이는 문학과 시골 음악을 통해 이해할 수 있다고 믿는 사람이었다. 더 큰 행운은, 그가 아랍어를 가르쳐주겠다고 나선 것이었다. 그래서 우리 대여섯 명은 이슬람 문화와 역사에 대한 이야기를 듣고 고전 아랍어의 아름다움에 푹 빠졌다. 이런 언어들은 발견되기를 기다리는, 또는 내가 곧 알게 되었듯 서방 사람들에게 재발견되기를 기다리는 한 세계의 문을 여는 데 도움을 주었다.

　요즘에는 중국의 급속한 경제 성장이 초래할 수 있는 충격을 가늠하는 일이나 인도의 사회 변동을 예측하는 데 많은 관심이 쏟아지고 있다. 다음 10년 동안 중국의 사치품 수요가 네 배로 늘 것으로 전망되고, 인도에서는 수세식 화장실을 이용하는 사람 수보다 휴대전화를 이용하는 사람의 수가 더 많다.[3] 그러나 두 지역 모두 세계의 과거와 현재를 조망하기에 가장 좋은 지점은 아니다. 사실 수천 년 동안 지구가 회전하는 중심축이 된 곳은 동방과 서방 사이에 놓여 유럽과 태평양을 연결해주는 지역이었다.

동방과 서방의 중간 지점, 대략 지중해 동해안과 흑해 연안에서 히말라야 산맥까지 펼쳐진 지역은 세계를 조망하기에 좋은 장소로 보이지는 않을 것이다. 이곳은 현재 카자흐스탄, 우즈베키스탄, 키르기스스탄, 투르크메니스탄, 타지키스탄과 캅카스 지역 나라들 같은 이국적이고 주변적인 나라들이 자리 잡은 지역이다. 그곳에는 또 아프가니스탄, 이란, 이라크, 시리아와 같이 불안정하고 폭력적이며 세계 안보를 위협하는 정권과 관련이 있거나 러시아, 아제르바이잔과 같이 민주주의와는 다른 길을 가는 나라들이 자리 잡고 있다.

전체적으로 이 지역은 선거에서 이해하기 어려울 정도의 다수 표를 얻은 독재자가 이끄는, 실패했거나 실패의 길로 가고 있는 나라들이 자리 잡은 것으로 보인다. 이 독재자들의 가족과 측근들은 문어발식 사업체들을 장악하고 막대한 재산을 소유하며 정치권력을 휘두르고 있다. 이들 지역은 인권 지수가 낮은 곳이다. 신앙과 양심과 성적 표현의 자유가 제한되고, 언론이 통제되고 있는 곳이다.[4]

그런 나라들은 우리에게 제멋대로인 것처럼 보이지만, 그곳은 벽지도 아니고 고립된 황무지도 아니다. 사실 동방과 서방을 잇는 이 다리 지역은 바로 문명의 교차로다. 이들 나라들은 세계 문제의 변두리에 있기는커녕 한가운데에 자리 잡고 있다. 그들은 유사 이래로 그런 역할을 해왔다. '문명'이 탄생한 곳이고, 많은 사람들이 최초의 '인류'가 이곳에서 시작되었다고 생각한다.

"야훼 하느님께서는 보기 좋고 맛있는 열매를 맺는 온갖 나무를 그 땅에서 돋아나게 하셨다." (《창세기》 2장 9절)

그 '에덴동산'은 티그리스 강과 유프라테스 강 사이의 비옥한 들판에 있었던 것으로 널리 인식되어왔다.[5]

거의 5000년 전에 이 동방과 서방의 다리 지역에 거대 도시들이 건설되었다. 인더스 강 유역의 하라파, 모헨조다로 같은 도시들은 고대 세계의 경이驚異였다. 수만 명의 인구가 살고, 거리에는 정교한 하수 처리 시설이 되어 있었다. 이후 수천 년 동안 유럽에는 그에 맞먹는 도시가 없었다.[6] 바빌론, 니네베, 우루크, 아카드 같은 메소포타미아의 다른 문명 중심지들은 웅대한 규모와 혁신적인 건축물들로 유명했다. 그런가 하면 한 중국 학자는 2000년 이상 전에 옥수스 강(오늘날의 아무다리야 강)이 흐르는 박트리아의 주민들에 대해 유명한 협상가이자 장사꾼이라고 썼다. 그 수도는 교역 중심지로, 먼 지방들에서 가져온 매우 다양한 물건들을 사고팔았다고 했다.[7]

이 지역은 세계의 거대 종교들이 탄생한 곳이기도 하다. 유대교, 기독교, 이슬람교, 불교, 힌두교가 서로 밀치락달치락했다. 이곳은 또한 여러 언어 집단들이 경쟁하던 가마솥이었다. 인도-유럽어족, 셈어족, 중국-티베트어족의 언어들이 알타이어족, 튀르크어족, 캅카스어족의 언어들과 나란히 쓰였다. 거대 제국들이 등장하고 사라진 곳이었고, 문명들과 경쟁자들 사이의 충돌의 여파가 수천 킬로미터 밖에서도 느낄 수 있을 정도로 퍼져나간 곳이었다. 이곳에 서면 과거를 보는 새로운 눈이 열리고, 서로 연결된 세계를 볼 수 있다. 한 대륙에서 일어난 일이 다른 대륙에 충격을 주고, 중앙아시아 스텝에서 일어난 일의 여진餘震이 북아프리카에서도 느껴지며, 바그다드에서 일어난 사건이 스칸디나비아에서 되울리고, 아메리카 대륙에서 발견한 것이 중국의 상품 가격을 변동시키고 북인도 말 시장의 수요를 치솟게 했다.

이 작은 진동들은 사방으로 뻗어나간 네트워크를 따라 전달되었다. 그 길을 따라 순례자와 전사戰士, 유목민과 장사꾼들이 여행하고, 먼 곳에서 온 물건이 거래되었으며, 사상이 교류하고 수용되고 다듬어졌다. 이 길은 번영뿐만 아니라 죽음과 폭력, 질병과 재앙도 실어 날랐다. 끝없이 뻗은 이 연결망은 19세기 말에 1차 세계대전 당시 최고의 전투기 조종사였던 '붉은 남작' 만프레트 폰 리히트호펜의 삼촌인 저명한 독일 지질학자 페르디난트 폰 리히트호펜Ferdinand von Richthofen에 의해 명명된 이후 그 이름으로 불렸다. 바로 실크로드Seidenstraßen다.[8]

이 통로는 사람들과 장소들을 서로 이어주는 세계의 중추신경계 노릇을 했다. 그러나 피부 밑에 있어 육안으로는 보이지 않는다. 해부를 해보면 신체가 어떻게 기능하는지를 알 수 있는 것처럼, 이 연결 부분을 알면 세계가 어떻게 움직이는지를 알 수 있다. 하지만 이 지역은 세계 속에서 차지하는 중요성에도 불구하고 주류 역사학에서 잊힌 존재였다. 이는 부분적으로 오리엔탈리즘이라 불리는 편견 때문이다. 동양은 서양보다 미개하고 열등하며 따라서 진지하게 연구할 가치가 없다는 편협하고 부정적인 관점이다.[9] 그러나 이는 또한 과거에 대한 설명이 매우 명확하고 단단하게 정립되어 있어서, 오랫동안 유럽과 서구 사회의 발전 이야기에 주변적인 요소로 간주되어온 지역이 비집고 들어갈 틈이 없다는 사실에 기인한다.

오늘날 아프가니스탄의 잘랄라바드와 헤라트, 이라크의 팔루자와 모술, 시리아의 홈스와 알레포는 종교적 근본주의 및 종파 간 폭력과 동의어가 된 듯하다. 현재가 과거를 쓸어내버렸다. 카불이라는 이름에서 인도 무굴제국의 창건자인 바부르 황제가 가꾸던 정원의 이미지를 떠올리기는 어렵다. 와파 정원에는 연못이 있고, 그 둘레에 오렌지와 석류나무를 심었으며 클로버 풀밭이 펼쳐졌다. 바부르는 이 풀밭을 매우 자랑스러워했다.

"이곳은 정원에서 가장 멋진 곳이고, 오렌지가 익어가는 풍경이 정말 아름답다. 이 정원은 아주 좋은 곳에 자리를 잡았다."[10]

마찬가지로 오늘날 이란에 대한 인상은 이 나라의 과거 역사의 영광을 지워버리고 있다. 페르시아의 조상들은 멋진 취향의 대명사였다. 만찬장에 놓인 과일에서부터 유명한 미술가들이 그린 놀라운 소형 초상화와 학자들이 쓴 논문까지 말이다.

1400년 무렵 이란 동부 마슈하드 출신의 문헌 관리자 시미 니샤푸리 Simi Nishāpūri가 쓴 책에는 책을 좋아하는 사람들을 위한 조언이 상세하게 적혀 있다. 다마스쿠스, 바그다드, 사마르칸트에서 생산된 종이가 글을 쓰기에 가장 적합하다고 글쓰기를 좋아하는 사람들에게 조언한다. 다른 곳에서 생산되는 종이는 "대체로 거칠고 얼룩이 있으며 오래 가지 못한다"고 했다. 글씨를 쓰기 전에는 종이에 약간 물을 들일 필요가 있다고 충고하기도 한다. "흰색은 눈을 피로하게 하기 때문이며, 내가 본 걸작품들은 모두 물들인 종이에 쓴 것들이었다."[11]

이름이 거의 잊힌 메르브나 라이는 한때 번성했던 도시다. 10세기의 한 지리학자는 메르브가 "유쾌하고 훌륭하고 우아하고 눈부시고 널찍하고 즐거운 도시"이며 "세계의 어머니"라고 묘사했고, 비슷한 시기의 또 다른 작가는 테헤란에서 그리 멀지 않은 도시 라이가 "세계의 신랑"이며 세계에서 "가장 아름다운 창조물"[12]이라며 매우 영광스러워했다. 이들 도시들은 아시아의 등뼈에 점점이 박힌 채 진주 목걸이처럼 길게 이어져 태평양과 지중해를 연결했다.

중심 도시들은 서로를 자극했다. 통치자와 지배층은 서로 경쟁하듯이 더욱 야심찬 건축물과 웅장한 기념물을 세웠다. 문화적 영향력을 지닌 거대한 규모의 도서관, 참배 공간, 교회, 천문대가 이 지역 곳곳에 들어서 콘스탄티노플에서 다마스쿠스, 이스파한, 사마르칸트, 카불, 카슈가르까지 이어졌다.

이런 도시들에 뛰어난 학자들이 찾아왔고, 그들은 자기네의 연구 영역을 넓혔다. 오늘날 친숙한 이름은 얼마 되지 않는다. 라틴어 이름인 아비센나로 더 잘 알려진 이븐 시나, 알비루니로 알려진 아부 라이한 알비루니, 라틴어로 알고리트미라 불린 무함마드 이븐 무사 알콰리즈미는 천문학 또는 의학 분야의 거장들이다. 이들 외에도 많은 사람들이 있었다. 오랜 세월 동안 세계 유수의 지적 중심지(당대의 옥스퍼드, 케임브리지이고 당대의 하버드, 예일이었다)는 유럽이나 서방이 아니라 바그다드와 발흐, 부하라와 사마르칸트였다.

실크로드를 따라 들어선 도시와 문화, 그리고 그곳에 살던 사람들이 발전하고 앞서나간 데는 충분한 이유가 있었다. 그들은 사상을 주고받으면서 철학과 과학, 언어와 종교를 더욱 발전시킬 수 있었다. 2000여 년 전 아시아의 한쪽 끄트머리 중국 북부에 있던 조趙나라의 한 통치자는 진보가 필수라는 사실을 잘 알고 있었다. 기원전 307년 무령왕武靈王은 이렇게 선언했다.

"과거의 방식을 따르기만 해서는 세상을 개선할 수 없다."[13]

과거의 지도자들은 현실에 초점을 맞추는 것이 얼마나 중요한지 알고 있었다.

그러나 근대 초기에 진보의 주역이 바뀌었다. 15세기 말 두 차례의 해양 탐험이 가져온 결과였다. 1490년대의 6년 동안에, 오래전부터 유지되어온 교환 체계가 붕괴하는 조건이 형성되었다. 먼저 크리스토

퍼 콜럼버스의 대서양 횡단은 이제까지 유럽 및 그 너머와 연결될 수 없었던 거대한 두 대륙으로 가는 길을 열었다. 그리고 불과 몇 년 뒤에 바스쿠 다가마가 아프리카의 남쪽 끝을 돌아 인도까지 항해하는 데 성공함으로써 새로운 항로를 개척했다. 이 두 발견은 교류와 교역의 방식을 바꾸었고, 세계 정치·경제의 무게중심에 엄청난 변화를 불러왔다. 갑자기 서유럽은 지방의 벽지라는 위치에서 사방으로 뻗어나가는 통신과 수송과 교역 시스템의 구심점으로 탈바꿈했다. 단숨에 동방과 서방 사이의 새로운 중심이 되었다.

유럽의 대두는 세력을 잡기 위한 (그리고 과거를 통제하기 위한) 격렬한 권력 투쟁을 촉발했다. 경쟁 세력들이 충돌하면서 역사는 재구성되었다. 자원과 해상 교통로를 차지하기 위한 투쟁과 함께 이데올로기의 충돌이 일어났는데, 자신에게 유리하게 사용될 수 있는 사건·주제·사상들이 강조되었다. 주요 정치가와 장군이 토가(고대 로마에서 남성 시민이 입었던 헐거운 겉옷―옮긴이)를 걸친 모습의 흉상들이 만들어졌다. 그들을 과거 로마의 영웅처럼 보이게 하려는 것이었다. 거대한 새 건축물들이 웅장한 고전 스타일로 건설되어 고대 세계의 영광을 자기네 직계 선조들의 것인 양 가로챘다. 역사는 왜곡되고 조작되어, 서방의 대두가 자연스럽고 불가피한 일일 뿐만 아니라 지나간 시대의 연속이라는 억지 이야기들을 만들어냈다.

많은 이야기들이 나로 하여금 세계의 과거를 다른 방식으로 보는 길로 이끌었다. 특히 한 가지가 두드러진다. 그리스 신화에서 신들의 아버지인 제우스는 독수리 두 마리를 지구의 양쪽 끝에 풀어놓고 서로를 향해 날아가라고 명령했다. 두 독수리가 만난 곳에 성스러운 돌 옴팔로스omphalos('세계의 배꼽'이라는 뜻)를 세워 신과 소통할 수 있도록 했다. 나는 나중에 이 돌에 관한 관념이 오랫동안 철학자들과 정신분석학자들을 매혹시켰음을 알게 되었다.[14]

나는 이 이야기를 처음 들었을 때 내 방의 지도를 바라보면서 두 독수리가 어디서 만났을까 상상했다. 독수리들이 대서양 동안東岸과 중국의 태평양 연안에서 출발하여 내륙을 향해 날았을 것이라고 생각했다. 나는 정확한 위치를 가늠하기 위해 동쪽과 서쪽에서 같은 거리를 재보곤 했는데, 내 손가락은 언제나 흑해와 히말라야 산맥 사이의 어딘가에서 끝이 났다. 그렇게 내 방 벽에 걸려 있던 지도와, 제우스의 두 마리 독수리와, 내가 읽었던 책들에 나오지 않은 (그리고 이름도 없는) 어떤 지역의 역사를 곰곰이 생각하느라 잠을 이루지 못한 적이 종종 있었다.

그리 오래된 일은 아니지만 유럽인들은 아시아를 크게 세 지역으로 나누었다. 근동近東과 중동中東과 극동極東이다. 그런데 내가 자라면서 오늘날의 문제에 관해 듣거나 읽을 때마다 중동은 의미뿐만 아니라, 심지어 위치까지도 변하는 듯했다. 이스라엘, 팔레스타인과 그 주변 지역, 그리고 때로 페르시아만 일대를 중동이라고 일컬었다. 그리고 왜 문명의 발상지로서 지중해 연안이 중요하다고 말하는지 이해할 수가 없었다. 이곳에서 문명이 형성되었다고 볼 수 없었는데도 말이다. 지중해를 가리키는 단어 'Mediterranean'('세계의 중심'이라는 뜻)의 글자 그대로의 의미가 담긴 진짜 도가니는 유럽과 북아프리카를 나누는 바다가 아니라 바로 아시아의 한가운데에 있었다.

내 소망은 새로운 질문을 제기하고 새로운 연구 영역을 제안함으로써 오랫동안 학자들이 무시해온 민족들과 지역들을 연구하도록 다른 사람들에게 용기를 줄 수 있었으면 하는 것이다. 과거에 대한 새로운 질문들이 제기되고 케케묵은 이야기들이 도전을 받아 면밀히 검토되기를 바란다. 무엇보다도 나는 이 책을 읽는 사람들이 역사를 다른 방식으로 볼 수 있게 되기를 바란다.

2015년 4월
옥스퍼드 우스터 칼리지에서

1

실크로드의 탄생

상업 제국, 페르시아

먼 옛날부터 아시아의 중앙부에는 여러 제국이 들어섰다. 티그리스 강과 유프라테스 강을 젖줄로 삼은 메소포타미아의 충적 평야는 문명의 기반을 제공했다. 최초의 마을과 도시들이 이 지역에서 나타난 것이다. 메소포타미아와 '비옥한 초승달' 지대 전역에서 체계화된 농업이 발전했다. 비옥한 초승달 지대는 풍부한 수자원 덕분에 생산성이 높은 띠 모양의 지역으로, 페르시아만 지역에서 지중해 연안까지 뻗어 있었다. 바로 이곳에서 거의 4000년 전 바빌로니아 왕 함무라비는 기록된 최초의 법전 가운데 하나를 만들었다. 그는 신민의 의무를 상세히 나열하고 이를 어기는 사람을 가혹하게 처벌했다.[1]

이 도가니에서 여러 왕국과 제국들이 생겨났지만, 그중에서도 페르시아인들의 제국이 가장 컸다. 페르시아인들은 기원전 6세기에 지금의 남부 이란에 있던 근거지에서 급속히 확장하여 이웃들을 지배하게 되었으며, 에게해 연안까지 진출하고 이집트를 정복했다. 동쪽으로는 히말라야 산맥까지 영토를 확장했다. 고대 그리스 역사가 헤로도 토스가 남긴 기록에 따르면, 그들의 성공은 상당 부분 개방성 덕분이 었다. 그는 이렇게 썼다.

"페르시아인들은 이방의 풍습을 아주 잘 받아들이는 습성이 있 다."

페르시아인들은 복속시킨 적국의 복식服飾이 낫다고 판단되면 자 기네 것을 버릴 자세가 되어 있었다. 실제로 그들은 메디아인이나 이 집트인의 것을 빌려왔다.[2]

새로운 생각과 방식을 받아들이는 데 거리낌이 없는 페르시아인 들의 자세는 여러 다른 민족들을 복속시킨 거대 제국의 원활한 행정 체계를 수립할 수 있게 한 중요한 요인이었다. 고등교육을 받은 관리들 이 제국의 일상생활에 대한 효율적인 관리를 감독했다. 그들은 왕실에 서 일하는 사람들에게 주는 봉급에서부터 시장에서 사고파는 물건의 질과 양을 승인하는 문제까지 모든 것을 기록했다.

그들은 또한 제국 내에 복잡하게 뻗어 있는 도로망(그것은 고대 세 계에서 선망의 대상이었다)을 유지하고 보수하는 책임도 맡고 있었다.[3] 소 아시아 해안과 바빌론, 수사, 페르세폴리스를 연결하는 도로망은 2500 킬로미터가 넘는 거리를 일주일 안에 주파할 수 있었다. 헤로도토스 는 눈이 오거나 비가 내리거나 뜨거운 햇볕이 내리쬐거나 밤중일지라 도 전갈을 전달하는 속도가 더뎌지지 않았다고 쓰면서 무척 놀라워했 다.[4]

농업에 대한 투자와 농작물 수확을 늘리기 위한 관개기술의 발 달은 늘어나는 도시 인구를 먹여 살릴 수 있게 했다. 티그리스 강과 유프라테스 강 양안의 비옥한 농경지뿐만이 아니라 수량이 풍부한 옥수스 강과 자크사르테스 강(지금의 시르다리야 강)의 물을 공급받는 유역, 그리고 기원전 525년 페르시아군이 점령한 이후의 나일 강 삼각주도 마찬가지였다. 페르시아 제국은 지중해 지역과 아시아의 심장부를 잇는 풍요로운 나라였다.

비수툰에 있는 어느 절벽에 세 가지 언어로 새긴 비문이 보여주듯이 페르시아는 안정성과 공정성의 등대를 자임했다. 페르시아어, 엘람어, 아카드어로 쓰인 이 비문에는 페르시아의 가장 유명한 통치자 가운데 하나인 다리우스 1세가 반란과 폭동을 진압하고, 외부의 침략을 물리쳤으며, 가난한 자도 힘센 자도 해치지 않았다고 기록되어 있다. 또한 나라를 안전하게 지키고 백성들을 올바르게 보살피라고 명령한다. 정의가 왕국의 기반이기 때문이다.[5] 소수 집단에 대한 관용은 유명했다. 한 페르시아 통치자는 구세주, 즉 "하늘에 계신 하느님 야훼"에게 축복받은 자로 불렸다. 바빌론에 억류되어 있던 유대인들을 풀어주는 등의 정책을 펼친 결과였다.[6]

고대 페르시아에서 교역이 크게 증가하여 수입이 늘자, 통치자들은 자원이 풍부한 지역에 대한 군사원정 자금을 마련할 수 있었다. 그것은 또한 그들의 악명 높은 낭비벽을 충족시킬 수 있게 해주었다. 바빌론, 페르세폴리스, 파사르가대, 수사 같은 거대 도시에 웅장한 건물들이 세워졌다. 다리우스 1세는 이집트에서 가져온 최고급 흑단과 은, 레바논에서 가져온 삼나무, 박트리아에서 가져온 순금, 소그드에서 가져온 보석과 진사辰砂, 호라즘에서 가져온 터키옥, 인도에서 가져온 상아로 근사한 궁전을 지었다.[7] 페르시아인들은 쾌락을 즐기기로 유명했다. 헤로도토스에 따르면, 그들은 새로운 사치품이 있다는 소문만 들리면 그것을 손에 넣고 싶어 안달한다고 했다.[8]

상업 제국을 뒷받침한 것은 영토를 확장하는 데 이바지한 공격적인 군대였지만, 그들은 또한 방어에도 신경 써야 했다. 북쪽의 유목민은 페르시아에게 골칫거리였다. 유목민들은 스텝으로 알려진 반半건조 목초 지대에서 가축을 기르며 살았는데, 흑해에서 중앙아시아를 지나 멀리 몽골까지 퍼져 있었다. 이 유목민들은 흉포하기로 유명했다. 그들은 적의 피를 마시고 머릿가죽을 벗겨 옷을 만들며, 어떤 경우에는 자기 아버지의 살을 먹는다고 했다. 하지만 유목민들과의 관계는 복잡했다. 그들은 으레 혼란스럽고 예측할 수 없는 종족으로 치부되지만 동물, 특히 좋은 말을 공급하는 중요한 파트너였기 때문이다. 그럼에도 유목민들은 재앙의 원인이 될 수 있었다.

기원전 6세기 페르시아 제국의 창건자 키루스 2세가 스키타이인들을 정복하기 위해 나섰다가 살해된 일이 있었다. 그들은 키루스의 머리를 피가 가득 담긴 가죽 부대에 넣어 가지고 다녔다고 한다. 그를 고무했던 권력에 대한 목마름을 사그라지게 하려는 것이었다.[9]

그렇지만 이는 드문 실패 가운데 하나였고, 그것이 페르시아의 팽창을 멈추게 하지는 못했다. 그리스 지휘관들은 공포와 존경심이 뒤섞인 눈으로 동방을 바라보았고, 페르시아인들이 전쟁터에서 보여주는 전술을 배우고 그들의 기술을 도입하고자 했다. 아이스킬로스는 무용武勇을 기리고 신들의 호의를 보여주기 위해 그리스가 페르시아인들과 싸워 거둔 승리를 소재로 희곡을 썼으며, 페르시아의 그리스 침략에 용감하게 저항한 일을 웅장한 연극과 문학으로 찬양했다.[10]

에우리피데스가 쓴 《바카이Bakchai》의 첫 구절에서 디오니소스는 "나는 엄청나게 부유한 동방"에서 "그리스로 왔다"고 말한다. 그곳은 페르시아의 평원이 햇빛에 목욕하는 곳이고, 박트리아의 마을들이 성벽으로 둘러싸인 곳이며, 아름다운 탑들이 해안 지역에 면해 있는 곳이다. 아시아와 동방은 그리스인들보다 훨씬 전에 디오니소스가 성스러운 신비에 싸여 "뛰어 돌아다닌" 땅이었다.[11]

동방에서 기회를 찾다

마케도니아의 알렉산드로스 3세는 누구보다 열심히 그런 작품을 탐독한 학생이었다. 뛰어난 왕이었던 필리포스 2세가 기원전 336년에 암살당한 후 왕위에 오른 이 젊은 장군이 자신의 영광을 추구하기 위해 어느 쪽을 향할지는 명백했다. 그는 유럽 쪽은 한순간도 쳐다보지 않았다. 그곳은 아무것도 없기 때문이었다. 도시도 없고, 문화도 없고, 위신도 없고, 보상도 없었다. 다른 모든 고대 그리스인들에게도 마찬가지였지만, 알렉산드로스에게 문화와 사상과 기회는 (마찬가지로 위협도) 동쪽에 있었다. 그의 시선이 고대 세계의 최강국으로 향한 것은 전혀 놀랄 일이 아니었다. 그 나라는 바로 페르시아였다.

알렉산드로스는 기원전 331년 기습공격으로 이집트에서 페르시아 총독들을 쫓아낸 뒤 페르시아 제국의 심장부에 대한 총공격에 나섰다. 결정적인 전투는 그해 후반에 지금의 이라크 쿠르드 자치구 수도 아르빌 부근인 가우가멜라의 흙먼지 날리는 평원에서 벌어졌다. 이곳에서 그는 전력이 훨씬 우세한 다리우스 3세가 지휘하는 페르시아 육군에 엄청난 패배를 안겼다. 아마도 그가 숙면을 취한 뒤 완전히 원기를 회복했기 때문이었을 것이다.

플루타르코스에 따르면 알렉산드로스는 적과 교전하기 전에 휴식을 취할 것을 고집했고, 그가 너무 깊이 잠들자 걱정스러웠던 부하 장수들이 그를 흔들어 깨워야 했다. 그는 좋아하는 갑옷을 입고, 광을 내서 "가장 순수한 은만큼이나 눈부신" 멋진 투구를 썼다. 오른손에는 믿음직한 칼을 들고 부대를 지휘해서 압도적인 승리를 거두었다. 그것이 제국의 문을 열었다.[12]

아리스토텔레스에게서 교육을 받은 알렉산드로스는 큰 기대를 받으며 자랐고 결코 실망시키지 않았다. 그는 가우가멜라에서 페르시아군을 박살낸 뒤 동쪽으로 진군했다. 그가 경쟁자들이 지배하던 영토를 차례로 접수해나가자 도시들은 자발적으로 항복했다. 믿기 어려울 정도의 규모와 부와 아름다움을 지닌 곳들이 이 젊은 영웅의 수중에 떨어졌다. 바빌론이 항복했고, 그 주민들은 이 거대 도시로 가는 길을 꽃과 화환으로 덮었다. 유향과 향료로 뒤덮인 은으로 만든 제단이 길 양쪽에 마련되었다. 사자와 표범을 선물로 바쳤다.[13] 오래지 않아 알렉산드로스는 페르시아의 주요 도시들을 잇는 페르시아 왕도王道 위의 모든 지점들과, 소아시아 해안을 중앙아시아와 연결하는 교통망을 점령했다.

현대의 일부 학자들은 알렉산드로스를 '술독에 빠진 어린 깡패'로 무시하지만, 그는 새로 정복한 영토와 신민들을 다루는 일에서 놀라울 정도로 섬세한 솜씨를 발휘했던 것으로 보인다.[14] 그는 종종 현지의 종교적 믿음과 관습에 대해 너그러운 태도를 취하면서 관용과 함께 존경심까지 표했다. 예를 들어 페르시아 키루스 대왕의 무덤이 훼손되자 그는 화를 내면서 무덤을 복구하도록 명령했을 뿐만 아니라 그 성소를 모독한 사람들을 처벌했다.[15] 또 다리우스 3세가 부하에게 살해되어 수레에 버려진 시체로 발견되자, 왕의 지위에 걸맞은 장례를 치러주고 다른 페르시아 지배자들 곁에 묻어주게 했다.[16]

알렉산드로스는 또한 현지 지도층을 존중하는 모습을 보여주어 더 많은 영토를 자신의 지배 아래로 끌어들였다. 그는 이렇게 말했다.

"우리가 아시아를 그저 지나가는 데 그치지 않고 보유하고자 한다면 그 주민들에게 너그러움을 보여주어야 한다. 우리 제국을 안정적이고 영구하게 만드는 것은 그들의 충성심이다."[17]

정복한 도시들과 영토를 다스리기 위해 현지 관료들과 옛 지배층은 그 자리에 남겨두었다. 알렉산드로스 자신은 페르시아의 전통적인 칭호를 받아들이고 페르시아 옷을 입어, 현지 관습을 받아들였음을 보여주었다. 그는 정복자라기보다는 옛 왕국의 새로운 계승자를 자처했다. 그가 고통을 초래했으며 이 나라를 피로 흠뻑 적셨다고, 아무나 붙들고 비웃으며 악을 써대는 사람들이 있기는 했지만 말이다.[18]

알렉산드로스의 원정과 승리와 정책에 관한 이야기는 대부분 후대 역사가들에게서 나온 것임을 기억해야 한다. 그들의 설명은 이 젊은 장군의 위업을 전달하면서 때로 매우 이상적인 모습으로 묘사하고 숨이 멎을 듯 열정적이다.[19] 그렇지만 우리가 사료에서 페르시아의 몰락을 전달한 방식에 주의할 필요가 있다고 하더라도, 알렉산드로스가 국경을 계속 동쪽으로 확장해나간 속도는 많은 것을 이야기해준다.

그는 정력적으로 새 도시들을 건설하면서 통상 자신의 이름을 따서 명명했지만, 지금은 다른 이름으로 알려진 경우가 더 많다. 오늘날 아프가니스탄 북서부 아리아의 알렉산드리아는 헤라트이고, 아프가니스탄과 파키스탄의 접경 지역인 아라코시아의 알렉산드리아는 칸다하르, 힌두쿠시 산맥인 캅카스의 알렉산드리아는 바그람이다. 이들 중간 기지의 건설, 그리고 더 북쪽의 페르가나 분지까지 뻗어 있는 다른 기지들의 증강은 아시아의 등뼈를 따라 이어지는 새로운 지점들을 연결하기 위한 것이었다.

강력한 방어벽을 갖춘 새 도시들과 외딴 성채 및 보루들은 일차적으로 스텝 지역의 부족들로부터 오는 위협에 대비하기 위해 건설되었다. 이들은 농촌 마을들을 공격해 휩쓸고 지나가는 데 능숙했다. 알렉산드로스의 요새화 계획은 정복한 지 얼마 되지 않은 새로운 영토를 방어하기 위해 구상된 것이었다. 바로 이 시기에 더 동쪽에서도 비슷한 우려를 가지고 비슷한 대응을 하고 있었다. 중국인들은 이미 문명 세계를 나타내는 화하華夏라는 개념을 개발하여 스텝 지대 종족들의 도전에 맞서고 있었다. 집중적인 건설 프로그램으로 방어망을 확장했는데 이것은 나중에 만리장성으로 발전하게 된다. 이는 알렉산드로스가 채택한 것과 같은 원리에 의해 추동된 것이었다. 바로 방어 없는 팽창은 무의미하다는 원리다.[20]

이에 앞서 기원전 4세기에 알렉산드로스는 줄기차게 원정을 계속했고, 힌두쿠시 산맥을 돌아 인더스 강 유역으로 진군해 내려갔다. 여기서도 역시 요새를 갖춘 새로운 거점들을 만들었다. 그러나 이 무렵에는 지치고 고향 생각이 간절한 병사들 사이에서 주기적으로 저항의 외침이 터져나왔다.

기원전 323년에 그가 바빌론에서 서른두 살의 나이로 아직까지 미스터리를 풀지 못한 죽음을 맞을 때까지 이룬 군사적 성과는 매우 놀라운 것이었다.[21] 정복 속도와 범위에서 특히 그렇다. 그 못지않게 인상적인 것은 (비록 훨씬 자주 무시되지만) 그가 얼마나 많은 유산을 남겼는지, 그리고 고대 그리스의 영향이 페르시아, 인도, 중앙아시아와 최종적으로 중국의 그것과도 얼마나 많이 섞였는지 하는 점이다.

알렉산드로스가 갑작스럽게 죽자 그의 휘하 지휘관들 사이에 혼란과 내분이 일어났지만, 한 지도자가 곧 새 영토 동쪽 절반의 지배자로 떠올랐다. 북부 마케도니아에서 태어난 셀레우코스였다. 그는 왕의 주요 원정에 함께했다. 주군이 죽은 지 몇 년 지나지 않아 그는 티그리스 강에서 인더스 강에 이르는 지역의 통치자가 되었다. 그 영토는 너무 넓어서 한 왕국이 아니라 제국이라 불릴 만했다. 그가 세운 셀레우코스 왕조는 이후 300년 가까이 지배하게 된다.[22]

알렉산드로스의 승리는 흔히 (그리고 쉽게) 눈부신 단기간의 연승으로 무시되고, 그의 유산은 보통 단명하고 일시적인 것으로 인식된다. 그러나 그것은 결코 일시적인 성과가 아니었다. 그것은 지중해 일대와 히말라야 산맥 사이에 있는 지역에는 새로운 시대의 시작이었다.

알렉산드로스가 죽은 뒤 수십 년 동안 그리스화化 프로그램이 점진적으로 진행되었다. 고대 그리스의 사상, 주제, 상징이 동방에 이식되었다. 그 휘하 장수들의 후손들은 자기네가 그리스라는 뿌리에서 나왔음을 기억하고 적극적으로 강조했다. 예를 들어 교역로를 따라 전략적으로 중요한 지점이나 활기찬 농업 중심지에 위치한 주요 도시에서 만든 주화에 그런 내용이 새겨졌다. 이 주화들의 형태는 점차 표준화되었다. 앞면에는 곱슬머리 위에 왕관을 쓰고, 알렉산드로스가 그랬듯이 오른쪽을 바라보는 현재의 통치자가 있고, 뒷면에는 그리스 문자로 신원을 밝힌 아폴론 신의 모습이 새겨졌다.[23]

중앙아시아와 인더스 강 유역 어디에서나 그리스어를 들을 수 있었다(그리고 볼 수 있었다). 셀레우코스가 건설한 아프가니스탄 북부의 새 도시 아이하눔에는 델포이의 격언이 기념물에 새겨졌다. 그 가운데 이런 글이 있다.

아이 시절에는 예의 바르게 행동하기를.

젊은 시절에는 자제력을 발휘하기를.

어른이 되어서는 공정하게 행동하기를.

노인이 되어서는 현명하게 행동하기를.

죽어갈 때는 고통이 없기를.[24]

관리들은 알렉산드로스가 죽고 100여 년이 지난 뒤에도 일상적으로 그리스어를 썼다. 박트리아에서 나온 기원전 200년 무렵의 세금 영수증과 병사 봉급에 관한 기록이 이를 보여준다.[25] 실제로 그리스어는 인도아대륙 깊숙이까지 파고들어갔다. 마우리아 왕조의 통치자로 초기 인도의 가장 위대한 통치자였던 아소카가 선포한 포고령 일부는 그리스어 번역과 함께 나왔다. 분명히 현지 주민들의 편의를 위한 것이었다.[26]

유럽과 아시아가 충돌하면서 생긴 문화 교류의 맥동은 엄청난 것이었다. 간다라 분지와 서부 인도에서 불상佛像은 아폴론 숭배가 확립된 뒤에야 나타나기 시작했다. 불교도들은 새로운 종교 습속의 성공에 위협을 느끼고 자기네의 시각적인 형상을 만들기 시작했다. 실제로 처음 불상이 나타난 시기뿐만 아니라 그 외양과 디자인에서도 연관성이 있다. 그들은 아폴론 상에서 영감을 받은 듯하고, 이는 명백히 그리스의 영향이 미친 효과였다. 그때까지 불교도들은 시각적인 표현을 적극적으로 삼가고 있었다. 하지만 이제 경쟁이 벌어지면서 그들은 반응하고 빌려오고 혁신하지 않을 수 없었다.[27]

타지키스탄의 남부 지방에서 출토된 그리스어 새김글로 장식된 돌 제단과 아폴론 초상, 알렉산드로스를 묘사한 정교한 소형 상아 조각은 서방의 영향이 얼마나 멀리까지 침투했는지를 단적으로 보여준다.[28] 지중해 지역에서 온 문화가 우월하다는 인상 역시 마찬가지였다. 예를 들어 그리스인은 과학 분야에서 뛰어나다는 믿음이 널리 퍼졌다. 《가르가 삼히타》로 알려진 문서에는 이런 구절이 있다.

"그들은 야만인이다. 그러나 과학과 천문학은 그들에게서 나왔고, 따라서 그들은 신들처럼 숭배를 받아야 한다."[29]

플루타르코스에 따르면 알렉산드로스는 그리스의 신학 체계를 멀리 인도에까지 전파했고, 그 결과 올림포스의 신들이 아시아 전역에서 숭배되었다. 페르시아와 그 너머의 젊은이들이 호메로스를 읽고 "소포클레스와 에우리피데스의 비극을 읊조리며" 자랐고, 인더스 강 유역에서 그리스어 교육이 이루어졌다.[30]

이것이 위대한 문학 작품들 곳곳에서 차용의 흔적을 발견할 수 있는 까닭일 것이다. 예컨대 초기의 위대한 산스크리트어 서사시인 《라마야나》는 《일리아스》와 《오디세이아》에 많은 빚을 지고 있다. 라바나가 시타 부인을 납치한 이야기는 헬레네가 트로이의 파리스와 함께 도주한 일을 그대로 베낀 것이다. 이런 영향과 자극은 반대 방향으로도 흘렀다. 일부 학자들은 베르길리우스의 서사시 《아이네이스》가 반대로 《마하바라타》 같은 인도 작품의 영향을 받았다고 주장한다.[31]

아이디어와 주제와 이야기들이 간선도로를 따라 이동했고, 여행자와 상인과 순례자들에 의해 널리 퍼졌다. 알렉산드로스의 정복은 그가 정복한 나라의 사람들에게 시야를 넓히는 계기가 되었다. 주변부와 그 너머에서 새로운 사상과 새로운 이미지와 새로운 개념을 접촉하게 된 사람들 또한 마찬가지였다.

심지어 황량한 스텝 지대의 문화권도 영향을 받았다. 북부 아프가니스탄 틸랴테페의 무덤에서 출토된, 신분이 높은 인물과 함께 묻힌 정교한 부장품들이 그런 증거가 될 수 있다. 이 유물들은 미술적으로 그리스의 (물론 시베리아나 인도나 그 외 지역에서도) 영향을 받았음을 보여 준다. 이러한 사치품은 가축과 말을 받은 대가로, 때로는 침략하지 않는 대가로 지불하는 공물로서 유목 세계로 건네진 것이다.[32]

아시아에 있는 부의 원천

스텝 지역을 서로 맞물리고 서로 연결된 세계와 이어주는 일은 중국의 야망이 커지면서 가속화되었다. 한漢 왕조(기원전 202~기원후 220) 시대에 팽창의 물결은 국경을 더욱 멀리 밀어내 마침내 당시 서역西域('서쪽 지역'이라는 뜻)이라 부르던 지방에까지 도달했다. 오늘날 신장新疆('새로 개척한 땅'이라는 뜻)으로 알려진 곳이다. 이곳은 하서주랑河西走廊 너머에 있는 곳으로, 하서주랑은 길이가 900킬로미터에 이르는 통로다. 중국 내륙과 타클라마칸 사막 끝에 있는 교통의 요지인 오아시스 도시 둔황敦煌을 연결한다. 둔황에서는 북쪽 또는 남쪽 길을 선택할 수 있는데, 양쪽 모두 위험하기는 마찬가지이며 두 길은 카슈가르에서 합쳐진다. 카슈가르는 히말라야 산맥과 파미르 고원, 톈산天山 산맥, 힌두쿠시 산맥의 연결점에 자리 잡고 있다.[33]

중국의 국경 확장으로 아시아는 하나로 연결되었다. 이 연결망들은 전에는 월지月氏와 특히 흉노匈奴에 의해 끊겨 있었다. 유목 민족인 이들은 중앙아시아의 스키타이인들과 마찬가지로 언제나 우려의 대상이었지만 한편으로 중요한 가축 교역 상대이기도 했다. 한나라 때의 기록에 따르면 기원전 2세기에 스텝 지대 사람들로부터 수만 마리의 소를 구매했다고 한다.[34] 그러나 중국의 말 수요는 도무지 채울 수가 없었다. 중국 내부의 치안을 유지하고 흉노 등 북방 민족의 공격과 습격에 대응할 수 있는 효율적인 상비군을 유지해야 할 필요성이 점점 더 커졌기 때문이다. 신장 서부 지역의 말은 인기가 높았고, 부족 수장들은 말을 팔아 많은 돈을 벌 수 있었다. 월지의 한 수장은 말을 팔아 얻은 물품을 다시 다른 쪽에 팔아 열 배의 이익을 챙겼다.[35]

가장 유명하고 값나가는 말은 파미르 고원(지금의 동부 타지키스탄과 북동 아프가니스탄에 걸쳐 있다) 건너편에 있는 페르가나 분지에서 기른 말이었다. 중국인들은 이 말들이 힘이 좋다고 찬탄하며, 용의 피를 이어받았다고 적었다. 이 말은 한혈마汗血馬('피와 같은 붉은 땀을 흘리는 말'이라는 뜻)라고 불렸다. 기생충 때문에, 또는 피부가 너무 얇아 달리는 동안 혈관이 파열되기 쉬워서 붉은 땀을 흘린다고 해서 얻은 이름이다. 특히 품종이 좋은 말은 시, 조각, 그림의 소재가 되었으며, '천마天馬', 즉 하늘 나라의 말로 불렸다.[36] 일부는 말 주인이 죽으면 함께 묻히기도 했다. 한 황제는 아끼던 말 80필과 함께 묻혔다. 무덤은 종마 두 필과 전사 한 명의 점토 조각상이 지켰다.[37]

몽골 스텝 지대 및 중국 북부 초원 일대를 지배했던 흉노와의 관계가 늘 평화롭지는 않았다. 당대 역사가들은 흉노를 날고기를 먹고 피를 마시는 야만족이라고 적었다. 한 역사가는 그들이 "하늘이 버린" 민족이라고 적었다.[38] 중국인들은 결국 도시가 공격당하는 위험을 감수하는 대신 공물을 바치기로 했다. 사절단이 정기적으로 파견되어 유목민들을 방문했다(그들은 어려서부터 쥐와 새를 잡고 더 커서는 여우와 토끼를 잡는 사냥 훈련을 했다). 황제의 사절단은 정중하게 흉노의 최고 지도자 선우單于의 안부를 물었다.[39] 공식적인 조공 체계가 마련됨에 따라 중국은 평화의 대가로 쌀과 술, 옷감 등 값비싼 선물을 유목민들에게 바쳤다.

그중 가장 인기 있는 품목은 비단이었다. 질감이 좋고 가벼워서 침구와 옷의 안감으로 유목민들이 귀하게 여기는 천이었다. 비단은 정치적·사회적 권력의 상징이기도 했다. 선우는 귀한 비단을 쌓아놓고서 자신의 지위를 과시하고 주위 사람들에게 보상하는 데 사용했다.[40]

평화의 대가로 지불한 액수는 상당했다. 예를 들어 기원전 1년에 흉노는 3만 필의 비단과 비슷한 양의 명주실, 370벌의 옷을 받았다.[41] 중국 관리들은 흉노가 그런 사치품에 빠져 파멸하게 될 것이라고 믿고 싶어했다. 한 사절은 흉노의 지도자에게 이렇게 말했다.

"이제 [당신들은] 이 중국 물건을 좋아하게 되었소."

그는 흉노의 풍습이 변하고 있다면서 자신 있게 예견했다.

"[중국은] 결국 흉노족 전체를 손아귀에 넣게 될 것이오."[42]

그것은 희망적 사고였다. 평화와 우호관계를 유지하는 외교정책은 재정적으로나 정치적으로 큰 손실을 초래했다. 공물을 바치는 데는 비용이 많이 들었고, 정치적으로 약세라는 표시였다. 그래서 시간이 지나자 한나라 통치자들은 흉노 문제를 영원히 해결하기로 결심했다. 우선 농업이 발달한 서역 서부 지역을 지배하기 위해 힘썼다. 10여 년에 걸친 여러 번의 전투 끝에 기원전 119년 중국인들이 하서주랑의 지배권을 차지하면서 유목민들은 쫓겨났다. 서쪽에는 파미르 고원이 있었고, 그 너머에는 새로운 세계가 있었다. 중국은 대륙 횡단 네트워크로 통하는 문을 열었다. 그것이 실크로드가 탄생하는 순간이었다.

중국은 팽창하면서 그 너머 세상에 관심을 갖기 시작했다. 관리들은 파미르 고원 너머의 지역들에 관해 조사하라는 지시를 받았다. 사마천司馬遷이 쓴 《사기史記》에 그런 기록이 남아 있다. 사마천은 제국 궁정 태사太史의 아들로, 부대를 잘못 이끌어 전투에서 패한 충동적인 젊은 장수를 옹호했다가 파직되고 궁형宮刑을 받았다.[43] 그는 인더스 강 유역과 페르시아, 중앙아시아 민족들의 역사·경제·군대에 관해 자신이 아는 내용을 꼼꼼하게 정리했다. 중앙아시아의 왕국들은 약하다고 썼다. 중국 군대에 밀려나자 관심을 다른 곳으로 돌린 유목민들의 압박 때문이었다. 이들 왕국의 주민들은 "무기를 다루는 데는 서투르지만 장사에는 수완이 있다"라고 그는 썼다. 수도 박트라의 시장에서는 "온갖 종류의 물건들이 거래된다"[44]라고 했다.

중국과 국경 너머 세계 사이의 교역은 꾸준히 증가했다. 고비 사막 가장자리를 따라 난 길을 통과하는 것은 험난했다. 특히 상인 무리들이 서쪽으로 갈 때 지나는 변경 관문인 위먼관玉門關 너머가 그랬다. 오아시스를 하나씩하나씩 통과하며 위험 지역을 지나는 것은 타클라마칸 사막을 통과하든 톈산 산맥의 고개를 넘든 파미르 고원을 지나든 마찬가지로 쉽지 않았다. 극한의 날씨를 뚫고 지나가야 했다. 그것이 박트리아 낙타가 그렇게 소중했던 이유 가운데 하나다. 낙타는 사막의 혹독한 조건을 견딜 수 있을 만큼 강인했다. 또 지독한 모래폭풍을 미리 감지해서 "일제히 울음소리를 내며 멈춰 선다"라고 했다. 그 소리는 상인들에게 "펠트 천으로 코와 입을 감싸라"는 신호였다. 그러나 낙타는 가끔 틀릴 때도 있는 예보관이었다. 목격자들은 길을 따라 죽은 동물의 사체와 해골이 널려 있는 곳들을 지났다고 이야기했다.[45]

그런 위험을 감수해야 하는 상황이었으니 보상은 커야 했다. 쓰촨四川에서 만들어진 죽제품竹製品과 옷을 수천 킬로미터 떨어진 박트리아의 시장에서 살 수 있었지만, 그것은 기본적으로 먼 거리를 운송해와야 하는 귀하고 값비싼 물건이었다.[46]

가장 중요하게 거래된 품목은 비단이었다. 비단은 고대 세계에서 여러 가지 중요한 역할을 했다. 한나라에서 비단은 병사에게 급료를 주는 데 주화 및 곡물과 함께 쓰였다. 어떤 면에서는 가장 믿을 수 있는 화폐였다. 충분한 양의 화폐를 만들어내는 것은 어려운 일이었고, 중국의 모든 지역에서 화폐가 유통되지 않는다는 문제도 있었다. 군대 급료로서 특히 곤란한 경우가 많았다. 전투 지역에서 주화는 거의 쓸모없기 때문이다. 한편 곡물은 시간이 지나면 썩었다. 그 결과 명주실 묶음이 자주 통화 대용으로 사용되었다. 급료로 지급되기도 하고, 중앙아시아의 한 불교 사원에서는 교단의 규율을 어긴 승려에게 명주실로 벌금을 내게 했다.[47] 이처럼 비단은 사치품이었을 뿐만 아니라 국제 통화로도 쓰였다.

중국인들은 또 외국에서 오는 상인을 통제하기 위해 공식적인 체제를 마련했다. 둔황에서 멀지 않은 쏸촨懸泉 역참 유적지에서 출토된 3만 5000점의 문서는 하서주랑의 길목에 자리 잡은 마을에서 일상적으로 일어난 사건들의 생생한 모습을 보여준다. 대쪽과 나무쪽에 쓰인 이 문서들은 중국으로 들어가는 방문자들이 반드시 지정된 경로를 이용해야 했고, 나중에 한 명도 빠짐없이 자기 나라로 돌아갈 수 있도록 정기적으로 점호를 받았음을 보여준다. 요즘 호텔의 숙박부처럼 방문자에 대한 기록도 남겼다. 식비로 얼마를 썼고, 어디에서 왔으며, 직위는 무엇이고, 목적지는 어디인지 등을 기록했다.[48]

이런 조치들은 감시하기 위한 것이 아니었다. 누가 중국에 들어오고 나갔으며 그들이 그곳에서 무슨 일을 했는지를 정확하게 기록하고, 특히 관세 징수의 목적에서 거래되는 물건의 가치를 적기 위한 수단이었다. 이런 기법들을 정교화하고 이를 조기에 적용한 것은 수도 장안長安(현재의 시안西安)에 있었고 기원후 1세기부터는 뤄양洛陽에 있던 제국 궁정이 자기네 눈앞에서 쪼그라들고 있던 세계를 어떻게 다루었는지를 보여준다.[49] 우리는 세계화를 현대의 독특한 현상이라고 생각한다. 그러나 2000년 전에도 그것은 살아 있는 현실이었다. 기회를 제공하고, 문제를 일으키고, 기술 발전을 촉진한 일이었다.

로마의 운명을 바꾼 이집트 정복

공교롭게도 수천 킬로미터 밖에서 이루어진 발전은 사치품 수요를 (그리고 그 값을 지불할 수 있는 능력을) 자극하는 데 기여했다. 페르시아에서 셀레우코스의 자손들은 기원전 247년 무렵에 아르사케스라는 출신이 불분명한 사람에게 쫓겨났다. 아르사크 왕조로 알려진 아르사케스의 후계자들은 권력을 장악한 뒤 세력 확장에 나섰다. 기술적으로 역사를 도용하여 그리스와 페르시아의 사상을 융합시킨 뒤 점차 체계적이고 강력한 새로운 정체성을 만들어냈다. 그 결과로 안정과 번영의 시대가 찾아왔다.[50]

무엇보다도 가장 큰 자극은 지중해 지역에서 일어난 일이었다. 이탈리아 서부 해안으로 가는 길 중간의 그리 유망하지 않은 위치에 있던 작은 도시 하나가 지방의 변두리에서 지역의 강자로 탈바꿈하는 데 성공했다. 로마는 해안의 도시국가들을 차례차례 탈취한 끝에 서부 지중해 일대를 지배하게 되었다. 기원전 1세기 중반쯤에는 로마의 야망이 더욱 커졌다. 그들의 시선은 확고부동하게 동방을 향하고 있었다.

로마는 경쟁력 있는 국가로 발전했다. 군대를 명예롭게 여기고, 폭력과 살인에 갈채를 보내는 나라였다. 검투사 경기가 대중오락의 기반이었고, 외국인과 자연에 대한 지배가 찬양을 받는 곳이었다. 도시 곳곳에 개선문을 세워 부산스러운 주민들에게 매일 전쟁 승리를 기억하게 했다. 군인정신과 용감무쌍함. 그리고 영예를 좋아하는 마음이 야심찬 도시의 핵심 특성으로 배양되었다. 이 도시의 세력권은 끝없이 뻗어나가고 있었다.[51]

로마의 힘의 근간은 간단치 않은 표준에 따라 단련되고 길들여진 군대였다. 병사들은 20킬로그램 이상의 장비를 짊어진 채 다섯 시간에 30킬로미터 이상 행군해야 했다. 병사들 간의 유대감을 유지하기 위해 결혼이 금지되었다. 자신의 능력에 확신을 갖고 자기네의 운명에 순응하도록 잘 훈련되고 준비되고 열정적인 젊은이들의 부대가 로마라는 나라 건설의 토대가 된 반석이었다.[52]

로마는 기원전 52년의 갈리아(대체로 현대의 프랑스와 베네룩스 3국, 독일의 서부에 해당한다) 정복으로 상당한 전리품을 획득했다. 로마제국의 금값이 출렁일 정도였다.[53] 그러나 유럽에는 아직도 점령할 곳이 많았다. 다만 매력적인 곳은 별로 없었다. 제국을 크게 만드는 것은 많은 도시 수였다. 도시는 과세 대상이 되는 수입을 많이 창출하는 곳이었다. 새로운 아이디어를 개발하는 기술자들과 기능공들은 도시의 문화를 풍성하게 해주었다. 부유한 후원자들이 이들의 기술을 얻으려 서로 경쟁하고 후하게 보상해주었다. 그에 비해 브리튼 섬은 점령해봐야 별로 수익성이 있을 것 같지 않았다. 브리튼 섬에 주둔하던 병사들이 고국에 보낸 석판 편지가 입증하듯이, 이 지방은 암울하고 얻을 게 없는 고립된 곳이었다.[54]

그러나 로마가 제국으로 이행해가는 것은 유럽이나 유럽 대륙 전역에 지배권을 확립하는 일과는 거의 관계가 없었다. 그곳에는 그럴 만한 자원이나, 소비자와 납세자들의 꿀단지가 되어줄 도시가 없었다. 로마를 새로운 시대로 이끈 것은 동부 지중해 지역과 그 너머로 시선을 돌린 일이었다. 로마의 성공과 그 영광은 우선 이집트를 점령한 덕분이었고, 그다음으로 동쪽, 즉 아시아에 닻을 내린 결과였다.

300년 가까이 알렉산드로스 대제의 부하인 프톨레마이오스의 후손들이 통치해오던 이집트는 나일 강을 기반으로 엄청난 부를 축적했다. 나일 강의 범람이 많은 곡물 수확을 가능하게 해준 것이다. 이 수확은 현지 주민들을 먹여 살리는 데 충분했을 뿐 아니라, 강어귀에 자리 잡은 알렉산드리아가 세계 최대의 도시로 발전하는 데 기여했다고 당대의 한 작가는 말했다. 그는 기원전 1세기의 이 도시 인구를 대략 30만 명으로 추산했다.[55] 곡물 선적은 철저하게 감시되었고, 배에 곡물을 실을 때마다 선장은 매번 충성 맹세를 해야 했다. 이때 선장은 왕실 서기의 대리인이 발급하는 증명서를 받았다. 그렇게 해야만 곡물을 배에 실을 수 있었다.[56]

로마는 오랫동안 이집트에 군침을 흘리고 있었다. 로마는 카이사르가 암살당한 이후 이집트 여왕 클레오파트라 7세가 정치적 패권을 둘러싼 진흙탕 싸움에 말려들자 기회를 잡았다. 클레오파트라는 기원전 31년 악티움 해전에서 마르쿠스 안토니우스에게 모든 것을 걸었다가 곧 알렉산드리아를 향해 진격해온 정치적 술수의 달인 옥타비아누스가 이끄는 로마 군대와 맞닥뜨렸다. 클레오파트라는 몇 차례 방어적인 결정을 내렸지만 그것은 심각한 부주의와 총체적인 무능을 드러냈을 뿐이다. 클레오파트라는 결국 스스로 목숨을 끊었다. 독사를 풀어 물게 했다는 설도 있고 음독 자살했다는 설도 있다. 이집트는 잘 익은 과일이 떨어지듯 떨어졌다.[57] 옥타비아누스는 로마를 출발할 때는 장군이었지만 돌아올 때는 최고 지도자가 되어 있었다. 원로원은 곧 감사의 표시로 새로운 칭호를 부여했다. 아우구스투스Augustus ('존엄한 자'라는 뜻으로 이후 로마제국 황제를 가리키는 말이 되었다 — 옮긴이)였다. 로마는 제국이 되었다.

이집트 점령은 로마의 운명을 바꿔놓았다. 나일 강 유역의 막대한 수확물을 손에 넣게 되자 곡물 가격이 폭락하고 가계 소비력이 크게 증가했다. 금리도 곤두박질쳐서 12퍼센트 안팎에서 4퍼센트가 되었다. 이것이 호황에 불을 붙였고, 돈이 넘쳐났다. 이는 곧 부동산 가격이 치솟는다는 의미였다.[58] 가처분소득이 급격하게 증가해서 아우구스투스는 원로원 의원의 자격 요건인 납부금 하한선을 40퍼센트나 올릴 수 있었다.[59] 아우구스투스가 즐겨 자랑했듯이, 그는 벽돌로 지어진 도시였던 로마를 대리석의 도시로 바꿔놓았다.[60]

이런 부의 급격한 증대는 로마가 이집트의 조세 수입과 막대한 자원을 무자비하게 짜낸 결과였다. 세금 조사반이 이집트 전역에 파견되어 새로 인두세를 부과했다. 16~60세의 남성은 인두세를 내야 했고 면제 대상은 극소수 특수한 경우에 불과했다. 예컨대 성직자는 세금 납부를 면할 수 있었지만 교회에 이름을 등록한 경우에만 가능했다.[61] 이것은 한 학자가 '고대의 아파르트헤이트'라고 부른 시스템의 일환이었다. 그렇게 해서 돈이 최대한 로마로 흘러가게 만들었다.[62]

이렇게 수익을 짜내는 방식은 로마의 경제적·군사적 팽창의 촉수가 더욱 멀리 뻗치면서 다른 곳에서도 반복되었다. 이집트를 병합한 지 얼마 지나지 않아 유대 왕국에도 인구 조사관들이 파견되었다. 역시 세금을 정확하게 계산하기 위한 것이었다. 이집트에서 했던 방식(모든 성인 남성의 이름과 출생과 사망을 빠짐없이 기록했다)을 그대로 사용했다고 보면, 예수의 출생도 기록되었을 것이다. 그것을 기록한 관리의 관심사는 아이가 누구이고 그 부모가 누군지가 아니라 제국의 새로운

인력이자 미래의 납세자라는 점이었을 것이다.[63]

로마의 부와 새로운 취향

로마는 동방에서 만난 세계로 인해 눈을 떴다. 아시아는 이미 한가로운 호사와 멋진 삶으로 명성을 얻고 있었다. 아시아는 더할 나위 없이 부유하고, 곡물 수확량은 전설적이고, 물건의 다양성은 믿을 수 없고, 가축 무리의 규모는 그저 놀라울 뿐이라고 키케로는 썼다. 그 수출 물량은 엄청났다.[64] 그래서 로마인들은 아시아 사람들이 그런 부 덕분에 한가로운 쾌락을 누릴 여유가 있다고 생각했다.

로마 병사들이 동방에서 비로소 어른이 되었다는 것도 놀라운 사실은 아니라고 역사가 살루스티우스는 썼다. 로마 병사들은 아시아에서 사랑을 하고, 술을 마시고, 조각품과 그림과 미술을 즐기는 법을 배웠다. 적어도 살루스티우스에 보기에 좋은 일은 아니었다. 아시아는 "즐기고 누릴" 수 있는 곳이었는지 모르지만, "그런 쾌락은 곧 병사들의 용맹한 정신을 갉아먹었다."[65] 이렇게 그들이 마주친 동방은 엄격하고 용감한 로마의 특성과는 정반대였다.

아우구스투스는 동방의 새로운 변경 너머에 있는 세계를 이해하려고 온갖 노력을 기울였다. 오늘날 에티오피아의 악숨 왕국과 예멘의 사바 왕국에 원정부대를 파견했고, 로마의 이집트 지배를 확고히 다지는 와중에도 시나이 반도 동쪽의 아카바만을 탐험했다.[66] 기원전 1년에 아우구스투스는 페르시아만 양쪽 지역의 교역에 관해 조사하고, 해로가 어떻게 홍해와 연결되는지 기록하라고 명령했다. 그는 또 페르시아를 지나 중앙아시아로 들어가는 육상 교통로에 대한 조사도 감독했다. 《파르티아의 역들 Stathmoí Parthikoí》(기원전 26년 무렵 이시도로스 카라케노스가 안티오키아에서 출발하여 인도까지 여행한 일에 관해 기록한 책— 옮긴이)로 알려진 문서는 대략 이 시기에 만들어졌다. 이 문서에는 동방의 주요 지점들 사이의 거리뿐만 아니라 유프라테스 강에서 동방의 알렉산드로폴리스(현재의 아프가니스탄 남부 칸다하르)까지 중요한 지점들이 꼼꼼하게 기록되어 있다.[67]

상인들의 시야는 크게 확대되었다. 역사가 스트라본에 따르면, 이집트를 점령한 지 몇 해 지나지 않아서 해마다 로마의 배 120척이 홍해 서안의 미오스호르모스 항을 출발하여 인도로 향했다. 폭발적이라고까지 할 수는 없지만 인도와의 통상 교류는 확대되었다. 이례적으로 풍부한 인도아대륙의 고고학적 증거들로 보아 이는 분명한 사실이다. 로마의 항아리, 램프, 거울, 신상神像 등이 파타남, 콜라푸르, 코임바토레 등의 유적지에서 출토되었다.[68] 인도 서부 해안과 남서 해상의 락샤드위프 제도에서 아우구스투스와 그 후계자들의 치세 때의 주화들이 다량 발견되었는데, 일부 역사가들은 동양의 현지 지배자들이 로마의 금화와 은화를 자기네 통화로 사용하거나 재활용하기 위해 이를 녹였을 것이라고 주장했다.[69]

이 시기의 타밀어 문헌들도 비슷한 이야기를 전한다. 로마 상인들의 도착을 흥분에 차서 기록하고 있는 것이다. 한 시는 로마인들이 "시원하고 향긋한 포도주"를 "멋진 배"에 싣고 왔다고 적었고, 또 다른 시는 이렇게 열광했다.

아름답고 커다란 배 (……)
황금을 싣고 오네
페리야르 강물에 하얀 물거품 튀기며,

그런 뒤 후추를 가득 싣고 돌아가네.

여기는 밀려오는 파도 소리 그치지 않고

위대하신 왕께서 손님들에게

바다와 산의 귀한 산물을 선사한다네.[70]

또 다른 자료는 인도에 정착한 유럽 상인들에 관한 서정적인 이
야기를 들려준다.

태양이 빛나네

탁 트인 테라스 위에서,

항구 근처 창고 위에서

창문이 있는 망루 위에서

마치 사슴의 눈처럼.

여기저기 여러 곳에서 (……)

구경꾼들은 [서양인들의] 집을 보느라

눈을 떼지 못하네,

그들의 번영은 끝이 없다네.[71]

《파르티아의 역들》은 로마인들이 서부 인도에서 무엇을 가져가
려고 했는지를 보여준다. 상인들이 주석, 구리, 납, 황옥 같은 값나가는
광물을 어디에서 얻을 수 있는지, 상아와 귀한 보석 원석과 향신료를
어디에 가면 구할 수 있는지를 기록했다.[72]

그러나 인도아대륙의 항구들에서 이루어진 교역은 이 지역에서
나는 물건에만 한정되지 않았다. 홍해에 면한 이집트의 항구 베레니케

유적지의 발굴물들이 보여주듯이, 베트남과 자바처럼 먼 지역에서 나는 여러 가지 물건들이 지중해 지역으로 들어왔다.[73] 인도 동해안 및 서해안 항구들이, 동아시아 및 동남아시아 각지에서 나는 물건들을 서양으로 실어 보내는 상업 중심지 노릇을 했다.[74] 그리고 홍해 지역의 상품과 농산물도 있었다. 그곳은 지중해 지역과 인도양 지역 및 그 너머를 연결할 뿐만 아니라 그 자체로 활기찬 상업 지역이었다.[75]

로마의 부유한 시민들은 이제 이국적이고 사치스러운 취향에 탐닉할 수 있게 되었다. 좋은 가문 출신의 비판자들은 소비가 외설에 가깝다고 투덜거리고, 지나친 과시 세태를 한탄했다.[76] 이런 모습은 페트로니우스의 소설 《사티리콘Satyricon》에 적나라하게 묘사되어 있다. 가장 유명한 장면은 노예 신분에서 자유를 얻고 큰 재산을 모은 트리말키오의 연회다. 페트로니우스는 신흥 거부의 취향을 신랄하게 풍자한다. 트리말키오는 돈으로 살 수 있는 최고의 것만을 원했다. 만찬에는 흑해 동안에서 특별히 공수해온 꿩고기, 아프리카산 뿔닭, 희귀하고 값비싼 생선 요리, 깃털을 펼친 공작 등등이 올라왔다. 살아 있는 새들을 통돼지 안에 꿰매 넣어 고기를 저미는 순간에 날아가게 하는 기괴한 장면이나, 은으로 만든 이쑤시개를 손님들에게 나누어주는 장면은 로마의 새로운 부가 천박하고 과도하다는 무자비한 조롱이었다. 고대의 큰 호황이 벼락부자를 지독하게 시샘하는 문학적 표현을 낳은 것이다.[77]

새로 창출된 부 덕분에 로마인들은 새로운 세계 및 새로운 취향을 접하게 되었다. 로마의 풍자 시인 마르티알리스는 한 젊은 여자 노예를 애도하는 시에서 이 시기의 국제성과 확장된 지식을 정형화한다. 소녀를 순결한 백합, 광을 낸 인도산 상아, 홍해산 진주와 비교했다. 소녀의 머리칼은 에스파냐산 양털보다 더 가늘거나, 라인 강 로렐라이 요정의 금빛 머리칼이었다.[78] 부부가 예쁜 아기를 낳고 싶으면 전에는 에로틱한 그림들 속에서 섹스를 했겠지만, "이제 그들은 유대인 노예를 데려다가 침대 발치에 묶어놓는다"라고 겁에 질린 한 유대인 작가는 말했다. 성령의 인도를 위해서였지만, 또한 그들이 그렇게 할 형편이 되기 때문이었다.[79]

모두가 새로운 취향을 환영한 것은 아니었다. 유베날리스는 《풍자시집 Saturae》에서 로마의 테베레 강에는 오론테스 강물이 넘쳐난다고 개탄했다. 오론테스 강은 시리아와 남부 터키를 흐르는 강이다. 다시 말해 아시아의 퇴폐성이 전통적인 로마의 미덕을 파괴했다는 것이다. 그는 이렇게 썼다.

"야만인의 머리쓰개를 한 화려한 매춘부가 좋아 보인다면, 꺼져버려라."[80]

특히 일부 보수적인 사람들을 질리게 한 상품이 있었다. 바로 중국산 비단이다.[81] 이 직물이 지중해 지역에서 점점 더 많아지자 전통주의자들은 실망감을 드러냈다. 그중 한 사람인 세네카는 얇게 늘어뜨린 이 옷감의 인기에 경악하면서, 비단옷은 로마 숙녀의 몸매도 품위도 가려주지 않으므로 옷이라고 부를 수도 없다고 단언했다. 부부 관계의 기반이 훼손되었다고 그는 말했다. 여자가 속이 비치는 얇은 옷을 걸치면 남자들에게 상상의 여지가 별로 없다는 것이었다. 세네카에게 비단은 그저 이국풍과 색정의 취향일 뿐이었다. 비단을 걸친 여성은 옷을 입었다고 당당하게 말할 수 없었다.[82] 다른 사람들도 그렇게 느꼈다. 그래서 남성이 비단옷 입는 것을 금지하는 법이 통과되었다. 일부는 간단히 말했다. 로마의 남성들이 아무렇지 않게 동방에서 온

비단옷은 걸치고 뽐내는 것은 부끄러운 일이라고. 두 지도급 시민은 이에 동의했다.[83]

하지만 어떤 사람들은 다른 이유로 비단의 유행을 우려했다. 1세기 후반에 플리니우스는 단순히 "로마의 숙녀들이 남들 앞에서 얼쩡대보려고"[84] 사치품에 돈을 쓴다며 분개했다. 그는 비단이 실제 가격보다 100배나 비싸다는 사실에 경악했다.[85] 그는 이어, 아시아에서 수입하는 "우리와 우리 여성들을 위한" 사치품에 엄청난 돈이 들어간다고 말했다. 해마다 1억 세스테르티우스에 이르는 돈이 로마 경제에서 국경 너머의 교역 시장으로 흘러 나간다는 것이다.[86]

이 놀라운 액수는 제국의 연간 화폐 주조량의 절반에 육박하고, 제국 연간 예산의 10퍼센트를 넘는 것이었다. 이런 추산이 턱없이 과장된 것으로 보이지는 않는다. 인도 무치리(고대 인도의 무역항으로, 정확한 위치는 논란이 있으나 앞에 나온 페리야르 강 하구에 있었다 — 옮긴이)와 홍해의 한 로마 항구 사이의 물건 선적 조건을 기록한 파피루스 계약서가 최근 발견되었는데, 이는 2세기 무렵에 대규모의 정기적인 교역이 이루어졌다는 증거다. 계약서에는 쌍방의 의무가 나열되어 있으며, 어느 지점에서 상품이 화주貨主 또는 운송업자 소유로 간주되는지 명시하고 있고 지불이 특정 날짜에 이루어지지 않을 경우의 제재 조치가 적혀 있다.[87] 장거리 거래에는 엄격하고 정교한 규정이 필요했다.

그러나 로마 상인들이 주화로만 대금을 지불한 것은 아니었다. 그들은 정교하게 가공한 유리, 금과 은, 홍해에서 나는 산호와 황옥, 아라비아산 유향을 주고 직물과 향신료, 인디고 같은 염료를 사들이기도 했다.[88] 이런 규모의 자본 유출은 광범위한 영향을 미쳤다. 그중 하나는 교역로 주변의 지역 경제가 활성화된 것이었다. 장사가 번창하고 통신망과 교역망이 확장되어 더욱 긴밀히 연결되면서 마을은 소도시로, 소도시는 대도시로 변모했다.

동방과 서방을 연결하는 교역 중심지 역할을 톡톡히 했던 시리아 사막 끄트머리의 팔미라에는 점차 인상적인 건축물들이 세워졌다. 팔미라는 사막의 베네치아라 불렸다.[89] 남북 축의 도시들도 번성했다. 가장 눈부신 사례가 현재의 요르단에 있던 페트라다. 페트라는 아라비아 반도와 지중해 지역의 도시들 사이의 교통로에 위치한 덕분에 고대의 경이 가운데 하나가 되었다. 당시 그곳에서는 접근하기 쉬운 교차 지점에 수백 킬로미터, 어쩌면 수천 킬로미터 밖의 상인들을 끌어모으는 장터들이 있었다. 유프라테스 강 부근의 바트나이(오늘날 터키와 시리아의 접경 지대에 있는 수루치)도 그런 곳이었다.

"[해마다 9월이면] 도시는 부유한 상인들로 북적댄다. 수많은 사람들이 장터에 모여 인도와 중국에서 가져온 물건들과, 역시 육로와 해로를 통해 들어온 온갖 물건들을 거래한다."[90]

로마의 구매력이 이렇게 컸기 때문에 심지어 동아시아 깊숙한 곳의 주화 디자인에도 영향을 미칠 수 있었다. 월지 유목민들은 타림 분지에서 중국인들에게 밀려난 뒤 페르시아 동쪽에 거점을 확보하는 데 성공하자, 알렉산드로스의 휘하에 있던 장군들의 후손이 지배하던 영역들을 접수했다. 곧 이 종족 안의 선도적인 집단의 이름을 딴 제국이 탄생하여 번영했다. 바로 귀상貴霜 또는 쿠샨제국이다. 이들은 로마의 것을 모방한 주화를 대량으로 주조하기 시작했다.[91]

로마의 통화는 바르바리콘과 특히 바리가자(현재의 바루치) 같은 북인도의 항구들을 통해 쿠샨 영토로 쏟아져 들어왔다. 이곳들은 접근과 정박이 매우 위험했기 때문에 수로 안내인이 동행했다. 두 항구로 무사히 들어가는 것은 그곳 조류에 경험이 없고 익숙지 못한 사람들에게는 매우 위험했다.[92] 상륙만 하면 상인들은 후추와 향신료, 상아와 직물(완제품 비단과 명주실 모두)을 구경할 수 있었다. 그곳은 인도 전역과 중앙아시아, 중국에서 온 물건들이 죄다 모여드는 커다란 시장이었으며, 이 지역들을 연결하는 오아시스 도시들과 교역로를 장악하고 있던 쿠샨에 막대한 부를 안겨주었다.[93]

지중해 지역에서 중국으로 점점 더 많은 물건이 들어오고 나가기는 했지만, 쿠샨이 워낙 확고하게 자리 잡고 있었기 때문에 중국인들은 인도양을 통한 로마와의 교역에서 큰 역할을 할 수 없었다. 1세기 말 중국 후한의 명장 반초班超가 카스피해까지 이르는 몇 차례의 군사 원정을 이끈 뒤에야, 강력한 서방 제국의 "키 크고 반듯한 용모를 지닌" 주민들에 대한 추가 정보를 얻기 위해 사절이 파견되었다. 사절은 대진大秦(로마제국을 이렇게 불렀다)이 금과 은, 그리고 화려한 보석이 무진장한 나라라고 보고했다. 그곳은 멋지고 귀한 물건들의 보고寶庫였다.[94]

중국의 페르시아와의 거래는 정기적이고 집중적인 것으로 변했다. 한 중국 자료에 따르면 사절은 해마다 여러 차례씩 파견되었는데, 적어도 열 번은 페르시아로 향했고, 적은 해에도 대여섯 번은 서쪽으로 파견되었다.[95] 외교 사절들은 보통 거래할 물품을 가진 대규모 상인단을 대동했다. 그들은 고국에서 찾는 상품들을 가지고 귀국했다. 홍해의 진주, 비취, 청금석과 양파, 오이, 고수, 석류, 피스타치오, 살구 같은 소비재들이었다.[96] 매우 탐나는 유향과 몰약(그것은 사실 예멘과 에티오피아에서 나는 것이었다)은 중국에서 '파사波斯'로 알려져 있었다. 페르시아 제품이라는 뜻이다.[97] 후대의 자료에도 나오듯이 사마르칸트 복숭아는 매우 값진 과일로 인식되었다. "거위 알만큼" 크고 색깔이 진해서 중국인들은 '금도金桃'라 불렀다.[98]

중국인들이 거의 로마와 직접 거래하지 않았던 것과 마찬가지로, 히말라야 산맥 및 인도양 너머에 대한 지중해 지역 사람들의 지식도 제한적이었다. 로마 사절 하나가 166년 무렵에 후한의 환제桓帝를 접견한 사실이 확인될 뿐이다. 로마의 동아시아에 대한 관심과 지식은 스쳐 지나가는 것이었다. 그들의 눈은 페르시아에 단단히 고정되어 있었다.[99]

페르시아는 단순한 맞수나 경쟁자가 아니었고, 그 자체가 잠재적인 목표물이었다. 이집트에 대한 통제권을 확립해나가는 상황에서도 베르길리우스 같은 작가들은 로마의 영향력이 확대되고 있다며 흥분했다. 호라티우스는 아우구스투스의 업적을 칭송하는 시에서, 로마의 지중해 지역의 지배가 아니라 전 세계 정복에 대해 썼다. 인도와 중국 정복까지 포함해서 말이다.[100] 그렇게 하려면 페르시아로 진격할 필요가 있었고, 역대 황제들은 모두 이 일에 매달렸다. 제국의 국경을 페르시아 영토 깊숙이에 있는 카스피 관문(카스피해 서안에 있는 현재 러시아 다게스탄 공화국의 데르벤트에 있었다고 한다―옮긴이)까지 확장하려는 거창한 계획이 수립되었다. 로마는 세계의 심장을 장악할 필요가 있었다.[101]

실제로 이 꿈을 현실로 만들려는 노력이 있었다. 113년 트라야누스 황제는 직접 대규모 동방 원정군을 이끌었다. 그는 캅카스 산맥을 빠르게 통과한 뒤 남쪽으로 진군하여 유프라테스 강줄기를 따라가며 니시비스와 그 서쪽의 바트나이를 정복했다. 그러고는 메소포타미아가 "로마인들의 힘 아래 복속되었다"라고 선언하는 주화를 만들었다.

저항이 점차 수그러들자 황제는 부대를 둘로 나누어서 페르시아의 대도시들을 줄줄이 점령했다. 아데니스트라이, 바빌론, 셀레우키아, 크테시폰 등이 불과 몇 달 사이에 로마 군대의 수중에 떨어졌다. 곧바로 페르시아 카프타 PERSIA CAPTA, 즉 '페르시아는 정복되었다'라는 단호한 문장이 새겨진 주화가 만들어졌다.[102] 그런 뒤에 트라야누스는 페르시아만 입구에 있는 카락스(오늘날의 바스라)로 진군해 내려갔다. 마침 장삿배 하나가 인도를 향해 출항하고 있었다. 황제는 동경하는 눈빛으로 배를 바라보았다. 자신이 알렉산드로스 대제만큼만 젊었다면 인더스 강을 건넜을 것이라고 생각하면서.[103]

아시리아와 바빌로니아 주를 새로 건설한다는 청사진을 그린 로마는 새로운 시대를 열 태세가 되어 있는 듯했다. 로마는 새로운 영토를 확장함에 따라 인더스 강 유역과 멀리 중국의 관문에까지 진출할 수 있을 터였다. 그러나 트라야누스의 성공은 오래 가지 못했다. 메소포타미아의 도시들은 격렬한 반격을 가하기 시작했고, 황제는 곧 물뇌증이 발병해서 결국 사망했다. 또한 유대에서 반란이 일어나 시급한 관심이 필요했다. 그럼에도 역대 황제들의 시선은 굳건하게 페르시아에 고정되어 있었다. 군비 지출이 그곳에 집중되었고, 그곳에서는 로마의 비상한 관심 속에 변경과 그 너머의 일들이 보고되고 있었다.

황제들은 제국의 유럽 내 주들과 확연히 다르게, 주기적으로 아시아 원정을 떠났다. 물론 항상 승리한 것은 아니었다. 예를 들어 260년에 발레리아누스 황제는 포로로 잡힌 뒤 "비참한 처지의 노예"가 되어 굴욕을 당했다. 그는 페르시아 왕을 위한 인간 발판으로 쓰였다. "왕이 말에 오를 때 그는 등을 구부렸다가 들어올려야" 했다. 그리고 끝내는 살갗이 벗겨지는 일을 당했다.

"살에서 벗겨낸 그의 피부는 단사丹砂로 물을 들여 야만인들의 신전에 갖다 놓았다. 그렇게 소중한 승리를 영원한 기억으로 남기고, 이 모습을 항상 우리 사절들에게 보여주고자 했다."[104]

그의 몸은 박제되어 모든 사람들이 로마의 어리석음과 부끄러움을 볼 수 있도록 전시되었다.

부상하는 페르시아, 흔들리는 로마

역설적이지만 페르시아가 힘을 키울 수 있도록 추동한 것은 바로 로마의 성장과 야망이었다. 예컨대 페르시아는 동방과 서방 사이의 장거리 교역에서 큰 이득을 보았다. 그것은 또한 페르시아의 정치적·경제적 무게중심을 북쪽에서 멀리 떨어진 곳으로 옮기도록 하는 데 기여했다. 이전에는 스텝 지대에 가까운 쪽이 중요시되었다. 유목 민족들과 가축이나 말을 거래하고, 스텝 지대의 무시무시한 사람들로부터 내키지 않는 관심이나 요구를 피하기 위해 필요한 외교적 접촉을 지휘해야 했기 때문이다. 니사, 아비바르드, 다라 같은 오아시스의 소도시들이 중요해지고 거기에 웅장한 왕궁들이 들어서게 된 까닭이 바로 그것이었다.[105]

지역 및 장거리 교역에서 얻어내는 세금과 운송 수수료로 중앙정부의 재원이 늘어나자 이제 대규모 사회 기반시설의 건설 계획이 추진되기 시작했다. 여기에는 중앙 메소포타미아 티그리스 강 동쪽 기슭의 크테시폰을 새 수도로 변모시키고, 또한 페르시아만의 카라케네 같은 항구들에 집중 투자해서 늘어나는 해상 수송 물량을 처리하는 일 등이 포함되었다. 이 모든 것이 로마를 겨냥한 것만은 아니었다. 교역이 번성하면서 페르시아산 유약 도자기 산업이 성장하여 1~2세기에 인도와 스리랑카 등지로 수출되고 있었던 것이다.[106]

그러나 로마의 페르시아 정복 노력이 가져온 가장 큰 효과는 페르시아의 정치개혁을 촉진했다는 것이다. 페르시아는 이웃 로마의 극심한 압력에 직면하면서 중요한 변신을 이루었다. 220년 무렵에 등장한 새 왕조 사산제국은 과감한 비전을 내놓았다. 사실상 독립적이었던 지방 총독의 권한을 박탈해서 권력을 중앙에 집중시킨 것이다. 그리고 잇단 행정개혁으로 국가의 거의 모든 측면을 통제하게 되었다. 책임이 중시되면서 페르시아 관리들은 도장을 지급받았다. 업무 결정 사항을 기록하고 책임 소재를 가리며 정확한 정보 보고를 보장하기 위한 것이었다. 지금까지 남아 있는 수천 개의 도장은 개혁이 얼마나 강력하게 추진되었는지를 보여준다.[107]

상인과 시장도 통제되었다. 한 자료는 생산자와 교역자들(상당수는 조합으로 편제되었다)이 시장에서 특정 구역을 배정받았음을 기록하고 있다. 이에 따라 감독관이 품질 및 물량 표준이 충족되었는지를 확인하고, 무엇보다도 세금을 효율적으로 징수할 수 있었다.[108] 도시 환경(대부분의 상품 거래소가 있는 곳이다)은 상수도 시설을 개선하는 데 집중되었다. 어떤 경우에는 가용 자원을 늘리고 도시를 발전시키기 위해 수 킬로미터씩 뻗쳐 있었다. 수많은 도시들이 새로 생겨났다. 당대 자료에 근거한 후대의 한 페르시아 문서는 중앙아시아와 이란 고원, 메소포타미아와 지중해 연안 곳곳에 불었던 도시 개발 붐을 증언하고 있다.[109]

농업 생산을 늘리는 계획의 일환으로 현재의 이란 남서부 후제스탄과 이라크의 대규모 관개시설 프로그램이 추진되었다. 이것은 또한 식료품 가격을 안정시키는 효과를 가져올 것으로 기대되었다.[110] 고고학 유물들은 수출 전에 화물을 검사했음을 보여주고 있고, 문서 자료들은 계약서 사본에 도장을 찍어 등록 사무소에 보관했음을 입증하고 있다.[111] 거의 200년 동안 쿠샨에 복속되었던 도시와 영토가 다시 페르시아 본토로 편입된 것 역시 동방과 서방의 교역 증대를 촉진한 요인이었다.[112]

페르시아가 부상하면서 로마는 흔들리기 시작했다. 사산제국만이 문제가 아니었다. 300년 무렵 북해에서 흑해까지, 캅카스 산맥에서 예멘 남단까지 이르는 제국의 동쪽 국경선 전체가 압박을 받고 있었다. 제국은 팽창을 바탕 삼아 건설된 것이었고, 잘 훈련된 군대에 의해 보호되고 있었다. 영토 확장이 주춤해지자(라인 강과 도나우 강, 동부 소아시아의 토로스 산맥과 북北토로스 산맥 등 자연 경계선에 도달했기 때문이다) 로마는 전형적인 자기 성공의 희생자가 되었다. 로마는 이제 그 국경 너머에 사는 사람들의 표적이 되었다.

조세 수입의 감소와 국경 방어 비용의 증가 사이의 위태로운 불균형을 바로잡으려는 필사적인 조치들이 취해졌다. 이는 대중의 아우성을 유발했다. 디오클레티아누스 황제가 적극적으로 재정 적자 문제를 해결하려 했지만 해결하기는커녕 오히려 문제를 만들었다고 한 비판자는 탄식했다.

"그는 탐욕과 조급증 때문에 세상을 다 뒤집어엎어버렸다."[113]

제국의 자산에 대한 철저한 재검토가 이루어졌다. 조세 체계를 정비하기 위한 서곡이었다. 관리들이 전국 각지에 파견되었고, 감정인들이 예고 없이 나타나서 덩굴과 과일나무를 하나하나 세었다. 그 목표는 제국의 수입을 늘리는 것이었다.[114] 제국 전체에 수입 사치품은 물론 주요 상품의 가격을 정하는 포고령이 반포되었다. 참깨, 쿠민, 고추냉이, 계피 같은 것들이었다. 최근 터키 남서부 해안의 보드룸에서 발견된 이 명령서 조각은 목표를 달성하기 위해 국가가 어느 정도까지 애를 썼는지를 보여준다. 적어도 스물여섯 종류의 신발(도금한 여성용 샌들에서부터 "자주색의 바빌론식 단화"에 이르기까지)에 대해 로마의 조세 감독관은 상한 가격을 매겼다.[115]

결국 제국을 부흥시키려는 노력의 중압감은 디오클레티아누스 황제를 나가떨어지게 했다. 그는 은퇴하고 크로아티아 해변으로 가서 나라 문제보다는 좀 더 즐길 만한 일에 관심을 돌렸다. 그는 전에 함께 일하던 사람에게 이런 편지를 썼다.

"살로나에 오게. 와서 내가 심은 양배추를 봐. 이걸 보면 다시는 권력 주변을 기웃거리지 않게 될 걸세."[116]

아우구스투스는 로마 교외의 프리마포르타에서 발견된 유명하고 근사한 조각상에서 자신을 군인으로 표현했지만, 디오클레티아누스는 자신을 농부로 내세우고 싶어했다. 이것은 로마의 야망이 300년이 지나는 동안에 어떻게 변했는지를 단적으로 보여준다. 인도까지 제국을 확장하려던 야망에서 최고의 야채를 재배하는 농부의 모습으로 바뀐 것이다.

로마인들이 걱정스레 지켜보는 가운데 짙은 먹구름이 모여들고 있었다. 행동을 취한 것은 콘스탄티누스 황제였다. 그는 제국 지도층의 아들로, 야망과 능력을 겸비한 인물이었다. 그는 적절한 시점에 적절한 자리를 차지하는 요령이 있었다. 그는 로마가 필요로 하는 것을 알았다. 제국은 강력한 리더십이 필요했다(거기까지는 누구에게나 분명했다). 그러나 그는 자신의 손에 권력을 집중시키는 것 이상의 급진적인 계획을 가지고 있었다. 새로운 도시를 건설하는 것이었다. 지중해 지역과 동방을 연결하는 목걸이에 새로운 진주를 끼워넣는 일이었다. 그가 선택한 위치는 유럽과 아시아가 만나는 지점이었다. 제대로 된 선택이었다.

유럽과 아시아의 교차로, 콘스탄티노플

오랫동안 로마 황제가 제국의 수도를 이전할 것이라는 소문이 나돌고 있었다. 로마의 한 작가에 따르면, 율리우스 카이사르는 알렉산드리아 또는 소아시아의 고대 트로이가 있던 곳을 수도로 고려했다. 로마의 이해가 걸린 지역을 통치하는 데 이들 지역이 더 나은 위치였기 때문이다.[117] 4세기 초에 유럽과 아시아의 교차로에 웅장한 도시가 건설됨으로써 그것은 마침내 현실이 되었다. 그 위치를 보면 제국이 어디에 초점을 맞추었는지를 알 수 있었다.

새 수도는 보스포루스 해변의 옛 도시 비잔티온 터에 건설되었다. 새 도시는 곧 로마에 필적할 뿐만 아니라 로마를 능가하게 된다. 거대한 궁전이 건설되고, 전차 경주를 위한 경마장도 들어섰다. 도시 중앙에 거대한 돌기둥이 세워졌다. 커다란 반암斑岩 덩어리를 깎아 만든 기둥이었다. 그 꼭대기에서 황제의 조각상이 아래를 내려다보고 있었다. 새 도시는 노바 로마 Nova Roma(새로운 로마)로 불렸다. 그러나 곧 창건자인 콘스탄티누스 황제의 도시라는 뜻의 콘스탄티노플로 불리게 된다.

모母도시 로마에 있는 것을 그대로 베껴 상응하는 기구들이 만들어졌다. 원로원도 그 가운데 하나였는데, 그 의원들은 일부 사람들로부터 벼락부자라는 조롱을 받았다. 그들은 구리 세공사, 목욕탕 종업원, 소시지 제조업자 등의 아들이었다.[118]

콘스탄티노플은 지중해 지역에서 가장 크고 가장 중요한 도시가 된다. 규모나 영향력이나 중요도에서 다른 도시들을 능가했다. 현대의 많은 학자들은 콘스탄티누스가 이 도시를 새로운 제국 수도로 삼으려 했다는 것을 강하게 부인하지만, 그 건설에 엄청난 자원이 투입된 사실은 모든 것을 말해준다.[119] 콘스탄티노플은 다른 민감한 교통로들, 특히 흑해를 들고나는 해상 운송로를 장악할 수 있는 지점에 위치했고, 동쪽과 북쪽으로 나아가는 데도 중요한 지점이었다. 북쪽으로는 발칸 지역과 오늘날의 헝가리 일대인 판노니아 평원으로 이어지는데, 그곳에서 문제가 싹트고 있었다.

고대 세계에서 사람들의 시야는 좁은 지역을 벗어나지 못했다. 교역과 인적 교류는 가까운 거리 안에서 이루어졌다. 하지만 공동체 네트워크는 그물처럼 짜여 복잡한 세계를 형성했고, 이에 따라 수천 킬로미터 떨어진 곳의 산물과 예술적 요소와 영향력이 사람들의 취향과 생각을 좌우했다.

2000년 전 중국산 비단옷은 카르타고와 지중해 지역의 다른 도시들에 사는 부유하고 권세 있는 사람들이 입었으며, 남부 프랑스에서 생산된 도자기가 잉글랜드와 페르시아만 지역으로 흘러들어갔다. 인도의 향신료와 양념이 신장의 부엌뿐만 아니라 로마의 부엌에서도 사용되었다. 북부 아프가니스탄의 건물에는 그리스 문자가 새겨져 있었고, 중앙아시아산 말들을 수천 킬로미터 거리에 사는 사람들이 자랑스럽게 타고 다녔다.

우리는 2000년 전 금화의 일생을 상상해볼 수 있다. 아마도 지방 주조소에서 만들어졌을 금화는 젊은 병사의 급료로 지급되어 그가 잉글랜드 북부 변경에서 물건을 사는 데 쓰이며, 세금 징수를 위해 파견된 제국 관리의 돈궤에 담겨 다시 로마로 가고, 그 뒤에 동방으로 가는 장사꾼에게 건네지며, 그런 뒤에 바리가자에 식량을 팔러 온 상인으로부터 농산물을 사는 데 쓰인다. 거기서 금화는 사람들의 감탄을 자아내고 힌두쿠시 지역의 통치자에게 바쳐지며, 그 통치자는 동전의 디자인과 형태와 크기에 매료되어 기술자에게 복제하라고 내준다. 기술자는 어쩌면 로마에서 왔을 수도 있고, 어쩌면 페르시아에서, 아니면 인도나 중국에서 왔을 수도 있고, 심지어 주조 기술을 배운 현지인일 수도 있다. 그 세계는 서로 연결되고 복잡하고 교류에 목마른 곳이었다.

과거를 우리가 편리하고 접근 가능하다고 생각한 모습으로 만들어내는 것은 쉬운 일이다. 그러나 고대 세계는 우리가 생각하는 것보다 훨씬 복잡하고 서로 연결되어 있었다. 로마를 서유럽의 시발로 보는 것은 로마가 줄곧 동방을 바라보고 있었고 여러 가지 측면에서 동방의 영향을 받아 형성되었다는 사실을 간과하는 것이다. 고대 세계는 상당 부분 오늘날 우리가 보는 세계의 선구자격이었다. 활기차고 경쟁적이고 효율적이고 정열적이었다. 도시의 띠는 아시아를 가로지르는 사슬을 이루었다. 서방은 동방을 바라보기 시작했고, 동방은 서방을 바라보기 시작했다. 인도를 페르시아만 및 홍해와 연결하는 교통량이 늘면서 고대의 초기 실크로드는 활기를 띠었다.

로마는 공화국에서 제국으로 변신한 이후로 아시아에 시선을 고정하고 있었다. 그리고 나중에 드러나지만 그렇게 해서 영혼을 알았다. 콘스탄티누스는 (그리고 로마제국은) 하느님을 발견했다. 새로운 종교 역시 동방에서 왔다. 놀랍게도 그것은 페르시아나 인도에서 온 것이 아니라 전혀 뜻밖의 지방에서 왔다. 300년 전 폰티우스 필라투스 총독이 오명을 쓴 곳이다. 기독교가 사방으로 퍼져나가려 하고 있었다.

2

신앙의 길

길을 따라 사상과 종교도 전파되다

고대에 태평양, 중앙아시아, 인도, 페르시아만, 지중해를 연결하는 대동맥을 따라 흘러간 것은 물건만이 아니었다. 사상도 흘렀다. 가장 강력한 사상은 신과 관련된 사상이었다. 지적·종교적 교류는 이 지역에서 언제나 활발했다. 이제 그것은 더욱 복잡해지고 더욱 경쟁적으로 변했다. 지역 종교와 신앙체계가 잘 짜인 우주론과 결합되었다. 그것은 펄펄 끓는 용광로였고, 그 안에서 사상이 차용되고 정제되고 재포장되었다.

알렉산드로스 대제의 원정이 그리스의 사상을 동방으로 가져간 뒤 오래지 않아 사상이 반대쪽으로 흘러갔다. 불교적 관념은 재빨리, 특히 아소카 황제의 후원을 받은 이후, 아시아 전역으로 퍼져나갔다. 그는 기원전 3세기 인도에서 군사원정의 끔찍한 대가를 치른 후 대제국을 건설한 것을 반성하고 불교로 개종했다고 한다. 이 시기에 새겨진 명문銘文들은 시리아나 아마도 그 너머에서도 많은 사람들이 불교 교리와 의식을 신봉하고 있었음을 보여준다. 수백 년 동안 알렉산드리아에서 번성했던 테라페우타이로 알려진 종파는 불교와 비슷한 점이 많다. 우의적寓意的인 경전, 명상을 통해 깨달음을 얻는 것, 마음의 평정을 얻기 위해 자아 의식에 초연하는 것 등이 그렇다.[1]

자료의 한계로 불교가 전파된 경로를 정확하게 추적하기는 쉽지 않다. 하지만 이 종교가 어떻게 인도아대륙에서 다른 지역으로 전파되었는지를 설명하는 방대한 당대 문헌이 있다는 사실은 놀라운 일이다. 각지의 지배자들은 불교를 말살할 것인지 아니면 용인할지의 여부를 결정해야 했다.

기원전 2세기 박트리아 왕 메난드로스 1세는 불교를 수용했다. 그는 알렉산드로스 대제의 휘하 장수의 후예였다. 《밀린다팡하》('밀린다 왕의 물음'이라는 뜻으로, 우리에게는 《미란다왕문경彌蘭陀王問經》으로 익숙하다 ― 옮긴이)로 알려진 문헌에 따르면, 이 왕은 한 고승高僧의 기도 덕에 영적인 길로 들어서기로 결심했다. 고승의 학식과 자비심과 겸손함은 당시 세상의 천박함과 대조적이었다. 그런 모습이 왕에게 부처의 가르침을 통해 깨달음을 얻을 수 있다는 확신을 주었을 것이다.[2]

실크로드의 지적·신학적 공간은 북적거렸다. 여러 신과 종교, 성직자들과 각 지역의 지배자들이 서로 경쟁했다. 판은 컸다. 당시는 일상적인 일에서부터 초자연적인 일까지 모든 현상을 알고 싶어하던 때였고, 신앙이 수많은 문제들에 대해 해법을 내놓던 때였다. 서로 다른 종교 사이의 투쟁은 매우 정치적이었다. 이 모든 종교에서 (그것이 힌두교, 자이나교, 불교처럼 인도에서 기원한 것이든 조로아스터교나 마니교처럼 페르시아에 뿌리를 둔 것이든 유대교, 기독교와 나중에 나온 이슬람교처럼 서쪽에서 발생한 것이든) 전쟁터 또는 협상 테이블에서 승리하는 것은 곧 문화적 우월성과 신의 축복의 증거로 간주되었다. 이 등식은 간단하지만 강력했다. 제대로 된 신(또는 신들)이 보호하고 아끼는 사회는 번영하고, 거짓된 우상과 공허한 약속에 매달리는 사회는 고난을 당한다는 것이었다.

따라서 지배자는 성대한 예배 장소 같은 훌륭한 영적 기반시설에 투자할 강력한 동기를 느꼈다. 그것은 내부 통제의 방편을 제공하여 지배자가 성직자들과 끈끈한 관계를 맺게 했다. 성직자들은 주요 종교에서 높은 도덕적 권위와 정치적 영향력을 발휘했다. 이는 지배자가 수동적인 입장이 되어 독립적인 계급(어떤 경우에는 카스트)이 제시하는 교리를 따른다는 말은 아니다. 오히려 강단 있는 지배자는 새로운 종교 의례를 도입하여 자신의 권력과 우월성을 강화할 수 있었다.

1세기에 인도 북부에서 중앙아시아 대부분을 포괄하고 있던 쿠샨제국이 바로 그런 사례다. 이 나라의 왕들은 불교를 후원했지만, 동시에 불교의 진화를 강요했다. 그 지역 출신이 아닌 통치 왕조는 지배의 정당성을 확립할 필요가 있었다. 이를 위해 여러 가지 근원에서 나온 사상들이 뒤섞여 가능한 한 많은 사람에게 호소할 수 있는 최소한의 공통분모를 형성했다. 그 결과 쿠샨 왕조는 사원 건설을 후원했다. 데바쿨라devakula, 즉 성가聖家 사원이다. 이것은 이 지역에 이미 확립되어 있던, 왕은 하늘 및 땅과 연결되어 있다는 관념을 발전시켰다.[3]

그전에 메난드로스는 자신을 기념하는 주화를 만들면서 자신은 그저 일시적인 지배자가 아니라 구세주라고 밝혔다. 그리고 그런 내용을 주화에 그리스 문자(소테로스soteros)와 인도 문자(트라타사tratasa)로 동시에 새겨넣었다.[4] 쿠샨 왕들은 한 발 더 나아가, 자신들이 신과 직접 연결되어 있다는 통치자 종교를 만들었다. 이는 지배자와 신민 사이의 거리를 벌려놓았다. 펀자브 탁실라에서 발견된 명문에는 대담하게도 지배자가 "위대한 왕이며, 왕들의 왕이며, 신의 아들"[5]이라는 글이 새겨져 있다. 이는 분명히 구약 및 신약의 구절을 반복한 것이다. 지배자가 구세주이자 내세로 가는 관문이라는 관념이다.[6]

불교의 전파

1세기 무렵 불교에 혁명적인 변화가 일어났다. 그 믿음이 신봉자들의 일상생활을 규정지은 것이다. 부처의 가르침은 본래 기본적이고 간단한 것이었다. 그것은 팔정도八正道를 따름으로써 고苦(산스크리트어로 두카duḥkha)에서 평화로운 상태, 즉 니르바나(열반涅槃)로 이어지는 길을 찾을 수 있다고 주장한다. 깨달음에 이르는 길은 제3자가 개입되지 않으며, 물질적 또는 물리적 세계 역시 개입되지 않는다. 이 여정은 영적이고 형이상학적이고 개인적인 것이다.

이것은 고차원적인 의식 상태에 도달하는 새로운 방식이 등장함에 따라 극적으로 변화하게 된다. 외부의 작용이나 영향이 일체 없는 내적인 치열한 여정에 조언과 도움과 장소가 추가된 것이다. 이는 깨달음의 과정과 불교에 강하게 끌리도록 만들기 위해 설계되었다. 붓다와 연관이 있다고 하는 사리탑과 성지가 만들어져 참배 장소가 되었으며, 그런 장소에서 어떻게 행동해야 하는지를 정리한 문서들이 불교의 배후에 있는 이상을 더 구체적이고 더 실감 나게 만들었다.

성지에 꽃이나 향香을 봉헌하는 것이 구원을 받는 데 도움이 된다고, 이 시기에 나온 《삿다르마 푼다리카 수트라》(《묘법연화경妙法蓮華經》 또는 줄여서 《법화경》으로도 알려져 있다)는 조언한다. 악사들이 동원되어 "북을 치고 뿔나팔, 소라고둥, 팬파이프, 피리를 불며 류트, 하프, 징,

기타, 심벌즈를 연주"한다. 이것이 신도들로 하여금 '불과佛果'를 얻을 수 있도록 한다.[7] 이런 장치들은 불교를 더 잘 눈에 띄게 (그리고 잘 들리게) 하고, 갈수록 복잡해지는 종교 환경에서 불교의 경쟁력을 높이기 위한 계획적인 노력이었다.

또 다른 새 아이디어는 보시布施였다. 특히 인도에서 중앙아시아로 퍼져나가는 길목 곳곳에 새로 생겨난 사원에 보시하는 경우가 많았다. 돈과 보석과 기타 물건들을 보시하는 것이 통상적인 관행이 되었고, 보시하는 사람은 그 너그러움에 대한 보상으로 "고해苦海를 넘어가게" 된다는 생각이 확산되었다.[8] 실제로《법화경》등 이 시기에 나온 불교 경전들은 보시하기에 적합한 귀중품 목록을 제시하기까지 했다. 진주, 수정, 금, 은, 청금석, 산호, 다이아몬드, 에메랄드가 훌륭한 보시 물품으로 인식되었다.[9]

지금의 타지키스탄 및 남부 우즈베키스탄 지역에 기원 원년 전후 무렵에 건설된 대규모 관개시설들은 당시 문화적·상업적 교류가 활발해지고 경제적으로도 풍요롭고 번영했음을 보여준다.[10] 부유한 각 지역의 지배층이 불교에 의지하게 됨에 따라 수도修道 거점들은 곧 북새통이 되었고, 학자들이 모여들었다. 그들은 불경을 편찬하고 복제하고 현지 언어로 번역하는 일로 동분서주했고, 이에 따라 불교 경전이 더 널리, 더 많이 읽히게 되었다. 이런 경전 사업 역시 대중에게 불교를 더 널리 확산시키려는 프로그램의 일환이었다. 상업이 문을 열어젖히자 신앙이 그곳에서 흘러갔다.[11]

1세기 무렵 북부 인도에서 시작된 불교는 상인과 승려, 여행자들이 다니는 교역로를 따라 급속하게 전파되었다. 남쪽에서는 데칸 고원에 수많은 동굴 사원이 건설되고, 인도아대륙 깊숙한 곳까지 곳곳에 사리탑이 만들어졌다.[12] 북쪽과 동쪽에서는 불교가 소그드 상인들에 의해 전파되어 힘을 불려가고 있었다. 소그드 상인들은 중국을 인더스 강 유역과 연결시키는 데 결정적인 역할을 했다. 그들은 중앙아시아 심장부 출신의 이동 상인이었고, 전형적인 중간상인이었다. 그들은 긴밀한 네트워크를 형성하고 신용 거래를 효율적으로 이용함으로써 장거리 교역을 지배하는 데 유리한 위치를 차지했다.[13]

그들의 상업적 성공에는 죽 이어진 의지할 수 있는 방문 장소들이 큰 역할을 했다. 불교를 믿는 소그드인들이 많아지자, 북부 파키스탄 훈자 계곡에서 볼 수 있는 것처럼 주요 교역로를 따라 사리탑이 만들어졌다. 길을 가던 소그드 상인들은 불상 옆의 바위에 자신의 이름을 새겼다. 장거리 여행에서 돈을 벌고 안전하기를 기원하는 마음에서였다. 고국을 떠난 여행자들에게 정신적인 위안이 절실했음을 가슴 저리게 상기시켜주는 유적이다.[14]

이 시기에 불교가 활발하게 확산되었음을 입증하는 것은 작은 규모의 새김글들뿐만이 아니다. 카불 주위에는 마흔 개의 수도원이 자리 잡고 있었다. 나중에 그중 한 수도원을 방문한 사람은 그곳의 아름다움이 봄날의 풍경 같았다고 썼다.

"도로는 마노, 벽은 깨끗한 대리석으로 만들어졌다. 문은 금으로 주조해 만들었고, 바닥은 순은으로 만들었다. 보는 곳마다 별들이 그려져 있었다. (……) 현관에는 보석으로 장식한 멋진 옥좌 위에 달만큼이나 아름다운 황금 신상神像이 놓여 있었다."[15]

곧 불교 사상과 의식이 파미르 고원을 통해 동쪽으로 전파되어 중국으로 들어갔다. 4세기 초 중국 북서부 신장 지역 곳곳에 불교 성지가 있었다. 타림 분지의 키질에 있는 거대한 석굴군群 천불동千佛洞

같은 곳이다. 여기에는 명상을 위한 공간과 넓은 숙소가 있었다. 오래 지 않아 서부 중국에는 성스러운 공간으로 변모한 장소들이 곳곳에 널려 있었다. 카슈가르, 쿠차, 투루판 같은 곳들이다.[16]

460년대 중반 무렵 불교 사상과 의례, 불교 예술과 불상은 중국에서 주류의 일부가 되어서 이미 자리 잡고 있던 유교와 늠름하게 경쟁할 정도가 되었다. 유교는 개인 윤리에 관한 것이기도 하고 영적인 믿음에 관한 것이기도 한 광범위한 우주론으로, 1000년을 거슬러 올라가는 깊은 뿌리를 가지고 있었다.

불교의 확산은, 본래 스텝 지역에서 들어온 정복자들과 마찬가지로 외부 출신이었던 새 통치 왕조가 적극적으로 장려한 덕분이기도 하다. 북위北魏는 전에 쿠샨제국이 그랬던 것처럼 새 종교를 장려하고 자신들의 정통성을 보여주는 관념들을 옹호함으로써 많은 것을 얻었다. 거대한 불상들이 중국의 한참 동쪽인 핑청平城(북위 초의 수도로 현재의 다퉁大同 — 옮긴이)과 뤄양에 세워졌고, 듬뿍 시주를 받은 사원과 성소들도 들어섰다. 메시지는 명백했다. 북위는 승리했고, 그들의 승리는 신성한 섭리에 따른 것이지 결코 전쟁터에서 얻은 난폭한 승리가 아니라는 것이다.[17]

불교는 서쪽으로도 주요 교역로를 따라 전파되었다. 페르시아만 지역 곳곳에 있는 동굴군들과 현대 투르크메니스탄의 메르브 부근에서 출토된 많은 유물들, 그리고 페르시아 내륙 깊숙이에서 나온 여러 명문들은 불교가 토착 종교들과 경쟁할 능력이 있었음을 입증해준다.[18] 파르티아어에 불교 차용어가 많은 것 역시 이 시기에 사상 교류가 활발했다는 증거다.[19]

조로아스터교의 확산

상업적 교류의 심화는 페르시아를 또 다른 방향에서 자극했다. 페르시아는 경제, 정치, 문화를 휩쓴 르네상스를 경험했다. 독특하게 페르시아의 정체성이 재천명되면서 불교는 추종자를 얻기보다는 박해를 받았다. 사나운 공격을 받아 페르시아만 지역의 성소들은 버려졌고, 페르시아 영토 내에 육상 교통로를 따라 세워진 것으로 보이는 사리탑들은 파괴되었다.[20]

여러 종교들이 유라시아 전역에 퍼져나가면서 오르락내리락했고, 신도와 충성심과 도덕적 권위를 차지하려고 서로 경쟁했다. 신과의 소통은 신이 일상생활에서 개입해주기를 바라는 문제 이상의 것이 되었다. 즉 구원과 저주 가운데 어느 것을 선택하느냐의 문제가 되었다. 경쟁은 폭력적이 되었다. 기원후 첫 4세기는 종교전쟁의 대동란기였다. 이때 기독교가 팔레스타인의 작은 못자리판에서 분출하여 지중해 지역과 아시아 전역을 휩쓸었다.

결정적인 순간은 사산 왕조의 지배와 함께 찾아왔다. 그들은 반란을 선동하여 경쟁자들을 죽이고, 페르시아군이 로마와의 국경선(특히 캅카스)에서 패배한 이후의 혼란을 이용해서 파르티아 왕조를 전복했다.[21] 224년에 권력을 잡은 뒤 아르다시르 1세와 그의 후계자들은 전면적인 국가 개조에 착수했다. 거기에는 최근 역사에 선을 긋고 고대의 위대한 페르시아 제국과의 연결을 강조하는 단호한 정체성 주장도 포함되어 있었다.[22]

이는 당대의 물리적이고 상징적인 기념물을 과거의 그것과 융합시킴으로써 달성되었다. 아케메네스 제국의 수도였던 페르세폴리스나 다리우스, 키루스 같은 위대한 페르시아 왕들과 관련된 나크시에로스

탐 묘지 같은 고대 이란의 중요한 유적들이 문화적인 선전에 이용되었다. 새로운 명문과 기념 건축물, 돋을새김 석각石刻이 추가되어 새로 들어선 정권을 과거의 영광스러운 기억으로 호도하고자 했다.[23]

화폐도 정비되었다. 수백 년 동안 사용되어온, 그리스 문자와 알렉산드로스 대제의 흉상 대신에 새롭고 독특한 왕의 옆모습(알렉산드로스와 반대쪽을 향하고 있다)이 앞면에 새겨지고, 뒷면에는 불의 제단(조로아스터교의 상징인 불을 모신 제단—옮긴이)이 새겨졌다.[24] 불의 제단을 새긴 것은 새로운 정체성과 종교를 대하는 새로운 태도에 관한 의도를 드러낸 것이었다. 이 시기의 제한된 자료를 가지고 최대한 이해해보자면, 이 지역의 지배자들은 수백 년 동안 신앙 문제에 관해 관용적인 태도를 보였고 다른 종교의 공존을 용인했다.[25]

새로운 왕조가 들어서자 곧 태도가 뻣뻣해졌으며, 자라투스트라의 가르침이 다른 사상들을 억누르면서 노골적으로 장려되었다. 고대 그리스인들에게 조로아스트레스로 알려졌던 그는 페르시아의 위대한 선지자로, 기원전 1000년 무렵 또는 그 이전에 살았던 사람이다. 그는 우주가 두 개의 원리에 따라 나뉘었다고 가르쳤다. 아후라마즈다(밝게 비추는 지혜)와 그 반대의 존재인 앙라마이뉴(악령)다. 이들은 서로 대립하는 관계다. 따라서 올바른 질서를 담당하는 아후라마즈다를 숭배하는 것이 중요했다. 세계를 선의 세력과 악의 세력으로 나누는 것은 우리 삶의 모든 측면으로 확장되고, 심지어 동물 분류 같은 것에까지 영향을 미쳤다.[26] 의식을 통한 정화는 조로아스터교의 필수적인 요소이며, 특히 불을 통한 정화가 필요했다. 교리에 정리되어 있듯이 아후라마즈다는 "악에서 선을, 어둠에서 빛을" 가져다주며, 악령으로부터 구원할 수 있었다.[27]

이런 우주론을 통해 사산제국 통치자들은 자기네의 권력을 고대 페르시아의 황금시대(그 시대에는 대왕이 스스로 아후라마즈다에게 헌신하고 있음을 고백했다)와 연결할 수 있는 기회를 얻었다.[28] 그러나 그것은 또한 군사적·경제적 팽창의 시대에 강력한 도덕적 틀을 제공했다. 상시적인 투쟁을 강조함으로써 투쟁심이 강화되었고, 질서와 규율에 초점을 맞추자 행정개혁이 강조되었다. 그것은 점점 더 공격적인, 부활하는 나라의 특징이 되었다. 조로아스터교는 제국을 부흥시키는 군사문화와 완전히 일치하는 강력한 신앙체계였다.[29]

사산제국은 아르다시르 1세와 그의 아들 샤푸르 1세 치하에서 공격적으로 팽창하여 오아시스 도시들과 교통로, 그리고 지역 전체를 직접 지배하거나 예속 상태를 강요했다. 시스탄 지역과 메르브, 발흐 같은 중요한 도시들이 220년대에 시작된 일련의 군사원정 때 점령되었고, 쿠샨 영토의 상당 부분은 쿠샨샤(쿠샨의 통치자)라는 칭호를 가진 사산제국의 관원들이 통치하는 속국이 되었다.[30] 나크시에로스탐의 한 승전비에는 샤푸르의 영토가 이제 동방 깊숙이 확장되어 멀리 페샤와르까지 미치고 카슈가르와 타슈켄트의 '경계까지' 닿았다고 적혀 있다.[31]

조로아스터교 신봉자들은 사산 왕조가 왕권을 차지하고 다른 소수 종교들을 억압하며 통치 권력을 장악하자 권력 핵심부 가까이에 진입했다.[32] 조로아스터교는 이제 페르시아 지배자들이 통치하는 새로운 지역으로 퍼져나갔다. 3세기 중반의 조로아스터교 대사제였던 카르티르의 문서는 조로아스터교의 확산을 찬양하고 있다. 이 종교와 사제들은 넓은 지역에서 존중과 존경을 받게 되었으며, "많은 성화聖火와 사제단"이 로마인들로부터 정복한 땅 여기저기에 생겨났다. 카르티르는 신앙을 널리 전하기 위해서는 상당한 노력이 필요하다고 지적하면서도 조심스럽게 말했다.

"나는 야자타Yazata(성스러운 힘)와 통치자들을 위해, 그리고 나 자신의 영혼을 고양하기 위해 많은 고생과 곤란을 겪었습니다."[33]

조로아스터교가 장려되고 토착 종교들과 다른 우주론은 억압당했다. 이들은 나쁜 이론으로 일축되었다. 유대교, 불교, 힌두교, 마니교와 그 밖의 종교들은 박해를 받았고, 예배 장소가 약탈당했다.

"우상들이 파괴되고 악마의 신전들이 허물어져 신들을 위한 사원으로 변모했다."[34]

페르시아 제국이 팽창하면서, 전통으로 내세워지고 정치적·군사적 성공에 필수적이라고 생각되었던 가치관과 믿음이 강요되었다. 이와 다른 가치관을 주장하는 사람은 추적을 당하고 대부분 살해당했다. 카리스마 있는 3세기의 선지자 마니는 동방과 서방에서 기원한 여러 사상을 혼합하여 한때 샤푸르 1세의 후원을 받기도 했다. 그러나 마니의 가르침은 이제 파괴적이고 해롭고 위험하다는 비난을 받았고, 그의 추종자들은 무자비하게 추적을 당했다.[35]

가혹한 처우를 받은 것으로 지목되고 카르티르가 배척 대상으로 언급한 사람들 가운데 나스라예와 크리스티오네가 있다. 각각 '나사렛인'과 '기독교인'이라는 뜻이다. 이 두 낱말이 어떤 부류의 사람들을 가리키는지에 대해서는 많은 논란이 있었지만, 이제 나스라예는 기독교도가 된 사산제국의 토착 주민을 가리키고 크리스티오네는 샤푸르 1세가 로마 영토였던 시리아를 불시에 공격해서 중앙과 지방의 권력을 장악한 뒤 동쪽으로 추방한 기독교인들을 가리킨다는 주장이 정설로 받아들여지고 있다.[36]

조로아스터교가 3세기 페르시아의 의식과 정체성에 깊이 파고들게 된 이유 중 하나가 기독교 전파에 대한 반작용이었다. 기독교는 교역로를 따라 놀라울 정도로 확산되고 있었다(동쪽에서 불교가 확산되고 있던 것과 같았다). 바로 이 무렵에 조로아스터 사상은 인상적인 급진화 경향을 보이는데, 이는 시리아에서 추방된 뒤 페르시아 영토 내에서 재정착한 상인들과 포로들이 가져온 기독교 사상과 개념에 대한 적대적인 대응으로 가속화되었다.[37]

초기 기독교 무대

기독교는 오랫동안 지중해 지역 및 서유럽과 연관되어 있었다. 이는 부분적으로 교회 지도부의 위치 때문이었다. 가톨릭, 성공회, 정교회의 고위 인사들은 각기 로마, 캔터베리, 콘스탄티노플(현대의 이스탄불)에 자리 잡고 있었다. 그러나 사실 초기 기독교는 모든 측면에서 아시아적이었다. 지리적 중심지는 물론 예루살렘이었고, 예수의 탄생과 삶과 십자가 처형에 관련된 유적지들도 마찬가지였다. 그들의 본래 언어는 서아시아 사람들이 쓰던 셈어파의 하나인 아람어였다. 기독교의 신학적인 배경과 정신적인 무대는 유대교였다. 이스라엘에 살던 시기와 이집트, 바빌론 포로 시절에 만들어낸 것이었다. 그 이야기들에는 유럽인에게는 낯선 사막, 홍수, 가뭄, 기근이 등장한다.[38]

기독교가 지중해 지역 너머까지 확산된 것에 대해서는 역사적 설명이 잘되어 있다. 그러나 기독교 초기의 발전은 해로를 통해 전파된 지중해 연안 지역보다는 동쪽 지역에서 훨씬 활발했고 더 유망했다.[39] 우선 로마 당국은 기독교도들을 내버려두었다. 무엇보다도 초기 신도들의 열성에 휘둘린 것이다. 예를 들어 2세기에 소아시아에서 근무하던 소사플리니우스는 기독교도들을 어떻게 다루어야 할지 몰라서 트라야누스 황제에게 이런 편지를 썼다.

"저는 기독교도 재판을 다루어본 적이 없습니다. 따라서 어떤 처벌이 적절한지, 또는 그들의 행동을 어디까지 조사해야 하는지 모르겠습니다."

그는 기독교도들 가운데 일부는 처형했다.

"그들이 믿는 것이 무엇이든, 완강하고 융통성 없는 태도를 반드시 처벌해야 한다고 확신했습니다."[40]

황제는 너그럽게 대하라고 조언하는 답장을 보냈다. 기독교도들을 수색하지 말고, 고발이 들어올 경우 각각의 사례에 맞게 처리하라고 했다.

"상황에 관계없이 어떤 원칙을 정하는 것은 불가능하다."

그러나 절대로 소문이나 익명의 고발만 믿고 행동해서는 안 된다고 했다. 그것은 "우리 시대의 정신과 어긋나기"[41] 때문이라고 황제는 고상하게 말했다.

그러나 이런 문답을 주고받은 지 얼마 되지 않아 태도가 강경해졌다. 기독교가 로마 사회에 더욱 깊숙이 침투해 들어왔기 때문이다. 특히 제국 군대는 죄와 성性과 죽음과 삶 일반에 관한 혁명적인 태도를 지닌 새 종교를, 과거부터 내려온 호전적인 가치관에 대한 위협으로 간주했다.[42] 2세기 이후 잔인한 박해가 거듭 이어져서 기독교인들이 수천 명씩 살해되었고, 때로는 대중의 오락물이 되기도 했다. 그 결과 신앙 때문에 목숨을 잃은 순교자들을 기념하는 수많은 문서들이 쌓였다.[43] 초기 기독교인들은 편견에 맞서 싸워야 했고, 테르툴리아누스 같은 신학자는 고통스러운 비명을 토해냈다. 한 유명한 학자는 그

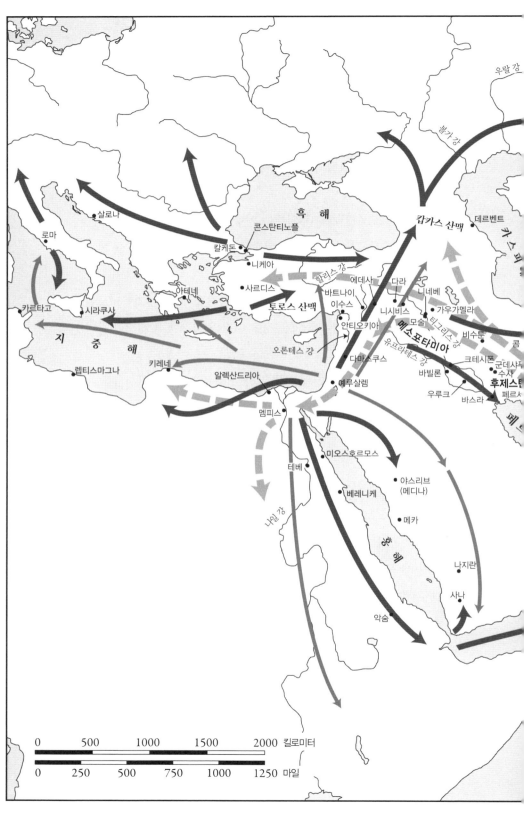

우랄 강

불가 강

흑 해

콘스탄티노플

칼케돈

니케아

사르디스

아테네

살로나

로마

카르타고

시라쿠사

레티스마그나

키레네

지 중 해

토로스 산맥

이수스

바트나이

할리스 강

에데사

다라

니네베

니시비스

가우가멜라

모술

티그리스 강

안티오키아

오론테스 강

메소포타미아

비수툰

콜

유프라테스 강

크테시폰

군데샤푸

바빌론

수사

후제스탄

다마스쿠스

우루크

바스라

페르스

예루살렘

알렉산드리아

멤피스

미오스호르모스

베레니케

테베

나일 강

야스리브
(메디나)

메카

나지란

사나

악숨

홍 해

캅카스 산맥

데르벤트

카

베

0   500   1000   1500   2000 킬로미터

0   250   500   750   1000   1250 마일

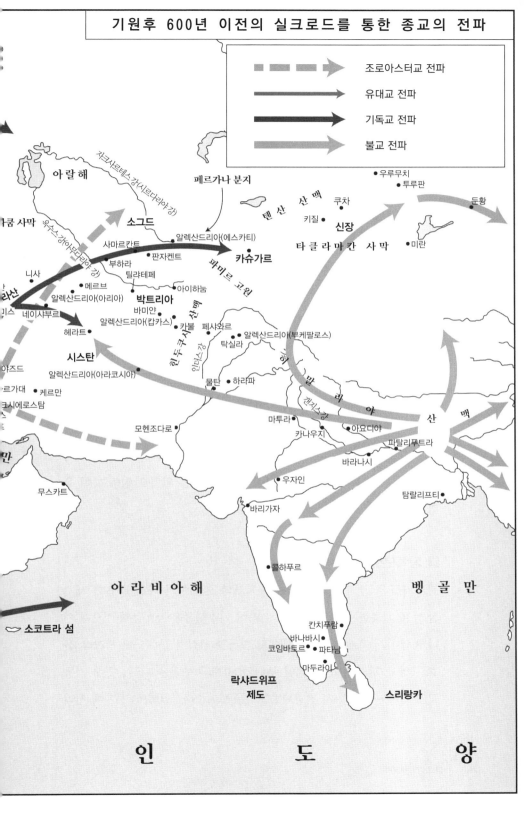

들의 호소를 셰익스피어의 희곡 《베니스의 상인》에 나오는 유대인 고리대금업자 샤일록과 비교했다. 테르툴리아누스는 이렇게 애원했다.

"[우리 기독교인들은] 당신들 곁에 살고, 당신들과 같은 음식을 먹고, 당신들과 같은 옷을 입고, 당신들과 같은 풍습을 따르고, 당신들이 생활에서 필요로 하는 것을 똑같이 필요로 합니다."[44]

로마의 종교 의식에 참여하지 않는다는 이유만으로 자신들이 인간이 아니라고 할 수는 없다고 그는 썼다.

"우리가 다른 이(齒)를 가지고 있고, 상피 붙는 욕정을 타고난 성기를 가지고 있습니까?"[45]

기독교는 먼저 바빌론에 포로로 잡혀간 이후 메소포타미아에 살고 있던 유대인 사회를 통해 동쪽으로 퍼져나갔다.[46] 그들은 예수의 삶과 죽음에 관한 이야기를 예수 자신과 그 제자들의 언어인 아람어로 전해 들었다(반면 서방의 개종자들은 그리스어 번역으로 전달받았다). 지중해 지역에서 그랬던 것과 같이 상인은 기독교가 동방으로 전파되는 데 중요한 역할을 했다. 에데사(오늘날 터키 남동부의 샨르우르파)는 남북과 동서로 이어지는 길목의 교차로에 자리 잡은 위치로 인해 특히 유명해졌다.[47]

더 동쪽으로 간 기독교

전도자들은 곧 캅카스 지역에 도착했다. 조지아의 매장 풍습과 새김글 등은 개종한 유대인이 상당히 많이 거주했음을 보여준다.[48] 오래 지나지 않아서 페르시아만 일대에도 기독교 사회가 군데군데 생겼다. 산호 제방을 파서 만든 바레인 부근의 60개의 무덤은 3세기 초에 기독교가 얼마나 멀리까지 전파되었는지를 보여준다.[49] 비슷한 시기에 시리아(또는 파르티아)의 학자 바르다이산은 《각국의 법률에 관한 책》에서 기독교도들이 페르시아 전역과 멀리 동쪽으로 쿠샨이 지배하는 영토에까지(즉 지금의 아프가니스탄에까지) 퍼져 있다고 적었다.[50]

이 지역의 기독교 전파는 3세기 샤푸르 1세 치세에 기독교도들이 페르시아에서 대거 추방되면서 가속화되었다. 추방된 사람들 가운데는 안티오키아의 주교 데메트리오스 같은 저명한 인물도 있었다. 그는 베트라파트(지금의 이란 남서부 군데샤푸르)로 유배되었는데, 그곳에서 주변의 기독교도들을 모아 새로운 교구를 만들었다.[51] 페르시아에는 신분이 높은 기독교도들도 있었다. 샤와 그 측근들의 잔인성을 고발하는 한 기독교 측 기록에 따르면, 칸디다라는 로마인은 샤의 애첩이었는데 신앙을 버리기를 거부해 순교했다.[52]

이런 피를 끓게 하는 이야기들은 기독교의 관습과 신앙이 전통적인 관습보다 우월하다는 것을 입증하고자 하는 문학의 한 분야로 발전했다. 자료는 많지 않지만, 우리는 당시에 전개되었던 선전전을 짐작해볼 수 있다. 아시아에 살던 "그리스도의 신도들"은 다른 페르시아 주민들과 달리 "이들 이교도들의 부적합한 관습을 따르지 않았다"라고 한 작가는 썼다. 이것은 기독교도들이 페르시아와 동방의 다른 여러 곳에서 어떻게 규범을 개선할 수 있는지에 대한 징표가 되었다고 또 다른 작가는 썼다.

"기독교 신도가 된 페르시아인들은 더 이상 서모庶母를 취하지 않았다."

그리고 스텝 지역 사람들은 더 이상 "인육을 먹지 않았다." "그들이 그리스도의 말을 따르기 때문"이었다. 이러한 변화는 따뜻한 환영을 받아야 한다고 그는 썼다.[53]

3세기 중반에 기독교가 페르시아에 더욱 파고들어서 신도 수가 늘자 조로아스터 교단은 더욱 폭력적으로 대응했다. 로마제국이 보인 대응과 판박이였다.[54] 그러나 카르티르의 문서가 입증하듯이, 페르시아는 기독교뿐 아니라 다른 종교에 대해서도 강경한 태도를 보이기 시작했다. 또 다른 우주론에 대한 말살은 페르시아의 부활을 강조하는 조로아스터교의 활성화와 함께 진행되었다. 국가 종교가 대두하고 있었다. 조로아스터교의 가치관을 페르시아와 동일시하고 "사산제국의 지주支柱"임을 명시하는 종교였다.[55]

일련의 연쇄 반응이 일어났고, 이에 따라 자원 쟁탈전과 군사적 대결이 정교한 신앙체계 고안을 촉진했다. 그것은 승리와 성공을 정당화했을 뿐만 아니라 이웃의 경쟁자들에게 직접적인 타격을 주었다. 페르시아의 경우, 그것은 성직자들이 점점 더 공격적이고 자신감을 가지게 된다는 의미였다. 그들의 역할은 정치 영역으로까지 확장되었다. 앞에서 말한 명문을 보면 분명하다.

그것은 불가피하게 영향을 미쳤다. 변경 지역이나 새로 점령한 영토로 전파될 때는 특히 그랬다. 카르티르가 그렇게 자랑스러워했던 배화拜火 신전 건립은 현지 주민들의 적대감을 불러일으킨다는 위험을 감수해야 했고, 힘으로 교리와 신앙을 강요해야 했다. 조로아스터교는 페르시아와 동의어가 되었다. 그러나 페르시아는 이 종교로 재미는 보지 못했다. 일종의 영적 해방이라기보다는 점령의 도구로 보였기 때문이다. 그러니 일부 사람들이 기독교를 페르시아 정부의 폭압적인 신앙 강요에 대한 해독제로 바라보게 된 것은 결코 우연이 아니었다.

캅카스 지역의 통치자들이 어떻게, 언제 기독교를 받아들였는지는 분명하지 않다. 4세기 초 아르메니아 왕 티리다테스 3세의 기독교 개종은 시간이 조금 지난 뒤에 기록되었다. 그리고 저자들의 그럴듯한 이야기를 만들려는 욕구와 기독교도의 편견도 들어 있다.[56] 전승에 따르면, 티리다테스는 돼지로 변해 벌거벗은 채 들판을 떠돌다가 아르메니아 사도교회의 첫 가톨리코스(수장)가 되는 성聖 그레고리우스로부터 치유를 받은 뒤 개종했다고 한다. 그레고리우스는 아르메니아 여신 숭배를 거부하여 뱀이 우글거리는 구덩이에 던져졌던 사람이다. 그레고리우스는 티리다테스의 코와 엄니, 살갗을 떨어지게 해서 치유한 뒤, 고마워하는 군주에게 유프라테스 강에서 세례를 베풀었다.[57]

이 시기에 기독교를 받아들인 중요한 인물은 티리다테스뿐만이 아니었다. 4세기 초 로마에서 가장 영향력 있는 인물 중 하나였던 콘스탄티누스 대제 역시 기독교로 개종했다. 결정적인 순간은 요란한 내전 기간 동안에 왔다. 콘스탄티누스가 312년 이탈리아 중부의 밀비오 다리에서 정적 막센티우스와 대결을 벌였다. 전투 직전에 콘스탄티누스는 하늘을 바라보았다. 그는 태양 위에 "십자가 모양의 빛"과 그리스 글자로 "엔 투토이 니카en toútōi níka"(이 징조에 따라 네가 이길 것이다)라고 쓰인 것을 보았다. 그는 꿈을 꾸고 나서야 그 의미를 깨달았다. 꿈에 예수가 나타나서 십자가 표시가 그를 도와 모든 경쟁자들을 물리치게 할 것이라고 말했다. 이런 현몽은 무슨 일이 일어났는지에 대해 일부 사람들이 즐겨 설명하는 방식이다.[58]

눈치 빠른 개종자, 콘스탄티누스

기독교 측 기록들은 콘스탄티누스 황제가 무한한 열정으로 다른 모든 종교를 배척하고 기독교 강요를 직접 감독했다는 데 대해 눈곱만큼의 의심도 하지 않는다. 예를 들어 우리는 한 작가의 글을 통해 새 도시 콘스탄티노플은 "제단과 그리스의 신전과 이교도들의 제물에 의해 오염"되지 않고 "하느님이 황제의 노력을 축복하기 위해 약속했던 근사한 교회당들"이 크게 늘었음을 알 수 있다.[59] 또 다른 작가는 황제가 유명한 사교邪教 장소를 폐쇄했고, 로마 전통 신앙의 중요한 특징인 신탁과 점을 금지했다고 말한다. 공식 업무를 시작하기 전에 제물을 바치는 관례를 불법으로 규정했으며, 이교도의 조각상이 파괴되고 우상숭배 금지령이 내려졌다.[60] 기득권을 가진 이들 작가들이 콘스탄티누스를 새로운 신앙의 수호자로 설명하면서 사실을 애매하게 표현할 수는 없었다.

사실 콘스탄티누스의 개종 동기는 그의 생전이나 사후에 쓰인 기록들이 보여주는 것보다 더 복잡했다. 우선 군대의 많은 사람들이 믿고 있던 기독교 신앙을 받아들인 것은 영리한 방책이었다. 또한 제국 곳곳에서 나온 기념물과 주화와 명문에 콘스탄티누스가 '솔 인빅투스Sol Invictus'(무적의 태양신)의 강력한 수호자로 묘사된 것은 그가 말하는 예수의 현현이, 숨이 멎을 듯한 찬사가 이야기하는 것보다 모호했음을 시사한다. 더구나 그와 반대되는 주장들이 있기는 하지만 제국의 성격은 금세 바뀌지 않았다. 로마, 콘스탄티노플과 기타 지역의 지도급 인물들은 황제가 선언한 내용과 그가 열정적으로 새로운 신앙을 후원하기 시작한 지 오랜 시간이 지난 뒤에도 여전히 옛날부터 내려오던 전통적인 신앙을 따르고 있었다.[61]

그럼에도 불구하고 콘스탄티누스의 기독교 채택은 로마제국에 엄청난 변화를 가져왔다. 불과 10년쯤 전 디오클레티아누스 치세 때 절정에 달했던 박해는 끝이 났다. 오랫동안 로마인들의 중요한 오락물이었던 검투사 시합은 폐지되었다. 생명의 존엄성을 그리도 낮게 평가한 오락에 대해 기독교도들이 혐오감을 표출한 결과였다. 325년에 통과된 한 법률에는 "유혈이 낭자한 광경은 우리를 불쾌하게 한다"라는 구절이 있으며, 후대에 엮은 제국 법령집은 이렇게 적고 있다.

"[따라서] 우리는 검투사의 존재를 전면 금지한다."

이전에 범죄를 저지르거나 신앙 버리기를 거부하여 그 벌로 경기장에 보내졌던 사람들은 "노역을 위해 광산으로" 보내졌다.

"그래서 그들은 피를 흘리지 않고 자신의 죄에 대한 처벌을 받을 수 있게 되었다."[62]

온 제국에서 기독교를 지원하기 위해 아낌없이 자원을 쏟아부었고, 예루살렘은 거대한 건설 현장으로 선택되어 막대한 자금이 투입되었다. 로마와 콘스탄티노플이 제국의 행정 중심지라면 예루살렘은 영적인 중심지가 되었다. 도시의 땅을 고르고, 이교도 사원 밑 흙을 파헤쳐 먼 곳에 버렸다. "사탄 숭배에" 의해 더럽혀졌다는 이유에서였다. 이제 발굴을 통해 예수가 안치되었던 동굴 같은 성지들이 차례로 모습을 드러냈다. 그 성지들은 보수되고, "우리 구주救主와 마찬가지로 부활했다."[63]

콘스탄티누스가 직접 나서서 성묘聖墓 자리에 교회를 짓는 일을 지휘했다. 교회 구조와 벽의 장식은 다른 사람에게 위임하더라도 대리석의 종류와 기둥은 직접 선택하고자 했다. 그는 예루살렘 주교 마카리우스에게 이렇게 썼다.

"천장을 판자로 덮어야 할지 어떤 다른 방식으로 꾸밀지, 당신의 의견을 듣고 싶소. 판자로 덮는다 해도 금으로 장식해야 할 것이오."

그러면서 결정을 내릴 때는 자신의 승인을 받아야 한다고 덧붙였다.[64]

콘스탄티누스의 개종은 로마제국의 역사에서 새로운 출발점이 되었다. 기독교가 국가 종교의 자리에 올라서지는 않았지만, 규제와 처벌이 완화된 것은 이 새로운 종교를 위해 수문을 열어준 셈이었다.

이것은 서방의 기독교도에게는 좋은 소식이었지만, 동방의 기독교도에게는 재앙으로 가는 문이었다. 우선 콘스탄티누스는 눈치 빠른 개종자였지만, 분명히 이교도적인 모습이 새겨진 주화를 발행하고 새 도시에 태양신 아폴론을 연상시키는 자신의 조각상을 세움으로써 곧 삐걱거리는 소리를 내게 되었다.[65] 오래지 않아 그는 자신을 기독교도의 수호자로 내세웠다. 그들이 어디에 있든지, 심지어 로마제국 밖에 있더라도 말이다.

330년대에 콘스탄티누스가 페르시아를 공격할 것이라는 소문이 퍼졌다. 샤의 동생이 불만을 품고 로마제국의 궁정으로 피신해온 기회를 이용한다는 것이었다. 페르시아인들은 콘스탄티누스의 편지를 받고 신경이 곤두섰을 것이다. 그는 편지에서 다음과 같은 사실을 알고 기뻤다고 말했다.

"페르시아에서 가장 좋은 지역들은 내가 지금 혼자서 대변하는 사람들로 가득 차 있소. 나는 기독교인들을 말하고 있는 것이오."

그는 페르시아의 군주 샤푸르 2세에게 특별한 전갈을 보냈다.

"나는 이 사람들을 당신의 보호 아래 맡기오. (……) 그들을 당신이 지금까지 해오던 대로 인도적이고 친절하게 품어주시오. 이 신앙의 증거에 의해 당신은 당신 자신과 우리들 모두에게 헤아릴 수 없는 혜택을 안겨주게 될 것이오."[66]

점잖게 충고하려는 마음이었겠지만, 그것은 위협처럼 들렸다. 실제로 얼마 전에 로마는 동쪽 국경선을 페르시아 영토 깊숙이까지 밀

고 들어왔고, 곧바로 점령 지역을 지키기 위해 방어 시설과 도로를 건설하기 시작했다.[67]

상업적·전략적 가치가 높은 캅카스 지역의 조지아 왕국 지배자가 콘스탄티누스가 경험한 것과 거의 비슷하게 화려한 예수의 현현을 경험하자(왕은 사냥하던 중 어둠에 휩싸인 뒤 문자 그대로 빛을 보았다) 불안은 공포로 변했다.[68] 콘스탄티누스가 도나우 전선 때문에 자리를 비우자 샤푸르 2세는 캅카스에 기습공격을 감행하여 현지 지배자를 제거하고 자신이 지명한 사람을 그 자리에 앉혔다.

콘스탄티누스는 즉각적이고 극적으로 대응했다. 그는 대군을 모으고 주교들에게 곧 시작할 원정에 동행하도록 명령을 내렸으며, 장막 신전(계약의 궤를 안치하기 위한 구조물)의 복제품을 만들도록 했다. 그런 뒤에 페르시아를 응징하기 위한 공격을 감행하고 요르단 강에서 세례를 받겠다고 선언했다.[69]

콘스탄티누스의 야망은 한계를 몰랐다. 그는 미리 주화를 만들고 자신의 조카에게 '페르시아의 지배자'라는 새로운 왕호王號를 주었다.[70] 그러자 동방의 기독교도들은 흥분에 휩싸였다. 모술 부근의 중요한 수도원 원장 아프라하트는 편지에 이렇게 썼다.

"하느님의 백성들에게 좋은 일이 생겼소."

바로 그가 기다리던 순간이었다. 영원한 그리스도의 지상왕국이 세워지려 하고 있었다. 그는 이렇게 결론지었다.

"짐승은 정해진 운명의 시간에 살해될 것임을 명심하시오."[71]

페르시아인들이 격렬한 저항을 시작하려 할 때, 뜻밖의 행운이 찾아왔다. 원정부대가 출발하기 전에 콘스탄티누스가 병사한 것이다. 샤푸르 2세는 콘스탄티누스의 공격에 대한 앙갚음으로 페르시아의 기독교도들을 생지옥으로 몰아넣기 시작했다. 조로아스터 교단의 부추김에 따라 샤는 "성인聖人의 피를 갈구했다."[72] 순교자가 한 번에 10여 명씩 생겨났다. 5세기 초 에데사에서 만들어진 한 필사본은 이 시기에 16명 이상의 주교와 50명의 성직자들이 처형되었다고 기록했다.[73] 기독교도들은 이제 페르시아를 서방의 로마제국에 개방하는 선발대이자 제5열로 간주되었다. 고위 주교들은 샤의 "추종자들과 백성들을 선동"해서 "기독교 신앙을 가진 로마 황제의 노예"로 만들려 한다는 죄목으로 고발당했다.[74]

이런 유혈 참극은 로마의 열렬한 기독교 수용의 직접적인 결과였다. 샤의 박해는 콘스탄티누스가 로마제국의 확장과 기독교의 확장을 구분하지 않은 데 기인한 것이었다. 황제의 거창한 이야기는 아프라하트 같은 사람들에게 감명을 주고 고무했을지 모르지만, 페르시아의 지배자에게는 매우 거슬리는 이야기였다. 로마의 정체성은 콘스탄티누스의 개종 이전에 분명했다. 그러나 이제 콘스탄티누스 황제와 그 후계자들은 로마와 그 주민들뿐만 아니라 기독교도들을 보호한다고 선언할 태세가 되어 있었다. 그것은 쉽게 써먹을 수 있는 최상의 카드였다. 특히 그런 과장이 주교들과 신도들에게 잘 먹혀들 수밖에 없는 본국에서는 말이다. 그러나 제국의 경계 밖에 있는 사람들에게 그것은 재앙일 가능성이 있었다. 샤푸르에게 희생된 사람들이 그것을 입증한다.

그러므로 콘스탄티누스가 유럽의 기독교화의 토대를 마련한 황제로 유명하지만, 새로운 신앙을 받아들임으로써 지불하게 될 대가에는 전혀 주목하지 않았던 것은 하나의 아이러니다. 그것은 동방에서 기독교의 장래에 엄청난 해를 끼쳤다. 아시아에 깊숙이 자리 잡은 예수의 가르침이 완강한 도전 속에서 살아남을 수 있는지는 의문이었다.

3

기독교도의 동방으로 가는 길

스텝에서 온 새로운 도전자들

시간이 지나면서 로마와 페르시아 사이의 긴장이 누그러졌다. 이에 따라 종교에 대한 태도도 부드러워졌다. 이는 로마가 4세기에 퇴각할 수밖에 없는 상황에 몰려 스스로의 생존을 위해 싸워야 함을 알고 있었기 때문이다. 379년 샤푸르 2세가 죽을 때까지 계속된 몇 차례의 원정에서 페르시아는 지중해 지역으로 연결되는 교역 및 교통로의 주요 지점들을 점령하는 데 성공했다. 니시비스와 시나그라를 되찾았고, 아르메니아의 절반을 합병했다. 이런 영토 재편이 적대감을 완화하는 데 도움이 되기는 했지만, 그들의 관계가 정말로 개선된 것은 로마와 페르시아가 새로운 도전에 맞닥뜨리면서였다. 재앙은 스텝 지대 쪽에서 서서히 다가오고 있었다.

세계는 환경 변화의 시기로 접어들고 있었다. 유럽에서는 해수면이 상승하고 북해 지역에서 말라리아가 발생했다. 아시아에서는 4세기 초부터 아랄해의 염도가 급격히 떨어졌으며, 스텝의 식생이 변화하고

(고해상도 꽃가루 분석으로 확인되었다) 톈산 산맥의 빙하가 녹는 등 세계 기후에 근본적인 변화가 일어나고 있었다.[1]

그 결과가 엄청났음은 중국 서부 둔황 부근에서 발견된 편지가 입증해준다. 4세기 초 한 소그드 상인이 쓴 편지에 식량 부족과 기근이 큰 타격을 입혔고, 그런 재앙이 중국에 닥쳐 말로 표현할 수조차 없을 지경이라고 동료 상인들에게 전하는 내용이 나온다. 황제는 도성에서 달아나면서 궁궐에 불을 질렀으며, 소그드 상인 사회도 굶주림과 아사로 인해 붕괴했다고 말하면서 그곳에서 장사할 생각일랑 접으라고 충고했다.

"가봐야 이득을 볼 게 없소."

그는 도시들이 약탈당한 소식을 전했다. 마치 세상의 종말이 온 듯한 상황이었다.[2]

이런 혼돈은 각양각색의 스텝 부족들이 통합하기에 완벽한 조건을 형성했다. 이 민족들은 몽골과 중앙 유럽 평원을 연결하는 띠 모양의 지역에 살고 있었고, 좋은 목초지와 안정적으로 물을 얻을 수 있는 곳을 장악하는 것은 상당한 정치권력을 보장했다. 이때 한 부족이 스텝의 지배자를 자처하고 나서 주변의 모든 부족들을 평정했다. 앞의 소그드 상인은 이 재앙을 가져온 세력을 '훈'으로 언급했다. 그들은 흉노족이었고, 서방에는 훈족으로 알려져 있다.[3]

대략 350년부터 360년 사이에 여러 민족들이 서쪽으로 내쫓기면서 거대한 이주의 파도가 일어났다. 이주 현상을 촉진한 것은 기후 변화였을 가능성이 매우 높다. 기후 변화가 스텝에서의 생활을 어렵게 만들었고, 극심한 자원 쟁탈전을 촉발했을 것이다. 그 충격의 여파는 북부 아프가니스탄의 박트리아에서부터 멀리 도나우 강 유역의 로마 국경에까지 미쳤다. 난민들이 대규모로 들어오기 시작해서 제국의 영토에 정착할 수 있게 해달라고 사정했다. 그들은 진격해오는 훈족에 의해 흑해 북쪽에 있던 자기네 땅에서 쫓겨난 것이었다. 상황은 금세 위험할 정도로 불안정해졌다.

378년 질서를 회복하기 위해 파견된 로마의 대군이 발칸 반도 동남부 트라케에서 대패하여 발렌스 황제가 전사하고 많은 사상자가 발생했다.[4] 방어막이 뚫리자 여러 부족들이 잇달아 제국의 서쪽 변경으로 쏟아져 들어왔다. 그 결과 로마는 위협에 직면했다. 이전에 흑해의 북쪽 연안과 아시아로 깊숙이 뻗어 있는 스텝 지역은 야만적이고 사나운 전사들이 득실득실하고 문명이나 자원이 없는 곳으로 인식되어왔다. 이들 지역은 로마의 안중에 있는 곳이 아니었다. 페르시아를 통하거나 이집트를 통해 서방과 동방을 이어주는 경로처럼 그저 동맥 구실이나 하던 곳이었다. 바로 이런 지역들이 이제 유럽의 한복판에 죽음과 파괴를 불러오려 하고 있는 것이다.

페르시아 역시 스텝에서 밀려오는 격동으로 인해 크게 흔들리고 있었다. 페르시아의 동쪽 주들은 맹공격에 시달리다가 완전히 무너졌다. 도시는 텅 비었고, 관개시설들은 습격을 받아 파괴되고 황폐해졌다.[5] 캅카스 산맥을 넘어오는 공격에 메소포타미아, 시리아, 소아시아의 도시들은 속수무책으로 무너지고 약탈당했다. 395년에 대규모 장거리 공격으로 티그리스 강과 유프라테스 강 유역의 도시들이 유린되었다. 수도 크테시폰도 공격을 받았으나 결국 격퇴했다.[6]

야만적인 약탈 패거리들을 몰아낸다는 공통의 목표 아래 페르시아와 로마는 동맹했다. 유목민들이 캅카스 산맥을 넘어오지 못하도록 막기 위해 카스피해와 흑해 사이에 200킬로미터에 이르는 거대한 방어용 성벽을 건설했다. 페르시아 내지를 공격으로부터 방어하고, 남쪽의 질서 잡힌 세계를 북쪽의 혼란스러운 세계로부터 지키기 위한 물리적 장벽이었다.

전 구간에 걸쳐 30개의 요새를 같은 간격으로 설치했으며, 성벽 둘레에 4.5미터 깊이의 해자를 파서 보호하도록 했다. 그것은 건설 계획과 시공에서 경이적인 것이었으며, 현장에 설치된 수많은 벽돌가마에서 구운 규격화된 벽돌로 건설했다. 3만 명가량의 병사가 방어 시설에 배치되었다. 이들은 성벽에서 멀찍이 떨어진 요새에 주둔했다.[7] 이 장벽은 페르시아의 기다란 북방 국경(스텝 지역과의 경계)을 방어하고 메르브 같은 취약한 교역 거점들을 보호하기 위해 사산제국이 취한 혁신적인 여러 조치 가운데 하나일 뿐이었다. 메르브는 (지금의 투르크메니스탄에 있는) 카라쿰 사막을 지나 쳐들어오는 공격자들이 만나게 되는 첫 번째 거점이었다.[8]

로마는 이 페르시아의 성벽을 유지하기 위해 정기적으로 돈을 내는 데 동의했을 뿐만 아니라, 몇몇 당대 자료에 따르면 그 방어를 돕기 위해 병사들을 파견하기도 했다.[9] 과거의 경쟁 세력이 한편이 되었다는 징표로서 동로마의 아르카디우스 황제는 402년에 그의 아들이자 후계자의 후견인으로 다름 아닌 샤를 지명했다.[10]

그러나 그때는 이미 너무 늦은 상황이었다. 적어도 로마 입장에서는 그랬다. 흑해 북쪽 스텝 지역에서의 민족 이동은 엎친 데 덮친 격으로 제국의 라인 강 변경을 초토화했다. 4세기 말에 있었던 잇단 공격은 로마의 서쪽 주들을 쪼개 활짝 열었고, 부족 수장들은 군사적 승리와 전리품 획득으로 개인적인 명성을 얻었다. 그것이 더 많은 후발 주자들을 끌어들이고 추가 공격의 새로운 동력으로 작용했다. 제국 군대는 공격해오는 유목민들을 막아보려 애를 썼지만, 계속 이어지는 파도는 매번 제국의 방어벽을 돌파하여 갈리아 주를 초토화하기에 이르렀다. 사태는 특히 능력이 있고 야망이 컸던 서고트족 지도자 알라리크 1세가 종족을 이끌고 이탈리아로 진격해 내려와서 로마 교외에 진을 친 뒤 돈을 내라고 협박하면서 더욱더 악화되었다. 원로원은 필사적으로 그의 요구를 들어주려 노력했지만, 알라리크는 시간을 끄는 데 짜증이 나서 410년에 로마를 공격하고 약탈했다.[11]

충격의 여파는 지중해 전역에 미쳤다. 예루살렘에서는 이 소식을 믿지 않았다. 히에로니무스는 이렇게 썼다.

"말하는 소리가 들리지 않았고, 흐느낌 때문에 말을 할 수가 없었다. 온 세계를 정복했던 나라가 정복당했다. (……) 누가 이를 믿을 수 있을까? 여러 세대에 걸쳐 세계를 정복해 건설한 로마가 거꾸러졌고, 만국의 어머니가 만국의 무덤이 되었다는 소식을 누가 믿을 수 있을까?"[12]

적어도 로마가 불타지는 않았다고, 한 세기 뒤의 역사가 요르다니스는 체념하며 썼다.[13]

불에 탔든 타지 않았든, 로마의 서쪽 제국은 이제 망해버렸다. 곧 이베리아 반도의 히스파니아가 알라니족의 공격을 받아 파괴되었다. 알라니족의 본향은 멀리 카스피해와 흑해 사이였는데, 그들이 검은담비를 교역했던 사실은 거의 200년 전 중국의 역사가가 처음으로 꼼꼼하게 기록한 바 있었다.[14] 훈족에게 밀려난 또 다른 종족인 반달족은 420년대에 로마령 북아프리카에 도착하여 카르타고를 장악했다. 또한 활기 넘치고 돈벌이가 되는 주변의 주들도 차지했는데, 이 지역에서 생산하는 옥수수는 제국의 서쪽 절반에서 소비되고 있었다.[15]

그런데 이것은 별일도 아니라는 듯이 5세기 중반에 여러 종족들이 뒤범벅이 되어서 쏟아져 들어왔다. 테르빙기 고트, 알라니, 반달, 수에비, 게피다이, 네우로이, 바스타르나이 등등이다.

　　문제의 훈족은 고대 말기의 가장 유명한 인물을 앞세우고 유럽에 나타났다. 바로 아틸라다.[16] 훈족은 엄청난 공포를 불러일으켰다. 한 로마 작가는 그들을 "악의 온상"이고 "엄청나게 야만적"이라고 썼다. 그들은 어려서부터 매서운 추위와 배고픔과 갈증을 이겨내도록 훈련받았고, 들쥐 가죽으로 옷을 해입는다고 했다. 그들은 나무뿌리와 (샅에 넣어 조금이나마 따뜻하게 한) 날고기를 먹는다.[17] 그들은 농사에는 관심이 없고 그저 이웃의 것을 훔치려고만 하며, 그러다가 아예 이웃들을 노예로 삼는다고 또 다른 사람은 적었다. 그들은 늑대와 같았다.[18] 훈족은 남자아이가 태어나면 뺨을 긁어 나중에 수염이 자라지 않게 했다. 그들은 말을 타고 보내는 시간이 많기 때문에 신체가 기괴하게 변형되었다. 마치 뒷다리로 일어선 동물처럼 보인다고 했다.[19]

　　이런 이야기가 순전히 편견으로 들릴 수 있겠지만, 실제로 유골을 조사해보면 훈족 어린아이의 두개골이 인위적으로 변형된 것을 알 수 있다. 두개골을 묶어 이마뼈와 뒷머리뼈를 압박해서 납작하게 만드는 것이다. 이렇게 하면 머리가 뾰족한 모양으로 자라게 된다. 무시무시하게 정상에서 벗어난 행동은 이뿐만이 아니었다. 그들이 사물을 보는 방식 역시 마찬가지였다.[20]

　　훈족이 도착하면서 로마제국의 동쪽 절반에 심각한 위험이 닥쳤다. 그곳은 이제까지 대체로 유럽의 대부분을 유린한 격동에 휩쓸리지 않았던 곳이었다. 소아시아, 시리아, 팔레스타인, 이집트 등의 주들은 여전히 무사했고, 대도시 콘스탄티노플 역시 마찬가지였다. 요행에 기댈 수 없었던 테오도시우스 2세 황제는 도시를 가공할 방어막으로 둘러쳐서 공격을 막아내도록 했다. 그 가운데 하나가 거대한 육지 쪽 성벽이었다. 이 성벽과 함께 유럽과 아시아를 가르는 좁은 해협은 매우 중요한 부분임이 드러났다.

아틸라는 도나우 강 북쪽에 자리 잡은 뒤 15년 동안 발칸 반도를 유린했으며, 더 이상 진격하지 않는 대가로 동로마에게서 많은 공물을 뜯어내 막대한 양의 금을 확보했다. 제국 정권으로부터 몸값과 뇌물 명목으로 짜낼 수 있는 것은 죄다 짜낸 뒤에 서쪽으로 진격했다.

그의 전진에 제동을 건 것은 로마 군대가 아니라 훈족의 오랜 적수들로 구성된 연합군이었다. 아틸라는 451년에 지금의 중부 프랑스인 카탈라우눔 평원 전투에서 스텝 지역 출신의 많은 종족들이 포함된 대군에게 패배했다. 이 훈족 지도자는 결혼 첫날밤(물론 첫 번째 결혼은 아니다)을 치른 지 얼마 되지 않아서 죽었다. 그는 지나치게 연회를 즐기고 "술에 절어 나자빠져 자다가" 뇌출혈로 죽었다고 당대의 한 사람은 말한다.

"이렇게 전쟁에서 영예를 얻었던 왕은 술에 취한 채 부끄러운 최후를 맞았다."[21]

요즘에는 로마 약탈 이후의 시대를 '암흑시대'라고 부르는 대신 변화와 지속의 시기라고 말하는 것이 유행이다. 그러나 현대의 한 학자가 강력하게 주장했듯이, 고트족, 알라니족, 반달족, 훈족 등이 유럽과 북아프리카를 짓밟고 돌아다니면서 5세기를 특징 지은 침략과 약탈과 무정부 상태의 충격은 아무리 과장해도 지나치지 않다. 식자율이 급격히 떨어졌고 석조 건물이 거의 사라졌다. 부와 야망이 무너졌다는 징표다. 한때 튀니지의 공장에서 생산된 도자기를 멀리 스코틀랜드 앞바다의 아이오나 섬까지 전달했던 장거리 교역이 붕괴되고, 시시한 물건이나 주고받으며 거래하는 지역 시장으로 대체되었다. 그리고 그린란드의 극지 만년빙 오염도 측정 결과, 용해 작용이 크게 줄어 해수면이 선사시대 수준으로 다시 떨어진 것으로 나타났다.[22]

질서 붕괴가 기독교 논쟁을 촉발하다

당시 사람들은 이 같은 세계 질서의 총체적인 붕괴를 이해하려고 몸부림쳤다. 5세기의 기독교도 작가 살비아누스는 이렇게 울부짖었다.

"왜 [하느님께서는] 우리를 [이 모든 종족 사람들보다] 약하고 가련하게 만드셨는가? 왜 그분께서는 우리가 야만인들에게 정복되도록 만드셨는가? 왜 그분께서는 우리가 적들의 지배 아래 떨어지도록 버리셨는가?"

대답은 간단하다고 그는 결론지었다. 인간이 죄를 지었으므로 하느님이 벌하고 계시다는 것이다.[23] 다른 결론을 내는 사람도 있었다. 로마는 토착 신앙을 믿었을 때 세계의 주인이었다고, 그 자신이 토착 신앙을 가지고 있었던 동로마의 역사가 조시모스는 주장했다. 토착 신앙을 버리고 새로운 신앙을 받아들여 스스로 종말을 재촉했다는 것이다. 이는 의견이 아니라 사실이라고 그는 말했다.[24]

로마의 붕괴는 아시아 기독교도들의 곤경을 완화시켰다. 스텝 지역 종족들에 대항한다는 공통의 이해관계에 직면하자 로마와 페르시아의 관계가 개선되었고, 로마가 크게 쇠약해지자 기독교는 더 이상 위협으로 보이지 않았다. 심지어 이해할 수 있는 대상으로 보이기까지 했다. 100년 전 콘스탄티누스가 페르시아를 공격하여 그곳의 기독교 주민들을 해방시키려고 준비할 때만 해도 로마는 명백한 위협으로 보였다. 이에 따라 410년에 페르시아의 샤 야즈데게르드 1세가 후원한 첫 회의와 이후 몇 차례의 회의를 통해 페르시아에서 기독교 교회의 지위를 공인하고 그 신앙을 합법화하게 된다.

서방에서 그랬던 것처럼 예수를 따른다는 것이 정확하게 무엇을 의미하는지에 관해, 그리고 신자들은 어떻게 살고 어떻게 신앙을 고백하고 실천해야 하는지에 관해 다양한 견해가 제기되었다. 앞서 말했듯이 심지어 3세기에 쓰인 카르티르의 명문은 나스라예와 크리스티오네라는 두 부류의 기독교도들을 이야기하고 있다. 기독교를 받아들인 현지인과 로마 영토에서 추방된 사람들의 차이를 제대로 이해하고 있는 것이다.

의례와 교리의 차이는 계속해서 문제의 근원이 되었다. 이는 남부 이란 파르스의 레브아르다시르에 두 개의 교회가 있었던 것을 생각하면 놀라운 일은 아니다. 하나는 그리스어로 예배를 보는 교회였고, 다른 하나는 시리아어로 예배를 보는 교회였다. 경쟁 의식은 때로 물리적 폭력을 유발하기도 했다. 지금의 이란 남서부에 있던 도시 수시아나에서 대립하던 주교들이 주먹다짐을 하고 보복하려고 했던 것이다.[25] 페르시아 제국의 가장 중요한 도시 중 하나인 셀레우키아크테시폰의 주교가 모든 기독교도 사회의 질서와 통합을 위해 노력했지만, 결국 좌절되어 효과를 거두지 못했다.[26]

구원의 가능성이 신앙 문제를 바로잡는 데 달려 있었기 때문에, 차이를 영원히 해소하는 것이 중요했다. 그것은 초기의 교부들이 강조하고자 노심초사했던 것이었다.[27] 사도 파울로스(바울)는 갈라티아인들에게 이렇게 상기시켰다.

"전에도 말한 바 있지만 다시 한 번 강조하겠습니다. 누구든지 여러분이 이미 받은 복음과 다른 것을 전하는 자가 있다면 저주를 받아 마땅합니다."(《갈라티아인들에게 보낸 편지》 1장 9절)

기독교 성서 구절들이 전도(즉 "복음의 전달")를 위해 쓰였다는 것은 이런 맥락에서다. 하느님의 아들이 누구이고 그의 메시지를 설명하고, 신앙을 체계화하기 위한 것이었다.[28]

서방의 초기 기독교 교회를 골치 아프게 했던 논쟁을 끝내기 위해 콘스탄티누스 황제는 325년 니케아에서 회의를 소집했다. 제국 전역의 주교들이 소집되어 가장 큰 논쟁거리인 성부와 성자의 위격에 관한 해석과 그 밖의 서로 충돌하는 이론들을 정리하도록 했다. 회의는 이런 문제들을 다루어 교회를 위한 조직 문제에 합의했고, 부활절 날짜를 정하는 문제를 해결했으며, 여전히 기독교 교회에서 굳건하게 유지되고 있던 신앙 고백을 성문화했다. 그것이 《니케아 신경信經》이다. 콘스탄티누스는 분열을 끝내고 통합의 중요성을 강조하기 위해 결연한 태도를 보였다.[29]

페르시아를 비롯한 로마제국 영역 바깥의 주교들은 니케아 회의에 초대받지 못했다. 이에 따라 페르시아에서는 410년과 420년 및 424년에 회의가 열려 같은 문제를 해결하고자 했고, 이를 서방의 주교들이 지켜보았다. 샤는 만나서 토론하려는 이 욕구를 지원했다. 한 자료는 그를 "승리를 부르는 왕 중 왕이며 교회가 평화를 이루고자 의지하는 사람"이라고 묘사했다. 그는 콘스탄티누스와 마찬가지로 그 다툼에 개입하기보다는 기독교 공동체들의 지지로부터 이득을 얻기를 열망했다.[30]

회의에서 합의되었다는 내용은 전적으로 믿기는 어렵다. 후대의 고위 성직자들 사이의 권력 투쟁을 반영한 것이기 때문이다. 그럼에도 불구하고 교회의 조직에 관한 중요한 결정이 이루어졌다. 알려진 바에 따르면 셀레우키아크테시폰의 대주교는 "우리와 [페르시아] 제국 전역의 모든 우리 형제 주교들의 수장이자 통치자"로서 행동하기로 합의했다(물론 그 이면에는 상당한 논쟁과 악의가 있었다).[31] 경쟁이 있는 지역에서 지도부를 하나로 통일한다는 목표 아래, 성직자 임명 방식에 관한 토론이 장시간 벌어졌다. 종교 축제의 날짜에 대해서도 검토했다. 또한 "서방 주교들"에게 지도와 개입을 간청하는 통상적인 관행을 중단해야 한다는 결정이 내려졌다. 이것이 동방 교회의 리더십을 저해해왔기 때문이다.[32] 마지막으로 니케아 회의에서 결정한 신경信經과 교회법이 받아들여졌다. 이와 함께 그 사이 시기에 서방의 후속 종교 회의에서 이루어진 합의들도 받아들였다.[33]

이는 중대한 순간이었을 것이다. 기독교라는 종교의 근육과 두뇌가 제대로 움직여 대서양 연안에서부터 히말라야 산맥의 기슭까지 연결하는 기구를 만든 것이다. 고대 말기의 두 대제국인 로마와 페르시아에 중심지를 둔 두 개의 완벽한 기능을 갖춘 팔이 서로 조화를 이루며 작동하게 되었다. 로마에서는 제국이 후원하고 페르시아에서는 통치자가 점차 이를 받아들이면서 기독교가 유럽에서뿐만 아니라 아시아에서도 지배 종교의 자리를 넘볼 수 있었다. 그러나 반대로 격렬한 내분이 터졌다.

교회의 통합을 이끌어내려는 시도로 인해 입지가 약화된 일부 주교들은 지도부 인사들이 제대로 교육을 받지 못했을 뿐만 아니라 임명 절차에도 문제가 있다고 비난하고 나섰다. 그리고 기독교도들이 여러 개의 조로아스터교 신전을 파괴한 것은 샤의 체면을 구기는 일이었다. 샤는 종교적 관용의 자세에서 휘하 귀족들의 종교를 옹호하는 쪽으로 입장을 바꿀 수밖에 없었다. 그것은 엄청난 퇴보였다. 교회는 황금시대를 맞는 대신 새로운 박해의 파도를 눈앞에 두고 있음을 깨달았다.[34]

성직자들 사이의 격렬한 논쟁은 초기 교회의 고질병이었다. 4세기 콘스탄티노플의 대주교이자 뛰어난 기독교 학자였던 나지안조스의 그레고리우스는 자신의 말이 욕설에 파묻혔던 일을 적었다. 반대파는 까마귀 떼처럼 그에게 악다구니를 썼다고 했다. 그들이 자신을 공격할 때는 거대한 모래폭풍의 한가운데 있는 것 같았고, 짐승들에게 물어뜯기는 듯했다.

"그들은 갑자기 사람의 얼굴로 달려드는 말벌 떼 같았다."[35]

그러나 5세기 중반의 이 특별한 분열은 시기적으로 불운한 것이었다. 서방의 경쟁하는 두 성직자인 콘스탄티노플 총대주교 네스토리우스와 알렉산드리아의 총대주교 키릴로스는 예수의 신성과 인간성 문제를 둘러싸고 격렬하게 대립했다. 이런 논쟁은 반드시 공정한 방법으로 해결할 수 있는 것이 아니었다. 키릴로스는 타고난 정치꾼이었다. 광범위한 뇌물 명세서가 보여주듯이 자신의 지위를 위해서라면 인정사정없었다. 그는 영향력 있는 인물들과 그 아내들을 고급 카펫과 상아 의자, 값비싼 식탁보 같은 사치품이나 현금으로 구워삶았다.[36]

동방의 일부 성직자는 이 논쟁이 (그리고 그 해결책의 본질이) 당혹스러운 것임을 알아차렸다. 그들이 알아차렸듯이 문제는 성육신成肉身을 묘사하는 시리아의 용어를 그리스어로 엉성하게 번역한 데서 생긴 것이었다. 물론 논쟁이 교회 지도부의 두 최고 권위자 사이의 권력 다툼과, 교리에 대한 개인의 입장이 수용되고 채택되는 데서 오는 위신의 측면도 있기는 했지만 말이다. 갈등은 동정녀 마리아의 지위를 둘러싸고 절정에 달했다. 네스토리우스는, 마리아는 테오토코스Theotókos(신의 어머니)가 아니라 크리스토토코스Christotókos(예수의 어머니)라고 주장했다. 다시 말해서 예수의 인간성만 언급한 것이다.[37]

키릴로스와의 논쟁에서 패배한 네스토리우스는 자리에서 물러났다. 그러자 주교들은 서둘러 신학적 입장을 이리저리 바꿈으로써 교회가 불안정해졌다. 경쟁하는 파벌들이 막후에서 거센 로비를 펼쳐, 한 회의에서 결정된 것이 다른 회의에서 도전을 받을 수 있었다. 토론은 늘 예수가 가진 신과 인간의 두 본성이 어떻게 결합하는지의 문제를 맴돌았다. 예수와 하느님 사이의 관계 역시 격렬한 토론의 주제가 되었다. 예수가 하느님의 피조물이고 따라서 그 종속자인지 아니면 전능자로서 서로 동등하고 함께 영원한 것인지를 둘러싼 논쟁이었다.

이 문제에 대한 응답이 451년 칼케돈 공의회에서 신앙에 대한 새로운 정의와 함께 강력하게 제시되었다. 이것은 전체 기독교 세계에서 수용될 것으로 기대되었고, 여기에 동의하지 않는 사람은 교회에서 축출될 것이라는 위협이 뒤따랐다.[38] 동방의 교회들은 격앙된 반응을 보였다. 서방 교회의 이 새로운 교리는 단순히 잘못된 정도가 아니라 거의 이단에 가깝다고 동방의 주교들은 주장했다. 이에 따라 어구를 수정한 신조가 발표되어 독립적이고 별개인 예수의 본질이 제시되었고, "고난과 변화가 우리 주님의 신격神格에 들어 있다고 생각하거나 다른 사람에게 그렇게 가르치는"[39] 사람은 지옥에 떨어질 것이라고 경고했다.

동로마 황제도 논쟁에 휘말렸다. 제논 황제는 489년 에데사에 있는 학교를 폐쇄했는데, 이 학교는 동방 기독교계의 중심지로 기독교 성서와 성인들의 삶과 조언들을 쏟아내고 있었다. 에데사에서 사용되던 아람어 방언인 시리아어 외에 페르시아어나 소그드어 같은 다른 언어로도 펴내고 있었다.[40] 그리스어가 기독교의 언어였던 지중해 지역과 달리, 동방에서는 새로운 청중을 끌어들이려면 다른 부류의 사람들도 이해할 수 있는 자료가 필요하다고 인식했기 때문이다.

에데사 학교의 폐쇄는 서방과 동방 교회 사이의 분열을 심화시켰다. 특히 동로마제국의 영토에서 추방된 많은 학자들이 페르시아로 피난했기 때문이다. 시간이 지나면서 이것은 골칫거리가 되었다. 콘스탄티노플의 황제들은 '정통' 교리를 옹호하고 이단적인 교리를 단속할 것으로 예상되었다. 532년 캅카스에서 불안정하고 갈등을 빚던 시기가 지나고 동로마는 페르시아와 평화협정을 맺게 되었는데, 협정 내용의 하나가 칼케돈 공의회의 방침과 어긋나는 견해를 가지고 있으며 동로마 당국을 위협하는 주교와 사제들을 페르시아의 관리들이 색출하고 구금하는 데 협조해야 한다는 것이었다.[41]

경쟁하는 종파들 사이에서 그들의 흥분을 달래고자 애쓰는 것은 힘만 드는 일이었다. 그것은 유스티니아누스 1세 황제의 사례가 잘 보여준다. 유스티니아누스는 서로 적대하는 양측의 견해를 조정하려고 노력했다. 553년 점점 격화되는 맞비난을 멈추게 하려는 노력의 일환으로 대규모 공의회를 소집했으며, 해결 방안을 모색하기 위해 고위 성직자들의 은밀한 모임에 직접 참석하기도 했다.[42] 그가 죽은 뒤에 쓰인 한 기록은 공통의 기반을 찾기 위한 그의 노력이 일부 사람들에게 어떻게 비쳤는지를 보여준다.

"모든 곳을 완전히 혼란과 소동으로 채워놓은 대가로 [그는] 자기 인생의 결말에서 벌을 받는 가장 낮은 곳으로 건너갔다."[43]

지옥으로 갔다는 말이다. 이후의 황제들은 다른 방식으로 접근

했다. 불협화음과 맞비난을 잠재우기 위해 종교 문제에 관한 토론을 아예 금지한 것이다.[44]

기독교의 동방 팽창

서방 교회가 다른 견해를 뿌리 뽑는 일에 매달려 있는 동안, 동방 교회는 야심차고 광범위한 선교 프로그램을 시작했다. 후대에 아메리카 대륙과 아프리카에서 펼쳤던 선교에 필적할 만한 규모였다. 기독교는 배후에 정치권력이라는 쇠주먹을 두지 않은 채 새로운 지역으로 급속하게 퍼져나갔다. 아라비아 반도 남부 깊숙한 곳에서 많은 순교자가 나온 것은 기독교의 촉수가 얼마나 멀리까지 뻗쳤는지를 보여준다. 예멘 왕이 기독교도가 된 일 역시 마찬가지다.[45] 550년 무렵 스리랑카를 방문했던 한 그리스어 사용자는 "페르시아로부터" 임명된 성직자가 감독하는 활발한 기독교 공동체를 목격했다.[46]

기독교는 심지어 스텝 지대의 유목민들에게도 전해졌다. 동로마 관리들은 평화협정의 일환으로 건네받은 인질 일부가 "이마에 십자가 문양을 검게 문신"한 것을 보고 깜짝 놀랐다. 어떻게 된 일이냐고 묻자 그들은 전염병이 돌았을 때 문신을 했다고 대답했다.

"몇몇 기독교인들이 [신의 가호를 빌기 위해] 그렇게 하자고 제안했고, 그 이후로 자기네 나라는 안전했다고 말했다."[47]

6세기 중반에는 아시아 깊숙한 지역에 대주교 관구가 있었다. 바스라, 모술, 티크리트에서는 기독교도 주민이 급증했다. 선교의 규모가 매우 컸기 때문에 크테시폰 인근의 베흐아르다시르(코헤)에는 다섯 개이상의 관할 주교 관구가 있었다.[48] 메르브, 군데샤푸르 같은 도시들과 심지어 중국으로 들어가는 관문인 오아시스 도시 카슈가르에도 영국

캔터베리보다 훨씬 먼저 대주교가 있었다. 이들 지역은 폴란드나 스칸디나비아에 처음 선교사들이 들어가기 수백 년 전의 주요 기독교 중심지였다. 오늘날의 우즈베키스탄에 있는 사마르칸트와 부하라 역시 아메리카 대륙에 기독교가 소개되기 1000년 전에 흥성하는 기독교 공동체들의 중심지였다.[49] 중세에도 아시아에는 유럽보다도 많은 기독교도들이 있었다.[50] 어쨌든 바그다드는 아테네보다 예루살렘이 더 가까웠고, 테헤란은 로마보다 성지가 더 가까웠으며, 사마르칸트도 파리나 런던보다 성지와 더 가까웠다. 기독교가 동방에서 번성했다는 사실은 오랫동안 잊히고 있었다.

기독교의 팽창은 상당 부분 페르시아의 사산제국 통치자들이 너그럽고 능숙한 덕택이었다. 그들은 귀족과 조로아스터교 성직자의 힘이 누그러진 시기에 포용적인 정책을 추구할 수 있었다. 그것이 호스로 1세가 외국 학자들을 다룬 회유 방식이었으며, 그래서 그는 당대의 동로마 사람들에게 "문학 애호자이며 열렬한 철학 연구자"로 명성을 얻을 수 있었다. 동로마의 한 작가가 믿지 못하겠다는 듯이 더듬거린 이야기다. 그 뒤 머지않은 시기에 역사가 아가티아스는 호스로가 정말로 그렇게 뛰어난 인물이었다고 믿기 어렵다고 항변했다. 그는 거칠고 점잖지 못한 말투로, 호스로가 어떻게 미묘한 철학을 이해할 수 있었겠느냐고 말했다.[51]

6세기 말이 되면 동방의 교회 모임은 심지어 페르시아 지배자의 건강을 비는 열렬한 기도로 시작했다. 그로부터 얼마 지나지 않아 샤가 새 총대주교 선출을 주도하게 된다. 그는 자기 영토 안의 모든 주교들에게 이렇게 촉구한다.

"속히 와서 (……) 지도자이자 통치자를 뽑으라. (……) 페르시아인들의 제국 안에 있는 모든 우리 주 예수 그리스도의 제단과 교회가 그의 관리와 지휘 아래 들어갈 것이다."[52]

사산제국의 왕은 아시아 기독교도 박해자에서 옹호자로 변신했다.

이는 부분적으로 페르시아가 힘이 커지면서 생긴 결과였고, 그것은 군사적·정치적 우선순위가 다른 부문의 문제를 해결하는 쪽으로 옮겨간 동로마 당국이 정기적으로 돈을 바쳐 촉발된 것이었다. 스텝 지대가 잠잠해지고 동로마의 관심이 주로 침범당한 지중해 지역 주들을 안정시키고 회복하는 일에 집중되면서 페르시아는 5세기와 6세기에 걸쳐 갈수록 융성해졌다. 종교적 관용은 경제 성장과 밀접한 관련이 있었다. 페르시아 중앙정부가 늘어나는 조세 수입을 기반시설에 투자하면서 새로운 도시들이 곳곳에 건설되었다.[53] 거대한 관개시설 사업(특히 후제스탄과 이라크에서 활발했다)으로 농업 생산이 증가하고, 급수시설도 건설되었다(어떤 경우에는 수 킬로미터까지 이어졌다). 방대한 관료 조직의 행정이 레반트에서 중앙아시아 깊숙이까지 미쳤다.[54] 이 시기에 사산제국은 중앙집권화에 큰 진전을 이루었다.[55]

통제의 수준은 페르시아의 시장이나 상가에서 개별 판매점의 배치까지도 정해줄 정도였다. 한 문서에는 상인들이 어떻게 통제된 조합으로 조직화되는지에 대해 적혀 있다. 또한 감독관이 나와서 물건의 품질을 관리하고 세금을 산출하기 위해 매출액을 확인했다.[56] 부가 늘어나면서 사치품과 고가품의 장거리 교역도 덩달아 늘어났다. 판매 또는 수출을 승인하는 표시로 상품 꾸러미에 찍었던 도장이 수천 개나 남아 있고, 도장이 찍힌 계약서가 등기소에 보관되어 지금까지 상당수 전해진다.[57] 상품들은 페르시아만 지역에서 카스피해 지역으로 운송되었고, 해로와 육로를 통해 인도를 오갔다. 스리랑카나 중국과의 교역

량이 급증했고, 동부 지중해 지역과의 교역도 마찬가지였다.[58] 사산제국 당국은 영토 안과 그 너머에서 진행되는 모든 일에 세심한 관심을 기울였다.

장거리 상업의 상당 부분은 소그드 상인들에 의해 이루어졌다. 그들은 이동 상인단과 재정 감각, 그리고 긴밀한 가족의 유대로 유명했다. 이를 바탕으로 중앙아시아에서 신장과 서부 중국으로 이어지는 대동맥을 따라 물건을 교역할 수 있었다. 20세기 초 오렐 스타인Aurel Stein은 둔황 인근의 한 망루에 처박혀 있던 편지 뭉치를 발견했는데, 이 편지들에는 교역 방식과 체계적인 외상 판매제, 그리고 소그드인들의 장사 품목이 적혀 있다. 그들은 머리핀 같은 금은제 장신구와 정교하게 만든 그릇, 삼과 리넨, 모직 옷, 사프란, 후추, 장뇌 등을 거래했으며 특히 비단 무역에 집중했다.[59]

소그드인들은 도시와 오아시스와 시골을 이어주는 접착제와도 같았다. 그들은 중국산 비단이 동부 지중해 지역에 도달하는 데 중요한 역할을 했으며, 비단은 로마 황제와 귀족이 매우 귀하게 여기는 물건이었다. 상인들은 상품을 반대 방향으로도 운송했다. 콘스탄티노플에서 주조한 화폐가 중앙아시아 지역과 멀리 중국에서도 발견되었다. 6세기 중반 중국 북주北周의 권력자 이현李賢의 무덤에서 나온 부장품에는 트로이 전쟁 장면이 그려진 은제 물항아리 같은 위세품이 있었다.[60]

종교들의 접촉은 불가피하게 상대의 것을 빌려오게 했다. 그 과정을 명확하게 추적하기는 어렵지만 힌두교, 불교, 조로아스터교, 기독교 예술에서 후광後光이 공통적인 시각적 상징이 된 것은 놀라운 일이다. 후광은 세속의 것과 신적인 것의 연결로서, 광명과 깨달음의 표지다. 이란의 타크이부스탄에는 말을 탄 지배자를 묘사한 거대한 기념비가 있다. 그는 날개 달린 천사들에 둘러싸여 있고, 그의 머리 부근에 빛의 고리가 있다. 마찬가지로 불교의 비타르카 무드라(오른손 엄지와 검지 끝을 맞대어 원형을 만든 손 모양) 같은 자세도 신과의 연결을 보여주기 위해 채택되었다. 이는 특히 기독교 예술가들이 즐겨 쓰던 방식이다.[61]

기독교는 교역로를 따라 흘러갔다. 그러나 장애물이 없었던 것은 아니다. 세계의 중심부는 언제나 소란스러운 곳이었고, 신념·사상·종교가 서로 가진 것을 주고받는 장소였다. 물론 충돌하기도 했다. 영적 권위를 둘러싼 경쟁은 점점 더 치열해졌다. 그런 갈등이 오랫동안 기독교와 유대교 사이의 관계를 특징 지었다. 양쪽의 종교 지도자들은 둘 사이를 구분하고자 애써왔다. 기독교의 경우 근친혼을 계속해서 금지해왔고, 부활절 날짜는 유월절 축제와 겹치지 않게 고의적으로 옮겨놓았다.[62]

어떤 사람들은 여기에 만족하지 않았다. 4세기로 접어들 무렵 콘스탄티노플 대주교 요안네스 크리소스토무스는 예배 의식이 더 자극적이어야 한다고 주장했다. 그는 기독교가 유대교 회당의 연극적인 모습과 경쟁하기 어렵다고 푸념했다. 유대교 회당에서는 예배 도중 북, 리라, 하프 같은 악기를 동원해서 즐거움을 선사하고 분위기를 북돋기 위해 배우와 무용수까지 동원한다는 것이다.[63]

유대교의 고위 인사들은 새로운 개종자를 받아들이는 일에 더 이상 열의를 보이지 않았다. 유명한 랍비 히야는 이렇게 선언했다.

"스물네 세대가 지날 때까지는 개종자를 믿지 마라. 타고난 사악함이 여전히 그에게 있기 때문이다."

또 다른 영향력 있는 랍비 헬보는 개종이 피부병처럼 짜증나는

것이라고 썼다.[64]

페르시아에서 기독교도에 대한 유대인들의 태도는 강경해졌다. 기독교도들이 침투해 들어온 결과였다. 이는 《바빌로니아 탈무드》에서 분명하게 볼 수 있다. 유대교 율법을 학문적으로 해석한 이 문서 모음에서는 예수를 지나가는 말로 가볍게 언급한 《예루살렘 탈무드》와 달리 기독교에 대해 과격하고 신랄한 입장을 취하고 있다. 교리와 복음서에 나오는 특정 사건이나 인물들을 공격한다. 예를 들어 처녀 잉태는 생식 능력이 없는 노새가 새끼를 낳는다는 얘기나 마찬가지라며 풍자하고 조롱한다. 부활 역시 무자비하게 조롱한다. 신약과 특히 〈요한 복음〉에 나오는 장면들에 대한 패러디를 포함한 예수의 생애에 대한 상세하고 정교한 반론은 기독교의 확산에 위협을 느꼈다는 반증이다. 예수는 가짜 선지자이고 십자가 처형은 정당했다는 주장에 조직적인 노력을 기울였다. 다시 말해서 비난과 책임을 모면하려는 것이었다. 이런 난폭한 반응은 유대교의 희생을 통해 기독교가 서서히 세력을 얻어가는 것에 맞서려는 시도였다.[65]

그러므로 어떤 지역에서는 유대교가 세력을 늘려가고 있었다는 사실이 중요하다. 아라비아 반도 남서쪽 구석, 지금의 사우디아라비아와 예멘에 있던 힘야르 왕국에서는 유대인 사회가 갈수록 두드러지고 있었다. 아덴만에 면한 카나에서 최근 발견된 4세기의 유대교 회당들이 이를 보여준다.[66] 사실 힘야르는 유대교를 국가 종교로 채택했다. 그것도 매우 열렬하게 받아들였다. 5세기 말에는 기독교도들이 계속해서 신앙 때문에 죽임을 당했다. 사제와 수도사와 주교들이 랍비들로 구성된 위원회에서 재판을 받아 처형되었다.[67]

6세기 초 에티오피아가 홍해를 건너 유대교 지배자를 제거하고 기독교도 꼭두각시를 앉히려던 서투른 군사원정은 잔인한 보복만 낳았을 뿐이다. 왕국에서 기독교의 흔적을 완전히 쓸어내는 조치가 취해진 것이다. 교회는 철거되거나 유대교 회당으로 바뀌고 수백 명의 기독교도가 구금되거나 처형되었다. 200명의 기독교도가 교회 안으로 피신하자 그대로 불을 질러 산 채로 태워 죽인 일도 있었다. 왕은 기쁨에 들떠 아라비아 전역에 편지를 보내 이 모든 소식을 전하고 자신이 가한 고통에 환호했다.[68]

조로아스터교 성직자들 역시 사산제국에서 기독교가 확산되는 데 반응했다. 특히 몇몇 지배층 인사들의 눈에 띄는 개종은 기독교 공동체에 대한 수차례의 저돌적인 공격을 초래했고, 많은 순교자를 만들어냈다.[69] 그러자 기독교 쪽에서는 굴하지 않는 교훈적 이야기들을 만들어내기 시작했다. 그중 마르 카르다그Mar Qardagh의 웅대한 이야기는 가장 유명하다. 그는 뛰어난 젊은이로 사냥할 때는 페르시아 왕과 같고 논쟁할 때는 그리스 철학자 같았지만, 지방 총독이라는 유망한 자리를 버리고 개종했다. 그는 사형 선고를 받고 도망쳤는데, 꿈속에서 싸우는 것보다 신앙을 위해 죽는 것이 낫다는 말을 들었다. 처형 때 그의 아버지가 가장 먼저 돌을 던졌지만, 이 일은 길고도 아름다운 이야기로 서술되어 기려졌다. 물론 그 목적은 다른 사람들에게 확신을 가지고 기독교도가 되도록 고무하기 위한 것이었다.[70]

경쟁하면서 닮아가는 종교

기독교의 성공 비결은 부분적으로 선교 사업의 헌신성과 정열에 있었다. 물론 그 열의에 상당한 정도의 현실성이 들어 있는 것도 도움이 되었다. 7세기 초의 문헌들은 성직자들이 자기네의 생각을 불교와 조화시키려 노력했음을 기록하고 있다. 그것이 선교의 지름길이 되거나, 적어도 문제를 단순화하는 방법이었다. 중국에 갔던 한 선교사는 성령이 그곳 사람들이 이미 믿고 있는 것과 완전히 일치했다고 썼다.

"모든 각자覺者는 바로 이 바람(이것이 바로 성령이다) 덕분에 움직이고 변화한다. 그리고 이 세계에는 바람이 닿지 않는 곳이 없다."

그는 이어, 하느님은 세상을 창조한 이래 영원히 죽지 않고 영원한 행복을 누리는 일을 책임지고 있다고 썼다.

"인간은 (……) 언제나 붓다의 이름에 경의를 표할 것이다."[71]

기독교는 그저 불교와 상충하지 않는 정도가 아니라 대체로 말해서 기독교가 바로 불교라고 그는 말했다.

다른 사람들은 기독교 사상과 불교 사상을 체계적으로 융합하려 노력했다. 기독교의 복잡한 메시지와 이야기를, 동방 주민들에게 친숙한 요소를 이용하여 단순하게 만든 '복음' 세트를 제시하는 것이다. 기독교의 아시아 전파를 가속화하기 위해서였다. 이 이원론적 접근법은 그노시스주의라고 불리는 신학적 논리에서 나온 것이었다. 그것은 익숙한 문화적 기준점이 있고 이해하기 쉬운 언어로 설교하는 것이 메시지를 확산시키는 분명한 길이라고 주장했다.[72] 그렇다면 기독교가 광범위한 주민들로부터 지지를 받은 사실도 이상할 것이 없다. 친숙하게 들리고 쉽게 파악할 수 있도록 의도적으로 만들어낸 생각들 덕분이었다.

다른 종교와 교단과 종파도 같은 방식으로 도움을 받았다. 카리스마 있는 설교자 마즈다크의 가르침은 5세기 말과 6세기 초에 큰 인기를 끌었다. 기독교와 조로아스터교 쪽에서 이구동성으로 마즈다크교도들에게 퍼부은 격렬하고 다양한 비판을 통해 이를 알 수 있다. 먹는 것에서부터 집단 섹스에 대한 관심에 이르기까지, 마즈다크교도들의 태도와 의례는 열띤 비난을 받았다. 사실 부분적인 1차 자료들이 허용하는 한도 내에서 판단하면 마즈다크는 금욕적인 생활을 주장했다. 그것은 물질적인 풍요, 조로아스터교의 현실 세계에 대한 의혹, 기독교의 완고한 금욕주의 등에 대한 불교의 태도와 다르지 않았다.[73]

이런 경쟁적인 영적 환경에서 지적인 (그리고 물리적인) 영토를 지키는 것이 중요했다. 6세기에 사마르칸트를 지나간 한 중국인 여행자는 불교 계율에 격렬하게 반대하는 그곳 주민들과 맞닥뜨렸다. 주민들은 불교도가 그곳에 묵으려 하면 "횃불로 위협하며" 내쫓았다.[74] 그들의 적대적인 태도는 결국 호의로 바뀌었다. 그들은 방문자와 만남의 자리를 갖는 데 동의했고, 더 나아가 많은 사람들이 불교로 개종했다. 그의 인품과 주장에 설득당했기 때문이다.[75]

불교도들은 신앙과 관련된 이야기를 뒷받침하는 물증을 보여주고 자랑하는 일이 무엇보다 중요하다는 사실을 깨달았다. 산스크리트 경전을 구하러 중앙아시아로 갔던 또 다른 중국인 순례자는 발흐의 주민들이 숭배하던 성스러운 유물들을 보고 경탄했다. 붓다의 치아와 붓다가 세수할 때 썼다는 대야, 청소할 때 썼다는 비 같은 것들이다. 메밀짚으로 만들어진 비는 멋진 보석들로 장식되었다.[76]

그러나 사람들의 마음을 사로잡기 위해 가시적이고 극적인 표현도 고안되었다. 석굴 사원은 영적인 메시지를 떠올리게 하고 강조하는 확실한 수단이 되었다. 교역로를 따라 지어진 석굴 사원은 한편으로 성소聖所 관념과 신, 다른 한편으로 장사와 여행을 융합시켰다. 뭄바이 앞바다 엘레판타 섬(인도명 가라푸리 섬)의 석굴군과 북인도 엘로라 동굴이 그런 사례다. 장엄하고 화려한 신상神像 조각들로 가득한 이 석굴

들은 도덕적·신학적 우월성(이 경우에는 힌두교의 우월성)을 보여주기 위해 만들어진 것이다.[77]

이는 아프가니스탄의 바미얀 석굴과 매우 닮아 있다. 남쪽으로 인도, 북쪽으로 박트리아, 서쪽으로 페르시아로 연결되는 교차로에 위치한 바미얀에는 751개의 동굴이 있고 거대한 불상들이 있다.[78] 높이 50여 미터에 이르는 조각상과 대략 그 크기의 3분의 2쯤 되는 약간 더 오래된 조각상 등 두 개의 불상이 거대한 바위를 파낸 곳에 조각되어 1500년 가까이 서 있었다. 그러다가 2001년 탈레반에 의해 폭파되어 파괴되었다. 교양이 없고 문화적 야만성을 드러낸 이 행위는 종교개혁 기간 동안 영국과 북유럽에서 자행되었던 종교 유물 파괴와 비교될 만하다.[79]

우리는 실크로드를 떠올릴 때 물건이 언제나 동방에서 서방으로 흘러갔다고 생각하기 쉽다. 그러나 상당한 이익과 교역품이 반대 방향으로도 흘러갔다. 7세기 중국의 기록이 이를 입증하는데, 이 작가는 감탄하며 이렇게 썼다.

"[시리아는] 석면포와 반혼향返魂香, 명월주明月珠와 야광벽夜光璧을 생산한다. 비적과 강도가 없고, 사람들은 행복과 평화를 누리고 있다. 좋은 법이 아니면 시행되지 않고, 덕이 있는 사람이 아니면 통치자의 자리에 오르지 못한다. 땅은 드넓고 문물은 번성하다."[80]

실제로 치열한 경쟁에도 불구하고, 그리고 자기네 목소리를 전달하려는 종교 다툼의 합창에도 불구하고, 기독교가 전통적인 종교와 관행과 가치관을 서서히 잠식하고 있었다. 635년 중국에 간 사절들은 황제를 설득해서 기독교를 합법적인 종교로 승인하게 했다. 그 메시지는 제국의 정체성과 맞지 않을 뿐만 아니라 자신의 것을 강요할 가능

성이 있었는데도 말이다.[81]

7세기 중반 무렵에는 미래가 쉽게 보이는 듯했다. 기독교는 아시아 각지로 퍼져나가며 조로아스터교, 유대교, 불교의 세력을 꺾기 시작했다.[82] 각 종교는 이 지역에서 언제나 서로 맞대결을 해야 했고, 관심을 끌기 위해 경쟁해야 한다는 사실을 깨달았다. 그러나 가장 경쟁력 있고 성공적인 종교는 작은 마을 베들레헴에서 탄생한 종교임이 드러났다.[83] 예수가 필라투스에 의해 십자가에서 처형된 이후 수백 년 동안에 이루어진 발전을 감안하면, 기독교의 촉수가 태평양에 도달하여 이 대양을 서쪽의 대서양과 연결하는 것은 시간 문제였다.

하지만 기독교가 승리를 거두려는 순간에 우연이 끼어들었다. 단지 도시와 시골을 연결하는 것이 아니라 여러 대륙에 걸치는 영적 정복을 위한 토대가 만들어졌다. 그러나 그 순간 파괴적인 전쟁이 벌어져서 기존 권력을 약화시키고 새로운 참가자들에게 기회를 열어주었다. 그것은 고대 말기에 인터넷을 깔아놓는 것과 같은 일이었다. 갑자기 수많은 사상과 이론과 경향이 기존 질서를 위협하고, 수백 년 동안에 걸쳐 이룩된 네트워크에 편승했다. 새로운 우주론의 이름에는 그것이 얼마나 혁명적인지가 반영되어 있지 않았다. '이슬람'은 안전이나 평화라는 말과 밀접한 연관이 있는 단어로, 세계가 어떻게 변화하려는지에 대해 전혀 알려주지 않았다. 혁명이 당도해 있었다.

4

혁명으로 가는 길

위기에 처한 동로마

이슬람교의 등장은 100년 동안 혼란과 분열과 재앙을 겪은 세계에서 일어났다. 선지자 무함마드가 신으로부터 일련의 계시를 받기 시작한 때로부터 70년쯤 전인 541년, 지중해 지역에 공포를 확산시킨 것은 다른 위협에 관한 소식이었다. 그것은 번개같이 움직였다. 너무도 빨라서 공포가 시작되었을 즈음에는 이미 너무 늦어 있었다.

아무도 무사하지 못했다. 죽음의 규모는 거의 상상하기 어려웠다. 가족을 전부 잃은 어떤 사람은 이집트 국경 부근에 있던 한 도시가 쑥대밭이 되었다고 전했다. 한때 북적거렸던 주민 가운데 살아남은 사람은 남성 일곱 명과 열 살짜리 남자아이 하나가 전부였다. 민가의 대문들은 힘없이 열려 있었고, 집 안의 금·은과 귀중품을 지키는 사람은 없었다.[1] 도시들은 야만적인 공격의 표적이 되었다. 540년대 중반의 어느 시점에 콘스탄티노플에서는 하루에 만 명씩 죽어나갔다.[2] 피해를 당한 곳은 동로마제국만이 아니었다. 머지않아 동방의 도시들도 유린당했다. 재앙이 교통로와 교역로를 따라 확산되면서 페르시아령 메소포타미아의 도시들을 파괴하고 마침내 중국에까지 닿았다.[3] 페스트가 재앙과 절망과 죽음을 가져왔다.

그것은 또한 만성적인 경제 침체를 가져왔다. 들에는 농부가 없고, 마을에는 소비자가 사라졌다. 한 세대가 싹둑 잘려나가 자연히 고대 말의 인구 동태를 바꿔놓고 극심한 경제 위축을 초래했다.[4] 이는 시간이 지나면서 동로마 황제들이 대외정책을 추진하는 방식에 영향을 미쳤다. 유스티니아누스 1세 치세(527~565) 전반기에는 제국이 놀라운 성공을 거두어 북아프리카의 주들을 회복하고 이탈리아에서 중요한 진전을 이룰 수 있었다. 현명한 군사 운용과 신중한 노력이 결합하여 확장된 영토(동방까지 포함해서)에서 발생할 수 있는 문제들을 처리하는 데 융통성을 발휘했다. 그러나 유스티니아누스 치세 후기에는 이런 균형을 유지하는 일이 점점 더 어려워졌다. 인력이 부족하고 어정쩡한 군사원정을 거듭하느라 지출이 증가함에 따라, 전염병이 돌기 전에 이미 감소하고 있던 국고를 고갈시켰다.[5]

불경기가 심화되고 유스티니아누스에 대한 대중의 감정이 시큰둥해졌다. 특히 제국의 이웃들과 친선을 유지하기 위해 돈을 주고 무작정 호의를 베풀려 한다는 비판이 빗발쳤다. 유스티니아누스 치세의 통렬하고 가장 유명한 역사가 프로코피우스는 유스티니아누스가 너무도 바보 같아서 "로마의 부를 퍼주고 그것을 야만인들에게 던져버리는 것이 행운"이라고 생각했다고 썼다. 그는 신랄하게 비난을 이어갔다. "[황제는] 기회만 있으면 막대한 돈을 아무 야만인한테나 퍼주었다." 동서남북을 가리지 않았고 심지어 들어본 적이 없는 나라에도 돈을 보냈다고 했다.[6]

유스티니아누스의 후계자들은 이런 접근법을 버리고 동로마의 이웃들에 대해 공격적이고 비타협적인 노선을 취했다. 스텝 지대의 큰 종족 가운데 하나인 아바르족의 사절단이 565년 유스티니아누스가 사망한 직후 콘스탄티노플을 찾아와서 늘 받아가던 공물 지불에 대해 물었다가 새 황제 유스티누스 2세로부터 냉대를 받았다.

"너희들은 이제 이 제국이 지불하는 돈으로 부유하게 살지 못할 것이다. 우리에게 무얼 해주지도 말고 너희들 하고 싶은 대로 하라. 너희들은 내게서 아무것도 얻지 못할 것이다."

아바르족 사절이 두고 보자며 위협하자 황제는 화가 폭발했다.

"이 하찮은 것들이 감히 로마제국을 위협하려 드는가? 잘 들어라. 내가 너희들의 머리칼을 밀어버리고 참수할 것이다."[7]

페르시아에 대해서도 비슷하게 공격적인 자세를 취했다. 특히 강력한 튀르크 유목민 무리가 중앙아시아 스텝 지대에서 훈족의 자리를 차지하고 동쪽 변경을 압박하고 있다는 소식이 들려오자 더욱 그러했다. 튀르크인들은 교역에서 점점 더 지배적인 역할을 해서 중국인들을 무척 짜증나게 하고 있었다. 중국인들은 그들을 괴팍하고 믿을 수 없는 존재로 묘사했는데, 이는 그들이 점점 더 상업적으로 성공하고 있다는 징표였다.[8] 그들의 우두머리는 서부 돌궐 왕 이스테미였다. 그는 화려하게 꾸민 천막에서 고관들을 맞는 것을 좋아했다. 네 마리의 황금 공작이 떠받치는 황금 침대에 비스듬히 기대고, 가까이에는 은을 꽉 채운 커다란 수레를 눈에 잘 띄게 배치해놓았다.[9]

튀르크인들은 거대한 야망을 품고 있었고, 장거리 군사동맹을 제안하기 위해 콘스탄티노플로 사절을 파견했다. 사절들은 연합 공격을 하면 페르시아를 멸망시킬 수 있을 것이라고 유스티누스 2세를 부추겼다.[10] 황제는 동로마의 전통적인 라이벌을 쓰러뜨려 명예를 얻고 싶은 마음이 굴뚝같았고 가능성도 있어 보여 이 계획에 동의했다. 그러고는 배포가 점점 커져서 샤를 위협하면서, 예전에 협정을 통해 양도했던 도시와 영토를 돌려달라고 요구했다. 동로마인들이 어설프게 가한 공격이 실패로 돌아간 뒤 페르시아가 반격에 나서 다라(그 유적지가 터키 남부에 있다)를 공격했다. 이곳은 국경 방어의 모퉁잇돌이었다. 여섯 달이나 계속된 무시무시한 포위전 끝에 페르시아는 574년에 이 도시를 점령하는 데 성공했고, 이에 충격을 받은 동로마제국은 정신적·물리적 붕괴를 경험했다.[11]

이 완패로 튀르크인들은 동로마가 보잘것없고 믿지 못할 동맹자라고 확신했다. 576년에 튀르크 사절은 단도직입적으로 이렇게 말하고 페르시아에 대한 추가 공격 가능성에 대해서도 화를 내며 거부했다. 그는 성이 나서 열 손가락을 입에 쑤셔 넣으며 말했다.

"이제 내가 아무 말 않고 가만히 있으니 당신네 로마인들이 멋대로 딴소리를 하는군."

동로마는 페르시아 쪽에 최선을 다하겠다고 약속해놓고는 튀르크인들을 속였다. 결과는 참혹했다.[12]

그렇지만 이렇게 페르시아와 다시 적대하게 된 것은 격동의 시기를 예고하는 것이었고, 이는 놀라운 결말로 이어졌다. 20년 동안 싸움이 이어졌고, 페르시아군이 소아시아 깊숙이까지 뚫고 들어왔다가 자기네 나라로 돌아가는 매우 긴박한 상황이 전개되기도 했다. 그때 페르시아는 매복 공격을 당해 왕비가 포로로 잡히고 귀한 보석과 진주로 장식된 왕의 황금 마차도 빼앗겼다. 페르시아 지배자가 원정에 가져온 성스러운 불("가장 위대한 불"로 여겨지는)도 빼앗겨 강물에 처박혔다. 조로아스터교 고위 성직자와 "많은 최고위층들"이 물에 빠져 죽었다. 아마도 강제로 빠뜨렸을 것이다. 성스러운 불을 끈 것은 페르시아 고유의 종교를 모독하는 공격적이고 도발적인 행동이었다. 동로마인들과 그 동맹자들은 이 소식에 열광하며 축하를 보냈다.[13]

적대 행위가 계속되면서 종교는 점점 더 중요해졌다. 예를 들어 병사들이 봉급 삭감에 반발해서 반란을 일으키자 사령관은 병사들에게 성스러운 예수의 초상을 들고 행진하게 했다. 황제에게 봉사하는 것이 곧 신에게 봉사하는 것임을 각인시키려는 행동이었다. 579년에 호스로 1세가 죽었을 때 몇몇 사람들은 아무런 근거도 없이 이렇게 주장했다.

"성스러운 말씀의 빛이 그의 주위에서 찬란하게 빛났다. 그가 그리스도를 믿었기 때문이다."[14]

콘스탄티노플에서는 강경한 태도를 보이면서, 조로아스터교가 비열하고 잘못되었으며 타락한 종교라고 맹비난했다. 페르시아인들이 "조로아스터교의 마력에 사로잡힌 이래 줄곧 비정상적이고 퇴폐적인 관습"[15]에 빠졌다고 아가티아스는 썼다.

군국 체제에 더해 광적인 신앙을 주입하는 것이 제국 주변부 사람들에게 영향을 미쳤다. 제국은 그들의 지지와 충성을 얻기 위한 정책의 일환으로 그들을 달래 기독교로 개종시켰다.[16] 남부 및 서부 아라비아 종족들에게는 물질적인 보상을 약속하는 등 특별한 노력을 기울였다. 새로운 친족 (그리고 왕권) 개념을 도입하여 현지에서 강력한 힘을 발휘하는 왕 칭호를 부여한 것 역시 많은 사람들이 동로마와 운명을 같이하도록 하는 데 도움을 주었다.[17]

따라서 페르시아와 대치하는 동안 종교적 감정이 악화된 것은 중대한 문제였다. 일부 부족들이 받아들인 기독교는 451년 칼케돈에서 합의한 교리의 기독교가 아니라 삼위일체에 관해 다른 견해를 가진 변종(또는 변종들)이었기 때문이다. 아라비아에 있던 로마의 오랜 맹방 가산 왕국과의 관계는 제국의 수도에서 나온 공격적인 메시지로 인해 틀어졌다.[18] 상호 간의 종교적 의심 때문에 동맹관계가 이 민감한 순간에 깨져버렸다. 페르시아는 이 완벽한 기회를 이용했다. 남부 및 서부 아라비아의 항구와 시장들에 대한 통제권을 차지했고, 페르시아를 메카 및 우카즈와 연결하는 새로운 육상 교역로가 열렸다.

이슬람 전승에 따르면, 이런 변동이 생기자 메카의 한 고위 인사는 동로마에 자신을 로마의 대리인으로서 도시의 필라르코스(고대 그리스의 종족인 필레의 우두머리를 가리키는 말인데 후대에 아랍 지역 동맹국 수장을 일컫는 칭호로도 쓰였다 — 옮긴이)로 임명해달라고 요청하며 접근했다. 나중에 황제는 우스만이라는 사람에게 '메카 왕'이라는 칭호를 주었다. 비슷한 과정을 거쳐 야스리브(메디나)에도 페르시아를 대신하여 비슷한 역할을 하는 사람이 임명되었다.[19]

왕 중 왕 호스로 2세

아라비아 반도에서 이러한 긴장관계가 명확해지는 동안에, 북쪽의 주된 싸움터에서는 오래 끌어온 전쟁이 별 진전을 보지 못하고 있었다. 전환점은 전쟁터가 아니라 580년대 말 페르시아 궁정에서 나왔다.

튀르크와의 동부 국경선을 안정시킨 인기 있는 장군 바흐람 추빈이 전권을 틀어쥐고 호스로 2세에게 반기를 든 것이다(바흐람은 본래 호스로의 전임 호르미즈드 4세 때 반란을 일으켰는데, 내분으로 호르미즈드가 살해되고 그의 아들 호스로 2세가 즉위했으나 이를 인정하지 않고 쫓아낸 뒤 스스로 바흐람 6세를 칭했다—옮긴이). 샤는 콘스탄티노플로 달아나서 마우리키우스 황제에게 지원을 요청하며 그 대가로 다라 반환을 포함하여 캅카스와 메소포타미아의 많은 땅을 넘겨주기로 약속했다.

호스로는 591년에 고국으로 돌아와서 놀라우리만큼 간단하게 정적을 처리한 뒤 합의 이행에 나섰다. 그것은 한 유명 학자가 말했듯이 베르사유 국면(1차 세계대전 이후 패전국 독일이 가혹한 배상 조건을 받아들였던 것과 비슷한 상황이라는 의미인 듯하다—옮긴이)이었다. 많은 도시와 요새와 중요 지점이 로마에 양도되어 페르시아의 경제·행정의 중심지들이 노출되었다. 이는 너무도 큰 굴욕이어서 격렬한 반발을 불러왔다.[20]

그 이전 20년 동안 서로 격렬하게 싸우던 시기에는 시계추가 왔다 갔다 했다. 이제 상황은 동로마가 외교적·정치적 성공을 거둔 것처럼 보였다. 동로마는 새로운 전진 기지를 보유한 덕분에 마침내 서아시아에 영구 진출할 수 있는 기회를 얻었다. 역사가 프로코피우스도 알고 있었듯이 드넓은 티그리스 및 유프라테스 강 유역에 펼쳐진 메소포타미아 평원은 강이나 호수나 산 같은 자연 경계가 많지 않았다.[21] 이는 땅을 획득하더라도 규모가 크지 않으면 취약할 수밖에 없다는 의미였다. 호스로 2세는 제위를 다시 차지했을지 모르지만, 그것은 매우 비싼 대가를 치르고 얻은 것이었다.

그렇지만 겨우 10여 년 만에 상황은 극적으로 반전되었다. 602년 마우리키우스 황제가 부하 장군인 포카스의 궁정 쿠데타로 살해되자 호스로 2세는 공격을 가해 협상을 강요할 기회를 잡았다. 그는 다라에 맹공을 퍼부어 북부 메소포타미아의 동로마 방어 체계에서 중요한 지점을 함락시킨 뒤 자신감을 얻었다. 또 포카스가 국내에서 권력을 확립하기 위해 허우적거리고 있는 상황도 그에게 자신감을 주었다. 유목민의 새로운 공격 파도가 발칸 반도를 휩쓸고 있다는 소식이 들려오자 샤의 야심은 더욱 커졌다. 북부 아라비아에서 신민들을 다스리던 전통적인 예속-통치 시스템은 페르시아의 팽창으로 국경이 크게 변할 것이라고 예상되면서 재빨리 해체되었다.[22]

기독교도 주민들은 조심스럽게 다루어졌다. 주교들은 경험을 통해 전쟁이 일어나는 것을 두려워했다. 페르시아가 동로마와 싸울 경우 기독교도들은 부역자로 몰릴 수 있기 때문이었다. 샤는 605년에 총대주교 선출을 직접 주관하는 모습을 보여줌으로써 소수계 주민들을 안심시키고 그들의 문제에 동정적이라는 것을 알렸다. 그것은 기독교 공동체에 자애로운 보호의 징표로 해석되었다. 주교들은 과장되게 호스로에게 감사를 표했다. 그들은 함께 모여 "강력하고 관대하고 친절하고 자비로우신 왕 중 왕"[23]을 찬양했다.

동로마제국이 잇단 내부 반란으로 혼란에 빠져 있을 때 페르시아 군대가 압박을 가했다. 메소포타미아의 도시들이 도미노처럼 잇달아 쓰러졌고, 마지막으로 609년에 에데사가 함락되었다. 이제 관심은 시리아로 향했다. 오론테스 강변의 대도시 안티오키아는 610년에 함락되었다. 그곳은 사도 페트로스(베드로)의 첫 주교좌主敎座이자 동로마령 시리아의 주요 대도시였다. 이듬해에는 서부 시리아의 에메사(오늘날의 홈스)가 함락되었고, 613년에는 다마스쿠스가 함락되어 또 다른 주요 중심지를 잃었다.

사태는 더 악화되기만 했다. 동로마에서는 인기 없고 오만한 포카스가 살해되어 시신이 벌거벗겨지고 토막이 나 도시 거리를 끌려다녔다. 그러나 새 황제 헤라클리우스도 페르시아를 멈추게 하지는 못했다. 페르시아의 진군은 이제 엄청난 탄력이 붙은 상태였다. 소아시아에서 동로마의 반격을 물리친 샤의 군대는 방향을 남쪽으로 돌려 예루살렘으로 향했다. 목적은 분명했다. 기독교의 가장 성스러운 도시를 점령하여 페르시아의 문화적·종교적 승리를 알리려는 것이었다.

614년 5월에 예루살렘이 짧은 포위전 끝에 함락되자, 동로마 세계에서는 거의 히스테리에 가까운 반응이 나왔다. 유대인들은 페르시아에 협력하는 정도가 아니라 적극적으로 지원했다는 비난을 받았다. 한 자료에 따르면 유대인들은 '악독한 짐승같이' 침략군(이들 또한 흉포한 짐승이나 쉿쉿거리는 뱀에 비유되었다)을 도왔다. 그들은 현지 주민들을 학살하는 데 적극적인 역할을 했다는 비난을 받았다. 주민들은 신앙을 위해서 기꺼이 죽어갔다.

"그들은 그리스도를 위해 살해당했고, 그리스도의 피 대신에 자신의 피를 흘렸기 때문이다."

교회를 무너뜨리고 십자가를 짓밟고 성상聖像에 침을 뱉었다는 소문이 퍼져나갔다. 예수를 처형하는 데 사용된 성聖십자가가 탈취되어 페르시아 수도로 보내졌다. 호스로를 위한 최상의 전리품이었다. 반대로 동로마에게는 참으로 처참한 사태였다. 이에 따라 황제의 선전원들은 피해를 최소화하려는 노력의 일환으로 즉각 관심을 다른 곳으로 돌렸다.[24]

이런 실패에 직면하자 헤라클리우스는 퇴위를 고려했고, 이어 극단적인 수단을 동원하기로 결심했다. 호스로에게 사절을 보내 평화를 위해 어떤 조건이든 받아들이겠다고 전했다. 헤라클리우스는 사절들을 통해 용서를 빌고, 동로마의 최근 침략 행위를 전임 황제인 포카스의 책임으로 돌렸다. 고분고분한 하급자를 자처한 동로마의 황제는 샤

를 '최고 황제'로 추어올렸다. 호스로는 사절들의 이야기를 찬찬히 듣더니 그들을 처형해버렸다.[25]

동로마의 페르시아 원정

이 소식이 전해지자 콘스탄티노플은 공포에 사로잡혀, 거의 아무런 반대도 없이 급진적인 개혁을 밀어붙일 수 있었다. 제국 관리들의 봉급은 반 토막이 났고, 병사들의 급료도 마찬가지였다. 수도 주민들의 호의를 얻는 오랜 정치적 수단이었던 무료 빵 배급은 중단되었다.[26] 국고를 늘리기 위한 광적인 노력의 하나로 교회의 귀금속을 몰수했다. 다가올 전쟁의 규모를 강조하면서 하느님이 동로마인들을 꾸짖고 벌하도록 만든 죄를 갚기 위해 헤라클리우스는 주화 디자인을 바꾸었다. 앞면에는 전처럼 황제의 흉상을 넣고, 양을 늘려 새 액면가로 주조한 새 주화의 뒷면에는 계단 위에 놓인 십자가의 모습을 새겼다. 페르시아에 맞서 싸우는 것은 기독교 신앙을 지키기 위해 싸우는 것이나 마찬가지라는 얘기였다.[27]

　단기적으로 이런 조치들의 성과는 미미했다. 페르시아군은 팔레스타인을 확보한 뒤 나일 강 삼각주로 방향을 돌려 619년에 알렉산드리아를 점령했다.[28] 2년이 채 되지 않아 지중해 지역의 곡창지대이자 600년 동안 로마 농업경제의 원천이었던 이집트가 무너졌다. 그다음은 소아시아였다. 622년에 공격을 개시했다. 진군은 비록 잠시 저지당했지만, 626년이 되자 페르시아군은 콘스탄티노플 성벽이 보이는 곳에 진을 쳤다. 동로마인들에게 그것은 문제도 아니라는 듯이, 샤는 발칸 반도를 휩쓸고 북쪽으로부터 이 도시로 진군해온 아바르족과 동맹을 맺었다. 이제 동로마제국의 남은 부분을 완전한 절멸로부터 막아주고 있는 것은 위대한 콘스탄티누스의 도시 콘스탄티노플, 즉 노바 로마의 두터운 성벽뿐이었다. 임박한 종말을 정말로 피할 수 없을 듯했다.

그러나 행운은 헤라클리우스 편이었다. 도시를 점령하려는 초기 시도들을 막아냈고 이후의 공격도 쉽게 물리쳤다. 적들의 열의가 사그라지기 시작했다. 그리고 문제는 아바르족에게서부터 생겨났다. 말에게 풀을 뜯기는 데 애를 먹던 유목민들은 부족 간에 이견이 나오고 지도자의 권위를 해칠 우려가 생기자 철수했다. 페르시아인들 역시 얼마 지나지 않아서 철수했다. 캅카스에서 튀르크인들의 공격 소식이 들려왔기 때문이다. 인상적인 영토 확장으로 인해 자원을 너무 벌려놓는 바람에 새로 정복된 땅들이 위험에 노출되어 있었다. 튀르크인들도 그 점을 알고 있었다. 동로마는 가까스로 목숨을 부지하고 있었다.[29]

수도가 포위되어 있을 때 소아시아에서 제국 군대를 이끌고 있던 헤라클리우스는 믿기 어려운 반격에 나서 퇴각하는 적을 향해 돌진하고 있었다. 황제는 먼저 캅카스 쪽으로 향했고, 그곳에서 튀르크 카간(대칸)을 만나 동맹을 맺기로 합의했다. 그에게 작위와 선물을 듬뿍 주고 친선관계를 공식화하기 위해 딸 에우도키아를 신부로 주었다.[30] 그런 뒤에 황제는 대담하게 남쪽으로 이동하여 니네베(지금의 북부 이라크) 부근에서 페르시아 대군을 궤멸시켰다. 627년 가을이었다. 이어 저항이 잦아들자 크테시폰으로 진군했다.

페르시아의 지도부는 압박 앞에서 삐걱거렸다. 호스로는 살해되었고, 그 아들이자 계승자인 카바드 2세는 헤라클리우스에게 즉각 전쟁을 끝내자고 호소했다.[31] 황제는 영토를 주겠다는 약속과 영예에 만족하여 콘스탄티노플로 철군하고 대리인을 남겨 평화 조건에 합의하도록 했다. 여기에는 전쟁 때 점령당했던 동로마 영토의 반환과 614년 예루살렘에서 가져간 성십자가 파편의 반환도 포함되었다.[32] 이는 동로마인들에게 엄청나고 압도적인 승리로 기록되었다.

그러나 그것으로 끝이 아니었다. 폭풍우가 일어나고 있었고, 그것은 페르시아를 멸망 직전까지 몰고 갔기 때문이다. 야전군의 고위 장군 샤흐르바라즈는 최근에 있었던 이집트 급습을 지휘했는데, 사태가 불리하게 돌아가자 왕위를 노리기 시작했다. 페르시아의 운은 기울었고 동쪽 변경은 호시탐탐 노리는 튀르크 침략자들의 공격에 취약한 상황이 그를 행동하게 했다. 샤흐르바라즈는 자신의 쿠데타에 동로마의 지원을 얻기 위해 헤라클리우스와 직접 협상을 했다. 그러고는 동로마 황제의 지원을 받으며 이집트에서 철수하여 크테시폰으로 이동했다.

페르시아의 상황이 풀려나가면서 헤라클리우스는 운세의 반전을 우아하게 공표하며 자신의 인기를 더욱 공고히 했다. 그는 제국이 어려운 시기에 지지를 이끌어내기 위해 종교를 적극적으로 이용했다. 호스로의 공격은 기독교에 대한 직접적인 공격으로 간주되었다. 이는 자기네 군대 앞에서 펼친 한 편의 연극에서 특히 강조되었으며, 호스로가 직접 쓴 듯한 편지가 낭독되었다. 편지는 헤라클리우스를 멸시했을 뿐만 아니라 기독교 하느님의 무능을 조롱했다.[33] 동로마인들에게 신앙을 위해 싸우라는 도발이었다. 이것은 종교전쟁이었다.

아마 놀랄 일도 아니겠지만, 그때 동로마의 패권주의가 추악한 장면을 만들어냈다. 헤라클리우스가 630년 3월에 예루살렘에 입성해서 성십자가 유물을 성묘 교회에 반환한 뒤 유대인들에게 강제로 정화 의식을 치르게 한 것이다. 16년 전 이 도시가 함락될 때 유대인들이 했던 역할에 대한 벌이었다. 달아난 사람들은 예루살렘에서 5킬로미터 이내의 지역에는 들어오지 못하게 했다.[34] 이단으로 판단되는 동방의 기독교도들도 제국 관원의 표적이 되었다. 그들은 오랫동안 지녀온 교리를 버려야 했고, 새로운 정통 기독교의 가르침을 받아들이도록 강요당했다. 이제 그것이 유일하게 하느님의 축복의 증거로 간주되었다.[35]

이는 페르시아의 교회에는 골치 아픈 문제였다. 그들은 100년 넘게 서방 기독교도들과 직접 만나지 못했고, 고위 성직자들은 자기네가 진실한 신앙의 전달자라고 믿고 있었다. 반면에 서방 교회는 이상한 가르침을 받아들여 총체적으로 타락해 있었다. 612년에 페르시아의 주교들이 회의를 열어 주장했듯이, 동로마제국에서는 온갖 이단적인 일이 벌어졌다. 반면에 페르시아에서는 "어떠한 이단도 찾아볼 수 없었다."[36]

이에 따라 헤라클리우스가 에데사에서 "교회를 정통으로 돌아가게" 하고 그곳에서 예배를 드리는 동방 기독교도들을 몰아내라고 지시하자, 그가 페르시아 전체를 개종시키려는 것으로 비쳤다. 이는 헤라클리우스가 극적인 상황 반전 이래 적극적으로 고려해오던 계획인 듯하다. 그리고 페르시아는 동로마의 기독교, 즉 서방 기독교로 개종하게 될 것이었다.[37]

되살아난 지배 종교는 동로마의 비호를 받으며 모든 것을 쓸어버렸다. 이런 이례적인 사태 전개는 옛 사상들을 갈기갈기 찢어버렸다. 크테시폰에서 전염병이 발생하고 카바드 2세가 죽자 조로아스터교가 희망적 사고에 불과하다는 것이 분명해진 듯했다. 기독교는 진짜 종교였고, 그 신도들은 계속 보상을 받아왔다.[38]

이렇게 매우 격앙된 상황에서 새로운 소리가 들렸다. 그 소리는 남쪽의 아라비아 반도 깊숙한 곳에서 온 것이었다. 이 지역은 동로마인들과 페르시아인들 사이에 벌어진 최근의 전쟁에 거의 피해를 입지 않았다. 그렇다고 해서 이 지역이 수백 킬로미터 밖에서 벌어진 엄청난 충돌에 전혀 영향을 받지 않았다는 의미는 아니다. 사실 아라비아의 뒤꿈치인 서남부 지역은 오랫동안 두 제국 사이에 벌어진 대결의 도가니였다. 100년도 안 되는 과거에 힘야르 왕국과 메카, 메디나 등의 도시들은 페르시아 편에 서서 싸웠고, 그 상대편은 동로마와 힘야르의 홍해 지역 천적 에티오피아의 기독교 연합군이었다.[39]

이 지역은 거의 한 세기 동안 여러 종교들이 변천하고 수용하고 경쟁해온 곳이었다. 여러 신과 우상과 믿음이 존재하는 다신교의 세계이던 곳이 일신교와 유일하고 전능한 신이라는 관념에 자리를 내주었다. 다양한 신들을 위해 만들어진 성소들이 완전히 관심에서 멀어져, 이슬람교가 등장하기 직전에는 전통적인 다신교가 "죽어가고 있었다"라고 한 역사가는 말했다. 그 대신에 유일하고 전능한 하느님이라는 유대교와 기독교의 개념이 등장했다. 천사와 낙원, 기도와 자선도 있었다. 이런 개념은 6세기 말과 7세기 초 아라비아 반도 전역에서 급증하기 시작한 명문들에서 발견할 수 있다.[40]

메카에서 싹튼 새로운 종교

바로 이 지역이었다. 북쪽에서는 전쟁이 벌어지고 있는 가운데 쿠라이시 부족 바누하심 가문의 일원인 무함마드라는 상인이 메카에서 멀지 않은 한 동굴에 들어가서 명상을 했다. 이슬람 전승에 따르면, 그는 610년에 하느님으로부터 일련의 계시를 받기 시작했다. 무함마드는 어떤 목소리를 들었다. "하느님의 이름으로"[41] 시를 낭송하라고 명령하는 목소리였다. 그는 겁에 질리고 당황해서 동굴을 나왔다. 그러나 "지평선에 다리를 벌리고 선" 남자를 보았고, 그가 우렁차게 자신에게 하는 말을 들었다.

"자, 무함마드야, 너는 하느님의 선지자이고 나는 지브릴(기독교의 가브리엘에 해당한다— 옮긴이)이다."[42]

이후 몇 해에 걸쳐 여러 번 목소리를 들었고, 이는 7세기 중반에 처음으로 문서에 기록되었다. 코란으로 알려진 문서다.[43]

천사 지브릴은 무함마드에게 하느님께서 복음을 전하거나 경고를 주기 위해 사도들을 보내신다고 말했다.[44] 무함마드는 전능자에 의해 전달자로 선택되었다. 세상은 매우 캄캄하고, 두려운 일이 많으며, 곳곳에 대재앙이 있다고 했다. 그는 신의 메시지를 낭송하라는 말을 들었다.

"[그렇게 하면] 저주스러운 사탄으로부터 [알라에게로] 피할 수 있다. 사탄은 주를 믿고 의지하는 사람에게는 아무런 힘도 쓸 수가 없다."[45]

하느님은 정이 많고 자비로우시다는 말을 무함마드는 거듭 들었다. 그분은 또한 자신에게 복종하지 않는 사람을 엄격하게 처벌하신다고 했다.[46]

초기 이슬람에 관한 자료들은 복잡하고 해석이 분분하다.[47] 당시와 후대의 정치적 동기들이 어떻게 무함마드의 이야기와 그가 받은 메시지에 반영되었는지를 밝히기란 쉽지 않다. 게다가 그것은 현대 학자들이 치열하게 논쟁을 벌이는 주제다. 예를 들어 믿음이 태도와 사건을 만들어내는 데 어떤 역할을 했는지 분명하게 알기는 어렵다. 특히 이미 7세기 중반에 믿는 사람(무민 Mu'min)과 그들을 따라 그 권위에 복종하는 사람(무슬림 Muslim)의 구분이 생긴 이후에는 더욱 그렇다. 후대의 학자들은 종교의 역할에 초점을 맞추고 영적인 계시의 힘뿐만 아니라 혁명을 이루어낸 아랍인들의 연대를 강조했다. 그 결과 이 시기의 정복을 이룬 사람들이 '무슬림'이라고 하는 것이 그들을 '아랍인'이라고 부르는 것만큼이나 찜찜하게 되었다. 게다가 정체성은 이 시기 이후에 변했을 뿐만 아니라 그 도중에도 변했다. 물론 우리는 먼저 그런 딱지 붙이기를 목격자들의 눈에 의존하고 있다.

하지만 사태의 전개 과정을 확실하게 밝히기는 어렵다 하더라도, 7세기 초 아라비아 반도에서 유일신에 대해 이야기한 사람이 무함마드 혼자만은 아니라는 데 많은 사람들이 동의한다. 페르시아와 동로마가 전쟁을 하던 바로 그 시기에 '선지자' 행세를 한 사람이 많았기 때문이다. 그중 한 사람은 무함마드와 흡사한 구세주와 선지자의 비전을 제시했다. 천사 가브리엘이 계시를 전하고, 구원의 길을 제시한다. 어떤 경우에는 자신의 주장을 뒷받침하기 위해 성스러운 기록을 제공한다.[48] 이 시기는 고고학적 증거들이 분명하게 보여주듯이 메카 안팎에 기독교 교회와 성소들이 나타나기 시작하던 때였다. 그 증거들은 또한 새로 개종한 주민들의 성상과 묘지들도 보여준다. 이 시기 이 지역에서는 마음과 생각과 영혼을 차지하기 위한 경쟁이 치열했다.[49]

또한 페르시아와 동로마의 전쟁으로 경기가 심각하게 위축된 상황에서 무함마드가 선교를 하고 있었다는 데 대해서는 많은 사람들이 동의한다.[50] 동로마와 페르시아의 대결 및 그 결과로 나타난 군국화는 히자즈(이슬람 선교가 최초로 시작된 곳으로, 아라비아 반도 서부의 홍해 연안 지역 ─옮긴이)에서 출발하거나 그곳을 통과하는 교역에 엄청난 영향을 미쳤다. 정부 지출이 군대로 빨려 들어가고 전쟁 수행을 지원하기 위해 국내 경제에 지속적인 압박이 가해졌기 때문에 사치품에 대한 수요는 상당히 감소했을 것이다. 전쟁이 전통적인 시장(특히 레반트와 페르시아의 도시들)을 파괴하면서 남부 아라비아의 경제는 더욱 침체될 수밖에 없었다.[51]

금과 다른 귀중품들을 시리아로 운송하던 메카 쿠라이시 부족의 이동 상단은 특히 큰 타격을 받았다. 안장, 장화, 방패 끈, 혁대 등에 사용되는 가죽을 동로마 군대에 공급하는 수지맞는 장사도 할 수 없게 되었다.[52] 그들의 생계는 메카에 위치한 토착 신들을 위한 성지 하람을 찾는 순례자 수마저 줄면서 더욱 곤란해졌을 것이다. 그곳의 중심에는 여러 개의 우상들(그 가운데는 "노인의 모습을 한 아브라함"도 있었다고 한다)이 있었지만, 가장 중요한 것은 붉은 마노 조각상이었다. 그 사람의 손은 금으로 되어 있고, 그 주위에는 예언의 화살 일곱 개가 있었다.[53] 쿠라이시 부족은 메카의 관리자로서 방문객들에게 음식과 물을 팔고 순례자들에게 의식을 베풀어주는 일을 하면서 돈을 벌었다. 시리아와 메소포타미아의 동란이 더 멀리까지 파장을 미치고 일상생활에 혼란을 주자 심판의 날이 임박했다는 무함마드의 경고는 큰 공감을 불러일으켰다.

아랍 통일이라는 새로운 메시지

무함마드의 설교는 분명히 비옥한 땅에 떨어졌다. 그는 충격적인 수준의 동란에 대해 엄청난 정열과 확신을 가지고, 대담하면서도 조리 있는 설명을 제시했다. 그에게 천사가 나타났다는 이야기는 강력했을 뿐만 아니라, 그가 전한 경고 역시 마찬가지였다.

그는 이렇게 말했다. 그의 가르침을 따르는 사람은 풍성한 수확을 거두어 창고에 곡식이 넘칠 것이다. 그러나 따르지 않는 사람은 농사를 망칠 것이다.[54] 영적인 구원은 경제적 보상을 가져올 것이다. 믿는 사람은 낙원 같은 세계를 볼 것이다. 그곳의 정원에는 신선하고 깨끗한 물이 흘러든다. "마시면 유쾌해지는 포도주가 강물처럼 흐르고, 투명한 꿀 역시 마찬가지다." 신자들은 온갖 종류의 과일을 보상으로 받고, 동시에 주님의 용서를 받게 된다.[55]

신의 가르침을 거부하는 사람은 파멸과 재앙을 당할 뿐만 아니라 지옥에 떨어질 것이다. 그의 신도들과 싸움을 벌이는 사람은 누구라도 끔찍한 고난을 겪을 것이고 결코 용서받지 못할 것이다. 그들은 처형되거나 십자가에 매달리고, 사지가 잘리거나 추방될 것이다. 무함마드의 적은 곧 하느님의 적이다. 정말로 그들은 끔찍한 운명을 맞을 것이다.[56] 살갗이 불에 타 없어지고, 새로운 살갗이 나와도 같은 운명을 맞는다. 고통과 괴로움은 결코 끝나지 않는다.[57] 믿지 않는 사람은 "영원히 지옥에 살며, 펄펄 끓는 물을 마시고 내장이 갈가리 찢어질 것이다."[58]

이런 급진적이고 강렬한 메시지에 메카의 보수적인 지배층은 격렬히 반발했다. 그들은 예부터 내려온 다신교적인 의례와 신앙에 대한 비판에 격노했다.[59] 무함마드는 박해를 피해 622년에 야스리브(나중에 메디나로 개칭되었다)로 달아나지 않을 수 없었다. 헤지라로 알려진 이 도피 사건이 이슬람 역사가 시작된 순간이었고, 이슬람력曆의 원년이 된다. 최근에 발견된 파피루스에서 드러나듯이 헤지라는 무함마드의 가르침이 새로운 종교로, 그리고 새로운 정체성을 가지고 탄생하는 순간이었다.[60]

이 새로운 정체성의 한가운데에는 통일에 관한 강한 신념이 자리 잡고 있었다. 무함마드는 남부 아라비아의 여러 부족들을 하나의 권역으로 통합하는 일을 적극적으로 추진했다. 로마인들과 페르시아인들은 오랫동안 이곳의 경쟁관계를 조종하여 지도자들이 서로 싸우도록 부추겼다. 후원과 재정 지원은 의존적인 예속 지배층을 만들어내는 데 일조했다. 이들은 로마와 크테시폰으로부터 보상금을 받았다. 그러나 치열한 전쟁이 이런 체제를 망가뜨렸다. 전투가 계속된다는 것은 일부 부족이 "로마제국과의 교역을 통해 통상적으로 얻어오던 금 10킬로그램"을 빼앗긴다는 의미였다. 더 나쁜 상황은 그들의 약정 이행 요구가 무시되었다는 것이다. 한 관리는 이렇게 말했다.

"황제는 병사들에게 급료도 주지 못할 형편인데, 하물며 [너희 같은] 하찮은 것들에게 줄 것이 있겠나?"

또 다른 관리는 부족 사람들에게 장래의 교역 전망이 이제 제한적이라고 말했다가 살해당했다. 사람들은 그를 낙타 배 속에 넣고 꿰매어버렸다. 그로부터 얼마 지나지 않아 부족들은 직접 보복에 나서기로 했다. "로마의 땅을 파괴"하겠다는 것이었다.[61]

그러므로 새로운 신앙이 현지 언어로 설교한 데는 충분한 이유가 있었다. 코란의 한 구절은 여기에 하늘에서 내려온 말이 있으니 보라고 말한다. 아랍어로 말이다.[62] 아랍인은 이제 독자적인 종교를 가지게 되었다. 새로운 정체성을 가진 이 종교는 그곳 주민들을 위해 설계되었다. 유목민이든 도시인이든, 이 부족 성원이든 저 부족 성원이든, 그리고 민족적·언어적 배경에 관계없이. 무함마드에게 전해진 계시를 기록한 책, 즉 코란에 나오는 그리스어, 아랍어, 시리아어, 히브리어, 페르시아어 차용어는 차이보다 유사성을 강조하는 것이 중요했던 다언어 환경을 시사한다.[63] 통합은 핵심 교리였고, 이슬람교가 성공할 수 있었던 주된 요인이다. 18세기의 한 유명한 이슬람 학자의 연구에 따르면 무함마드는 마지막으로 이런 말을 남겼다고 한다.

"아라비아에 두 개의 종교가 있게 해서는 안 된다."[64]

무함마드가 초기에 소규모의 신도들과 함께 야스리브에 숨어 있을 때는 전망이 그리 밝아 보이지 않았다. 선교를 해서 움마ᵤₘₘₐ(신자들의 공동체)를 늘리려는 노력은 지지부진했고, 이단 종교의 전도자를 공격하기 위한 병력이 메카에서 오면서 상황은 긴박해졌다.

무함마드와 그의 추종자들은 무장 저항으로 전환하여, 이동 상단을 습격했다. 금세 가속도가 붙었다. 624년에 바드르 전투에서 수적 열세를 딛고 거둔 승리는 무함마드와 그 추종자들이 신의 가호를 받고 있다는 강력한 증거로 보였다. 값진 전리품 역시 사람들의 주목을 끌었다. 메카 쿠라이시 부족 지도자들과 긴장된 협상을 벌인 끝에 합의가 이루어졌다. 이후 후다이비야 조약으로 알려지는 합의다. 메카와 야스리브는 10년 동안 휴전하기로 했고, 무함마드 지지자들에 대한 박해가 중단되었다. 그러자 개종자 수가 점점 늘어나기 시작했다.

무함마드의 성공 비결

신도 수가 늘면서 열망과 야심도 커졌다. 우선 종교의 중심지를 설정하는 것이 중요해졌다. 이전에 신도들은 예루살렘을 향해 기도했다. 그러나 더 많은 계시를 받은 뒤인 628년에 과거의 지시는 시험용이었으므로 이제 수정해야 한다고 선언했다. 기도할 때 향하는 방향, 즉 키블라는 다름 아닌 메카였다.[65]

그뿐만이 아니었다. 과거 다신교적인 아라비아 토착 종교의 성역은 카바였다. 도시 안의 기도자들과 순례자들은 카바를 종교의 주춧돌로 여겼다. 그것은 이브라힘(아브라함)의 아들이자 열두 아랍 부족들의 조상으로 추정되는 이스마일이 세운 것이라는 계시가 있었다. 도시를 방문하는 사람들은 이 신성한 장소 주위를 돌며 하느님의 이름을 외쳐야 했다. 그렇게 함으로써 그들은 이스마일이 하느님에게 받은 명령을 이행하는 셈이 된다. 남자들은 아라비아와 먼 지방에서 낙타를 타거나 걸어서, 천사가 하늘에서 검은 돌(기념물의 한가운데에 있다)을 가져온 곳을 순례하라는 명령이었다.[66] 카바를 성스러운 것으로 확인함으로써 과거와 연속성을 맺고 강력한 문화적 친근감을 느끼게 되는 것이다. 새로운 신앙이 제공하는 영적 편익에 더해, 메카를 종교 중심지로 만드는 일은 정치적·경제적·문화적 이점이 있었다. 그것은 쿠라이시 부족과의 적대감을 누그러뜨렸다. 부족의 어른들이 무함마드에게, 그리고 이슬람교에 충성을 맹세할 정도였다.

무함마드의 지도자로서의 천재성은 여기에서 그치지 않았다. 아라비아에서 장벽과 반대가 사라지자 원정군을 파견했다. 세력을 확장할 수 있는 놓치기 아까운 기회를 이용하기 위해서였다. 시점은 두 번 모두 더 이상 좋을 수가 없었다. 628년부터 632년 사이에 페르시아의 극적인 붕괴는 무정부 상태를 초래할 정도였다. 이 짧은 기간에 적어도 여섯 명 이상의 왕이 왕권을 주장했다. 박식한 후대의 한 아랍 역사가는 여덟 명으로 보았다. 그 밖에 여왕도 두 명이나 되었다.[67]

승리는 새로운 지지자들을 끌어모았다. 무함마드의 군대는 페르시아 남부 변경의 도시와 마을들까지 집어삼켰다. 이곳들은 자신들을 지키는 데 익숙지 않은 지역이었고, 첫 번째 압박 조짐이 보이자 바로 항복했다. 지금의 이라크 중남부에 위치했던 도시 히라는 즉시 항복하고 평화를 보장받는 대가로 공격자들에게 돈을 주는 데 합의했다.[68] 완전히 기가 꺾인 페르시아의 고위 지휘관들에게는 진격해오는 아랍

부대에게 "그들이 떠나는 조건으로" 돈을 바치라는 충고가 전해졌다.[69]

더 많은 자원을 확보하는 것은 중요했다. 사람들을 설득해서 이슬람교로 개종시키려면 단순히 영적 보상만 제공해서는 안 되기 때문이다. 무함마드가 등장한 뒤에 한 장군은 사산제국의 장군에게 이렇게 말했다고 한다.

"우리는 더 이상 세속적인 이득을 추구하지 않을 것이오."

원정군은 이제 하느님의 말씀을 전파하려 했다.[70] 선교에 대한 열의는 초기 이슬람교의 성공에 긴요했다. 그러나 전리품과 재물을 분배하는 혁신적인 방식도 한몫했다. 충성과 복종의 대가로 물질적 이득을 허락할 용의가 있던 무함마드는, 믿지 않는 자들에게서 빼앗은 물건을 믿는 자들이 차지하게 될 것이라고 선언했다.[71] 경제적 관심과 종교적 관심을 연결시킨 것이다.[72]

일찍 이슬람교로 개종한 사람들은 더 많은 전리품으로 보상받았다. 사실상의 피라미드 시스템이었다. 이는 630년대에 전리품 분배를 감독하는 공식 기관인 디완의 창설로 공식화되었다. 20퍼센트의 몫은 신자들의 지도자인 칼리프에게 바치고, 나머지 대부분은 신도들과 전투에 참여해서 승리를 얻어낸 사람들에게 분배된다.[73] 일찍 개종한 사람들은 새로운 정복의 혜택을 가장 많이 누렸고, 반면에 새로운 신자들은 승리의 과실을 누리는 일에 민감한 관심을 보였다. 이런 보상은 이슬람교의 확장을 추진하는 매우 효율적인 엔진이었다.

새로 만들어진 군대가 베두인, 즉 '사막의 사람들'로 알려진 유목 종족들 사이에서 정치적·종교적 권위를 확립해가면서 그들은 무서운 속도로 광대한 영토를 통제하게 되었다. 비록 사건의 연대순은 정확하게 밝히기 어렵지만, 최근에 학자들은 페르시아로의 팽창이 지금까지 알려진 것보다 몇 해 일찍 일어났다는 것을 설득력 있게 제시했다. 사산제국이 붕괴한 뒤가 아니라 붕괴하고 있던 628년에서 632년 사이라는 것이다.[74] 이런 시기 재설정은 중요한 의미가 있다. 그토록 빠른 속도로 팔레스타인에서 영토를 확장할 수 있었던 배경을 이해하는 데 도움을 주기 때문이다. 그곳에서는 630년대 중반에 예루살렘을 포함해서 모든 도시들이 복속되었는데, 동로마가 재점령한 지 얼마 되지 않은 때였다.[75]

동로마와 페르시아는 모두 위협에 너무 늦게 대응했다. 페르시아의 경우 무슬림들이 636년 메소포타미아의 카디시야에서 거둔 압도적인 승리가 상승세인 아랍 군대와 이슬람교도들의 자신감을 한껏 끌어올렸다. 많은 페르시아 귀족들이 이 과정에서 전사한 것이 이후의 저항을 약화시켰고, 이미 기우뚱거리고 있던 나라를 쓰러뜨리는 데 일조했다.[76] 동로마의 대응도 나을 게 없었다. 헤라클리우스 황제의 동생 테오도루스가 지휘하는 군대는 갈릴리 호수 남쪽 야르무크 강에서 크게 패했다. 그가 아랍 군대의 규모와 능력과 투지를 과소평가했기 때문이다.[77]

이제 세계의 심장부가 활짝 열렸다. 도시들이 차례대로 항복했고, 공격 부대는 크테시폰을 향해 돌진했다. 오랜 포위전 끝에 수도는 결국 함락되었고, 도시의 재물들은 아랍인들 차지가 되었다. 페르시아는 동로마의 엄청난 공격을 받고 휘청거렸지만, 그것을 집어삼킨 것은 무함마드의 추종자들이었다. 선지자의 가르침을 받아들인 신자들과 보상을 바라는 기회주의자, 도박꾼 등 이질적인 집단이 모인 군대였지만 이익을 충족하면서 연전연승을 거두었다. 이슬람 세력에게 이제 유일한 의문은 그들의 힘이 어디까지 뻗칠 것인가였다.

5

화합으로 가는 길

이슬람과 유대교의 동맹

무함마드와 그 추종자들은 천재적인 전략과 전쟁터에서의 전술적인 감각을 발휘하여 잇달아 놀라운 승리를 거두었다. 쿠라이시 부족과 메카 지배층의 지원 역시 중요했다. 이들은 남부 아라비아의 부족들이 새로운 신앙의 메시지를 받아들이도록 설득할 수 있는 토대를 제공해 주었다. 페르시아의 붕괴도 마찬가지로 시기적절한 것이었다. 그러나 다른 두 가지 중요한 요인 역시 7세기 초 이슬람의 승리를 설명하는 데 도움이 된다. 바로 기독교도들이 제공한 지원과, 무엇보다도 유대인들의 지원이다.

종교가 갈등과 유혈 사태의 원인이라고 생각되는 세계에서는 거대 종교들이 서로 배우고 차용하는 방식을 간과하기 쉽다. 현대인의 눈에는 기독교와 이슬람교가 정반대인 것처럼 보이고, 그들이 공존하던 초기에 두 종교의 관계는 따뜻하게 격려해줄 정도로 평화롭지는 않았다. 오히려 이슬람교와 유대교가 서로 융화할 수 있었다는 점이 놀랍다. 서아시아에서 유대인들의 지원은 무함마드의 말을 선전하고 전파하는 데 긴요했다.

초기 이슬람의 역사에 관한 자료가 복잡하기는 하지만, 고고학적 증거들 못지않게 이 시기의 문헌들(아랍어든 아르메니아어든 시리아어든 그리스어든 아니면 히브리어든)로부터 분명하고도 놀라운 주제들을 끊임없이 뽑아낼 수 있다. 무함마드와 그 추종자들은 무슬림의 지배권이 확장되면서 유대인들과 기독교도들의 두려움을 누그러뜨리기 위해 많은 노력을 기울였다.

620년대 무함마드가 야스리브에서 궁지에 몰렸을 때, 그의 핵심 전략 중 하나는 유대인들에게 도움을 애걸하는 것이었다. 그곳은 유대교와 유대인의 역사가 짙게 배어 있는 도시(그리고 지역)였다. 겨우 100년 전에 힘야르의 한 광신적인 유대교 지배자가 소수자인 기독교도들을 조직적으로 박해했다. 그것은 여전히 굳게 유지되고 있던 넓은 범위의 동맹 패턴을 분명히 했다. 페르시아는 동로마와 에티오피아의 동맹에 맞서 힘야르를 지원하기 위해 이곳으로 왔다. 무함마드는 남부 아라비아의 유대인들을 회유하는 데 열성을 보였다. 그는 우선 야스리브의 원로들을 찾아갔다.

나중에 메디나로 이름이 바뀌는 이 도시의 유대교 지도자들은 무함마드에게 지원을 약속했다. 상호 방위를 보장한 대가였다. 이것은 공식 문서로 정리되었다. 무슬림들은 유대인들의 신앙과 그들의 재산을 현재나 미래에도 존중할 것이라고 썼다. 또한 유대교와 이슬람교 사이의 상호 이해도 언급했다. 두 종교의 신도들은 제3의 집단으로부터 공격을 받을 경우 서로를 지켜주기로 약속했다. 유대인들은 아무런 피해를 받지 않을 것이고, 그 적들에게는 아무런 도움도 주지 않기로 했다. 무슬림과 유대인들은 서로 협력하여 "진심 어린 충고와 조언"[1]을 하기로 했다.

거기에 무함마드가 받았다는 계시가 그럴듯하고 친숙했던 것도 도움이 되었다. 그 계시는 구약과 많은 공통점이 있었는데, 예를 들어 선지자와 아브라함에 대한 숭앙이 그랬다. 예수의 메시아 자격을 부인한다는 것도 공통점이었다. 이는 단순히 이슬람교가 유대교에 위협이 되지 않는다는 정도가 아니라 서로 밀접한 관련이 있다는 얘기다.[2] 곧 무함마드와 그 추종자들이 동맹자라는 소문이 유대인 공동체 사이에 퍼지기 시작했다. 630년대 말 북아프리카에서 쓰인 한 특이한 문서는 아랍인들이 진군하자 팔레스타인의 유대인들이 환영했음을 기록하고 있다. 그것은 이 지역을 장악하고 있던 동로마의 (그리고 기독교도들의) 손아귀로부터 해방되는 것을 의미했기 때문이다. 사람들은 옛 예언이 실현될 것이라며 흥분했다.

"그들은 선지자가 나타났고 사라센인(기독교권에서 아라비아 반도의 유목민을 가리키는 말이었으나 이슬람교가 등장한 뒤 무슬림을 가리키는 말로 쓰였다―옮긴이)들과 함께 오고 있으며, 그는 신이 선택한 자, 즉 오기로 된 그리스도의 도래를 선포하고 있다고 말했다."[3]

일부 유대인들은 메시아의 도래라고 결론지었다. 예수는 가짜이며 인류의 마지막 날이 왔다는 것을 보여주기에 완벽한 시점이었다.[4] 그러나 모두가 고개를 끄덕인 것은 아니었다. 한 박식한 랍비는 무함마드가 가짜 선지자라고 말했다.

"선지자는 칼로 무장하고 오지 않는다."[5]

아랍인들이 유대인들에게 해방군으로 환영받았다는 여러 문서들의 존재는 이슬람교의 세력 확장에 대해 현지인들은 긍정적 반응을 보였다는 중요한 근거가 된다. 이 시기에 관해 100년 뒤에 쓰인 한 문서에 따르면 헤라클리우스의 예루살렘 수복과 뒤이은 유대인들에 대한 강제 정화 의식 이후, 랍비 시몬 벤 요하이는 그런 고통으로 혼란을 겪고 난 뒤 천사가 찾아왔다고 말한다. 그는 천사에게 이렇게 물었다.

"[무슬림이] 우리의 구원자라는 사실을 어떻게 알 수 있습니까?"

그러자 천사는 이렇게 안심시켰다.

"두려워하지 마라. (……) 성스러운 하느님께서는 오직 너희들을 악독한 것들(동로마)로부터 구원하기 위해 이스마일의 왕국(아랍)을 내셨다. 그분은 자신의 뜻에 따라 저들 위에 선지자를 내실 것이다. 그 선지자는 저들을 위해 땅을 정복하고, 저들은 와서 그 땅을 장엄하게 회복시킬 것이다."

유대인들에게 무함마드는 메시아에 대한 그들의 희망을 실현해줄 수단으로 간주되었다. 이곳은 아브라함의 자손들에게 속하는 땅이었다. 그것은 아랍인과 유대인의 연대를 의미하는 것이었다.[6]

진격해오는 군대에 협력해야 하는 이유는 또 있었다. 전술적인 이유다. 예컨대 헤브론에서는 유대인들이 아랍 지휘관들에게 동맹을 제안했다. "우리의 안전을 보장해주고 우리가 당신들과 비슷한 지위를 유지하며", 우리에게 아브라함이 묻힌 "마흐펠라 동굴 입구에 유대교 회당을 건립할 권리"를 허락한다면, 도시의 가공할 방어막을 뚫기 위해 "어디로 들어와야 하는지를 알려주겠다"라고 유대인 지도자들은 말했다.[7]

우리가 보았듯이 630년대 초에 팔레스타인과 시리아에서 아랍인들이 승리하는 데는 현지 주민들의 지원이 결정적인 요인이었다. 그리스어, 시리아어, 아랍어 자료들에 대한 최근의 연구는 초기의 기록들조차도 유대인들이 침공군의 도착을 환영했음을 보여준다. 이것은 놀라운 일이 아니다. 후대의 추가 기록과 악의적인 해석(무슬림들이 '악마의 위선'을 저질렀다는 주장 등)을 접어두면 군대를 이끈 지휘관들이 순례자의 수수한 옷을 입고 예루살렘에 입성했음을 알 수 있다. 그들은 현지 사람들과 함께 예배를 드리고자 했다. 서로 인정할 수는 없다 하더라도 적어도 종교적 관점이 완전히 다르지는 않은 사람들이었다.[8]

서아시아에는 이슬람의 등장에 반발하지 않는 다른 집단들도 있었다. 이 지역에는 독자적인 종교 노선을 걷는 사람들이 많았다. 교회 회의에서 내린 결정에 문제를 제기하거나 이단으로 보이는 교리에 반대하는 기독교 종파들이 많았다. 특히 팔레스타인과 시나이 반도에서 그랬다. 그곳에는 451년 칼케돈 공의회에서 내린 예수의 위격에 관한 결론에 격렬하게 반대하여 공개적인 박해의 대상이 된 많은 기독교 공동체들이 있었다.[9] 이들 기독교 집단들은 헤라클리우스가 페르시아를 물리치고 떠들썩하게 이 지역을 수복한 이후에도, 황제의 재점령에 따라 독단적인 정통 신앙론이 들어오면서 형편은 나아지지 않았다고 생각하고 있었다.

그렇기 때문에 일부 사람들은 이슬람의 승리가 목적을 위한 수단이라고 보았고, 또한 종교적으로 공감할 만하다고 생각했다. 약삭빠른 한 아랍 지휘관은 니시비스 대주교인 다셴의 요안네스에게, 자신들을 지원해주면 그 대가로 동방 기독교 교회의 수장을 내쫓고 그 자리를 주겠다고 제안했다.[10] 640년대에 한 유명한 성직자가 보낸 편지에는 새로운 지배자들이 기독교도들과 맞서 싸우지 않을 뿐만 아니라 "심지어 우리 종교를 칭찬하고 우리 주님의 성직자, 수도사, 성인들에게 경의를 표하고" 종교기관에 기부했다는 내용이 적혀 있다.[11]

이런 맥락에서 무함마드와 그 추종자들의 메시지는 현지 기독교도 주민들의 연대를 이끌어냈다. 우선 다신교와 우상 숭배에 대한 이슬람의 준엄한 경고는 분명히 기독교와 궤를 같이하는 것이었다. 기독교의 가르침 역시 이런 관점을 그대로 따른 것이었다. 동지애는 무사(모세), 누흐(노아), 아이유브(욥), 자카리야(제카리야) 같은 친숙한 등장인물에 의해서도 강화되었다. 코란에도 이들은, 모세에게 성서를 주고 사도들을 보낸 하느님이 이제 그 말씀을 전파하기 위해 또 다른 선지자를 보낸다는 명시적 언급과 함께 등장한다.[12]

기독교 및 유대교와의 공통 기반에 대한 인식은 익숙한 판단 기준을 사용하고 관습 문제 및 종교 이론의 유사성을 강조함으로써 강화되었다. 하느님은 무함마드에게만 메시지를 드러내도록 선택한 것은 아니었다. 코란에는 이런 구절이 쓰여 있다.

"인류를 이끌기 위해 그분은 이미 모세오경과 복음서를 계시하셨다."[13]

또 다른 구절은 천사가 이사(예수)의 어머니 마르얌(마리아)에게 한 말을 기억하라고 말한다. '아베 마리아'를 되풀이하듯이 이슬람교의 성서는 이렇게 가르치고 있다.

"하느님께서 너를 선택하셨다. 그분께서 너를 순결하게 하시고 너를 여자들 위로 올리셨다. 마르얌아, 네 주께 순종하라. 절을 하고, 숭배자들과 함께 예배를 드려라."[14]

예수 및 삼위일체에 관한 논쟁의 늪에 빠진 기독교도들에게 가장 놀라운 것은 무함마드의 계시가 전하는 강력하지만 단순한 한 가지 핵심 메시지였을 것이다. 하느님은 유일하고, 무함마드는 그분의 심부름꾼이라는 메시지다.[15] 그것은 이해하기 쉬웠으며, 하느님은 전능하시고 하늘에서 메시지를 전하기 위해 때때로 사도들을 보낸다는 기독교 신앙의 바탕과 일치했다.

코란의 다른 구절은 종교 때문에 서로 싸우는 기독교도들과 유대인들을 질책한다.

"너희들은 정신이 없는 것이냐?"[16]

분열은 사탄이나 하는 짓이라고 무함마드의 책은 경고한다. 의견 다툼을 하지 말고, 그 대신 함께 하느님에게 매달려 절대로 분열하지 말라는 것이다.[17] 무함마드의 메시지는 달래는 것이었다. 유대교 신앙을 따르는 사람들이나 선한 삶을 사는 기독교도들도 "두려워하거나 슬퍼할 필요가 없다"고 코란은 강조했다.[18] 유일하신 하느님을 믿는 사람들은 영광을 얻고 존중받게 된다.

일부 관행과 원칙은 나중에 이슬람교에 흡수되었다. 무함마드보다 앞선 시대의 것이었지만 이제 (선지자에 의해) 채택되었다. 예를 들어 도둑질을 하는 사람은 신체를 절단하고, 신앙을 버린 사람에게는 사형을 선고하는 일 등이다. 자선과 단식, 성지 순례, 기도 같은 요소는 이슬람교의 핵심 성분으로 녹아들어 연속적이고 익숙한 느낌을 주었다.[19]

공동의 종교 유산

기독교와 유대교의 유사성은 나중에 민감한 주제가 되었다. 그것은 부분적으로 무함마드가 문맹이었다는 도그마에 따라 다루어졌다. 이 때문에 그가 모세오경과 성서의 가르침을 잘 알고 있었다는 주장은 쏙 들어갔다. 당대에 가까운 시기의 사람들이 무함마드가 "박식했으며" 구약과 신약을 잘 알고 있었다고 언급했음에도 불구하고 말이다.[20] 어떤 사람들은 한 걸음 더 나아가 코란은 아람어 변종으로 쓰인 기독교 성서를 저본으로 삼은 것이며 나중에 이를 개작하고 다듬었다는 주장까지 내놓았다. 이것은 이슬람 전승을 문제 삼거나 묵살하는 많은 주장들과 마찬가지로 부정적인 평가를 받았다. 물론 현대에도 이를 지지하는 역사가는 많지 않다.[21]

코란에서 무함마드가 살아 있던 당대의 사건을 이야기한 얼마 안 되는 구절 가운데 하나는 동로마인들을 좋게 말하고 있는데, 그 까닭은 기독교도들과 유대인들이 이슬람교 팽창의 최초 국면에 핵심 지지 기반이었다는 사실로 설명될 수 있다. 코란은 동로마인들이 패배했다며, 620년대 말 이전 페르시아와의 전쟁에서 당했던 여러 차례의 고질적인 패배 가운데 하나를 언급한다.

"그러나 몇 년 안에 그들은 스스로 승리할 것이다. 그것이 이전과 이후의 하느님의 뜻이다."[22]

하느님은 틀림없이 약속을 지키신다.[23] 메시지는 포괄적이고 친숙했으며, 기독교도들을 곤란하게 하는, 다루기 어려운 주장들을 무력화시키는 것으로 보였다. 그들의 관점에서 이슬람교는 포용적이고 평화적이며 긴장을 완화시킬 수 있다는 희망을 주었다.

사실 자료들은 기독교도들이 무슬림과 그들의 군대에서 본 것을 감탄한 사례들로 가득하다. 8세기의 한 문서에 따르면 어느 기독교 수도사가 적진에 염탐하러 갔다가 돌아와서는 동료들에게 이렇게 말했다고 한다.

"나는 밤새 자지 않고 기도하고 낮에는 금욕생활을 하는 사람들과 함께 있다가 여러분 곁으로 돌아왔습니다. 그들은 올바른 행동만 하도록 하고, 그른 일은 금지합니다. 밤에는 수도사이고, 낮에는 사자입니다."

이 같은 칭송은 기독교와 이슬람교 사이의 경계를 허무는 데 일조했다. 이 시기에 쓰인 또 다른 기록에서 기독교 수도사들이 무함마드의 가르침을 받아들였다고 언급한 사실은 두 종교의 교리 차이가 분명하지 않았다는 증거다.[24] 초기 무슬림들이 신봉했던 금욕주의 또한 그리스-로마 세계와 문화적으로 친숙한 판단 기준을 제공함으로써 동의와 감탄을 이끌어낼 수 있었다.[25]

기독교도들을 회유하려는 노력은 아흘 알키타브(성서의 사람들)를 보호하고 존중하는 정책으로 보완되었다. 아흘 알키타브는 유대교도와 기독교도까지 포함하는 용어다. 코란은 초기 무슬림들이 자기네를 이들 두 종교 신자들의 라이벌이 아니라 같은 유산을 물려받은 사람들로 보았음을 분명히 밝히고 있다. 무함마드가 받은 계시는 전에 "이브라힘(아브라함)과 이스마일(이스마엘)에게도, 이츠하크(이삭)와 야쿠브(야곱)와 여러 종족들에게도 내려졌다." 하느님은 같은 메시지를 모세와 예수에게도 전했다. 코란은 이렇게 말한다.

"우리는 그들 가운데 누구도 차별하지 않는다."

다시 말해 유대교와 기독교의 선지자는 이슬람교의 선지자와 똑같다는 것이다.[26]

그러므로 코란에 움마라는 말이 예순 번 넘게 등장하는 것은 우연이 아니다. 움마는 종족적인 꼬리표가 아니라 신자 공동체를 의미하는 말로 쓰였다. 코란은 인류가 한때는 하나의 '움마'였으며, 이후 차이가 사람들을 갈라놓았다고 탄식조로 몇 차례 이야기하고 있다.[27] 이것이 암시하는 메시지는 차이를 한쪽으로 치워두는 것이 하느님의 뜻이라는 것이다. 유일신을 믿는 종교들 사이의 유사성은 코란과 하디스(선지자 무함마드의 언행을 모은 것)에서 강조되고, 반면에 차이는 언제나 하찮게 취급되고 있다. 유대교도와 기독교도를 모두 존중하고 너그럽게 포용하라고 강조한 것이다.

이 시기의 자료들을 해석하는 것은 매우 어렵다. 자료가 복잡하고 모순된 내용이 많기 때문이기도 하지만, 상당수가 사건이 일어난 지 한참 뒤에 쓰였기 때문이다. 그러나 최근에 고문서학이 발달하고 새로 문서 조각들이 발견되며 기록물을 해독하는 방법이 점점 정교해지면서, 이 엄청난 역사 시기에 대해 오랫동안 지녀왔던 관점들이 변하기 시작했다. 이에 따라 이슬람 전승에서는 무함마드가 632년에 죽었다고 했지만, 최근 학자들은 그가 좀 더 오래 살았다고 주장한다. 7세기와 8세기에 나온 복수의 자료들은 한 카리스마 넘치는 설교자가 아랍 군대를 지휘해서 예루살렘 성문 안으로 진격해 나아가라고 격려하고 있었음을 입증해준다. 바로 그 인물이 무함마드라는 주장이 최근에 제기되고 있다.[28]

진격하는 이슬람 군대

무함마드의 추종자들이 팔레스타인에서 거둔 이례적인 성과는 상대의 무력하고 서투른 대응과 대비된다. 일부 기독교 성직자들은 필사적으로 아랍인들을 나쁘게 묘사하는 식의 승산 없는 싸움을 벌였다. 현지 주민들이 아랍인들에게 속아 단순하고 익숙한 것처럼 들리는 메시지에 동조하지 않도록 설득하려 했지만 실패하고 말았다. 이 도시가 함락된 직후 예루살렘의 총대주교는 '사라센인들'이 복수심을 품고 있고 하느님을 미워한다고 경고했다. 그들은 도시를 약탈하고 시골 들판을 유린하며 교회에 불을 지르고 수도원을 파괴한다고 했다. 그들이 그리스도와 교회에 대해 저지르는 악행은 끔찍하며, "그들이 하느님에

대해 내뱉는 더러운 신성 모독" 역시 마찬가지라고 했다.[29]

사실 아랍인들의 정복은 그렇게 잔혹하지도 않았고, 논자들이 이해하듯이 충격적이지도 않았던 듯하다. 예를 들어 시리아와 팔레스타인 전역에서는 고고학적 증거로 보아 폭력적인 정복의 흔적이 별로 없다.[30] 예컨대 북부 시리아에서 가장 중요한 도시인 다마스쿠스는 현지 성직자와 아랍 지휘관 사이에 항복 조건에 대한 합의가 이루어진 뒤 곧바로 항복했다. 약간의 표현의 차이는 있었지만, 타협은 합리적이고 현실적이었다. 교회를 폐쇄하지 않고 건드리지 않으며 기독교계 주민들을 박해하지 않는 대가로 주민들은 새 주인의 지배권을 인정하는 데 동의했다. 이는 사실 세금을 동로마와 페르시아 정부에 바치지 않고 '선지자와 칼리프와 신자들'의 대리인에게 바친다는 의미일 뿐이었다.[31]

아랍인들이 사방으로 뻗어나가 교역로와 교통로를 장악하면서 이런 과정이 거듭 되풀이되었다. 군대는 남서 이란으로 밀어닥친 뒤 동쪽으로 달아난 사산제국의 마지막 왕 야즈데게르드 3세를 잡는 쪽으로 관심을 돌렸다. 이집트로 출발한 원정군은 합동작전을 벌여 혼란을 일으켰고, 이에 따라 군사적 저항은 미미했다. 이런 상황은 현지 주민들이 자중지란을 일으키거나 공포와 불확실성에 직면하여 항복 조건을 협상하려 하면서 더욱 악화되었다.

동부 지중해의 보석인 알렉산드리아는 무장이 해제되고, 교회를 온전하게 보존하고 기독교계 주민들의 생각을 보장하는 대신 막대한 공물을 바친다는 약속을 하지 않을 수 없었다. 이 같은 협정 소식이 들리자 알렉산드리아는 비탄과 통곡의 도가니로 변했으며, 이를 중재한 총대주교 키루스는 배신자로 낙인찍혀 돌로 쳐죽이라는 요구까지

나왔다. 그는 자신을 변호하며 이렇게 주장했다.

"나는 당신들과 당신네 아이들을 구하기 위해 이 협약을 맺었습니다."

그로부터 100년쯤 뒤 어떤 사람은 그 효과에 대해 이렇게 적었다.

"무슬림들은 이집트 남부와 북부 전체를 지배하게 되었고, 그렇게 함으로써 세금 수입을 세 배로 늘렸다."[32]

당시의 또 다른 작가는 기독교도들이 죄를 지어 하느님으로부터 벌을 받은 것이라고 썼다.[33]

그것은 거의 완벽한 팽창 모델이었다. 군사적 위협을 받는 지역은 협상을 통한 해결에 나서지 않을 수 없었고, 차례로 새로운 권력에 굴복했다. 새로운 지배자는 정복한 영토에 큰 부담을 지우지 않았고 심지어 강제적이지도 않았다. 주민 대다수는 새로운 지배자들의 방해를 받지 않고 생업을 꾸려갈 수 있도록 허용되었고, 그 새로운 지배자들은 기존의 도시 중심부에서 조금 떨어진 곳에 주둔지와 숙소를 만들었다.[34] 몇몇 경우에는 무슬림을 위한 신도시가 건설되었다. 이집트의 푸스타트, 유프라테스 강변의 쿠파, 팔레스타인의 라믈라, 현재 요르단의 아일라 등이 그것이다. 이들 지역의 허허벌판에 이슬람 사원과 총독 관저 등이 지어졌다.[35]

북아프리카, 이집트, 팔레스타인에서는 새로운 교회가 동시에 건설되었는데, 이는 종교적 관용이 표준인 곳에서 모두스 비벤디 Modus Vivendi(잠정 협정)가 신속하게 자리 잡았음을 시사한다.[36] 사산제국으로부터 빼앗은 지역에서도 이런 일이 되풀이된 것으로 보인다. 이곳에서는 최소한 조로아스터 교도들을 방관하거나 용인했다.[37] 유대인들과 기독교도들의 경우에는 신앙을 공인받는 것이 불가능하지 않았다.

복잡하고 논란이 있는 '우마르 협정'으로 알려진 문서는 이른바 '아흘 알키타브'들이 새 지배자들로부터 누릴 수 있는 권리를 나열하고, 반대로 이슬람교도들과 교류하는 기준을 나열했다고 한다. 이슬람교 사원은 십자가 표시를 해서는 안 되고, 코란은 무슬림이 아닌 아이들에게 가르쳐서는 안 되지만 누구라도 이슬람교로 개종하는 것을 금지해서는 안 되며, 무슬림은 언제라도 존중받아야 하고 그들이 도움을 요청할 때는 그 지시를 따라야 했다. 여러 신앙의 공존은 이슬람교 팽창 초기의 중요한 특성이자 성공의 비결이었다.[38]

이에 대응하여 어떤 사람들은 양다리를 걸치기도 했다. 북부 요르단 제라시에서 발굴한 옹기 가마가 이를 보여준다. 여기서는 7세기에 만들어진 램프가 나왔는데, 한쪽에는 기독교의 명문이 라틴어로 새겨져 있고 반대쪽에는 이슬람교의 기도문이 아랍어로 적혀 있다.[39] 이것은 매우 실용주의적인 대응이었을 것이다. 이 지역에 대한 페르시아의 점령은 불과 25년밖에 지속되지 않았던 것이다. 아랍인들이 계속 지배할 것이라는 보장은 없었다. 7세기의 한 그리스어 문서는 이를 분명하게 말했다.

"육신은 스스로 새로워질 것이다."

무슬림의 정복은 일장춘몽으로 끝날 수 있다는 희망의 표현이었다.[40]

기존의 질서를 흔들지 않겠다는 새 지배자의 방침은 행정 부문에서도 나타났다. 이슬람의 정복 이후에도 수십 년 동안 동로마의 주화가 새로 만들어진 주화들(친숙한 초상과 오랫동안 사용되던 액면가로 만들어졌다)과 함께 쓰였다. 기존의 법체계 역시 대체로 손대지 않고 그대로 두었다. 정복자들은 상속, 지참금, 맹세, 결혼, 단식 같은 기존의 사회적 관행을 인정해주었다. 이전에 사산제국이나 동로마 영토였던 여러 지역의 총독과 관료들은 그대로 유임되었다.[41] 여기에는 단순한 계산이 작용했다. 정복자들은 아랍인이든 비非아랍인이든, 진실한 신자(무민)든 그들 무리에 합류하여 그들의 권위에 복종하는 무슬림이든, 태생적으로 소수였다. 이는 정복자들이 현지 주민을 직접 통치할 필요는 없었다는 의미다.

대국적인 견지에서 페르시아, 팔레스타인, 시리아, 이집트에서 승리한 뒤에도 더 큰 전쟁을 치러야 한다는 점도 작용했다. 하나는 부서지고 남은 동로마제국과 계속해야 했던 전쟁이었다. 콘스탄티노플은 아랍 지도부가 동로마를 영원히 말살하려 하면서 지속적인 압박을 받고 있었다. 그러나 그보다 더 중요한 것은 이슬람의 영혼을 위한 싸움이었다.

초기 기독교의 내부 논쟁과 똑같게도, 정확하게 무함마드가 말한 대로 일이 이루어지자 그의 말을 어떻게 기록하고 확산시켜야 하는지(그리고 누구에게 확산시켜야 하는지)가 그의 사후 가장 큰 관심사가 되었다. 다툼은 격렬했다. 선지자 무함마드의 대리인이자 후계자, 즉 칼리프로 지명된 네 사람 가운데 세 명이 암살당했다. 무함마드의 가르침을 어떻게 해석할 것인가를 놓고 격렬한 논쟁이 벌어졌고, 그의 유산을 왜곡하거나 도용하려는 필사적인 노력도 나타났다. 아마도 7세기의 마지막 사반세기였을 가능성이 가장 높지만, 무함마드가 받은 계시를 담은 경전을 만들기로 한 것은 그 메시지를 표준화하려는 노력이었다. 그 산물이 코란이다.[42]

경쟁 종파들 사이의 적대감은 비무슬림에 대해 강경한 태도를 취하게 하는 구실을 했다. 각 집단들이 서로 자기네가 선지자 무함마드의 말을(따라서 하느님의 뜻을) 더 충실하게 따르고 있다고 주장했기 때문에, 관심이 곧 카피르kāfir, 즉 믿지 않는 사람들에게로 향한 것은 놀라운 일이 아니었을 것이다.

무슬림 지도자들은 전에는 기독교도에게 너그럽고 심지어 자애롭기까지 했다. 679년 에데사의 교회가 지진으로 무너지자 교회를 새로 지어줄 정도였다.[43] 그러나 7세기 말에 사태가 변하기 시작했다. 관심이 현지 주민들을 전향시키고 전도하고 개종시키는 쪽으로 바뀌었다. 이와 함께 이들에 대한 태도도 점점 험악해졌다.

'주화 전쟁'은 그것을 보여주는 사건 중 하나다. 선전전이 주화를 매개로 벌어졌기 때문에 현대 학자들이 그런 이름을 붙였다. 690년대 초 칼리프 아브드 알말리크가 "하느님 외에는 신이 없다. 무함마드는 하느님의 사도다"라는 신앙 고백을 담은 주화를 발행하자 동로마가 보복을 했다. 이제 예수의 초상을 앞면에 새기고 황제의 초상을 뒷면에 새긴 것이다. 기독교도로서의 정체성을 강화하고 제국이 신의 가호를 받고 있음을 과시하려는 의도였다.[44]

이 일로 인해 이례적인 사태가 전개되었다. 이슬람 세계는 기독교도에게 눈에는 눈, 이에는 이로 맞섰다. 놀랍게도 예수와 동로마 황제의 초상이 들어간 주화를 발행한 데 대한 최초의 대응은 몇 년 안 되는 짧은 기간 동안 발행된 주화에 예수가 했던 것과 같은 역할, 즉 믿는 자들의 나라를 보호하는 역할을 한 인물의 초상을 넣는 것이었다. 이 초상의 주인공은 보통 칼리프 아브드 알말리크로 추정하지만, 무함마드의 초상일 가능성도 있다. 그는 늘어뜨린 튜닉 차림에 윤기 흐르는 수염을 기르고 칼집에 넣은 칼을 들고 있다. 만약 이것이 무함마드라면 이는 알려진 것으로는 가장 이른 그의 초상이 된다. 그리고 놀랍게도 그의 생전에 그를 알고 있던 사람들이 알아보고 스스로 확인할 수 있는 것이었다.

9세기의 역사가 아마드 이븐 야하 알발라두리는 100년 이상 뒤에 무함마드를 잘 알고 있던 그의 추종자로서 메디나에 생존해 있던 몇몇 사람이 이 주화들을 보았다고 기록했다. 초기 이슬람 자료들을 보았던 훨씬 후대의 다른 역사가도 같은 말을 하며, 무함마드의 친구들이 그의 초상을 주화에 새긴 것에 대해 언짢아했다고 말했다. 이 주화는 오랫동안 유통되지는 않았다. 690년대 말에 이슬람 세계는 초상을 없앤 대신 주화 양면에 코란 구절을 새긴 새로운 주화를 발행했기 때문이다.[45]

그러나 7세기 말에 기독교도들을 개종시키는 것이 가장 중요한 목표는 아니었다. 주요 전쟁은 오히려 무슬림의 경쟁 종파들 사이에 벌어졌기 때문이다. 무함마드의 적법한 계승자라고 주장하는 사람들 사이에 치열한 논쟁이 벌어졌고, 그러는 동안 무함마드의 초기 생애에 관해 가장 잘 아는 것이 가장 큰 무기가 되었다. 경쟁이 매우 첨예해졌기 때문에 종교의 중심지를 메카에서 예루살렘으로 옮기기 위한 진지하고도 총체적인 노력이 생겨났다. 한 강력한 종파가 서아시아에 등장해서 남부 아라비아의 전통주의자들에게 반기를 든 뒤였다. 최초의 주요 이슬람 성전聖殿은 690년대 초에 건설된 쿠바트 앗사흐라Qubbat As-Sakhrah(바위의 돔) 사원이다. 사원 건립의 목적은 메카로부터 관심을 돌리려는 것이었다.[46] 현대의 어느 학자가 말했듯이, 건물과 물질문화는 내전이 벌어지는 불안정한 시기에 "이데올로기 투쟁의 무기"로 쓰였다. 이 시기는 칼리프가 바로 선지자 무함마드의 직계 후예를 상대로 무기를 들었던 때였다.[47]

무슬림 세계 내부의 갈등은 쿠바트 앗사흐라 사원 안팎 양면에 모자이크로 박아 넣은 새김글을 설명해준다(이것은 기독교도들을 달래기 위한 것이었다). 동정심 있고 자비로운 하느님을 경배하고 그의 선지자 무함마드를 존경하며 축복하라는 내용이다. 그러나 글은 또한 예수가 메시아라고 선언한다.

"그러므로 하느님과 그의 사도들을 믿으라. (……) 너희들의 사도이자 너희들의 종인 마리아의 아들 예수를 축복하라. 그러면 그가 태어나는 날과 죽는 날과 죽었다가 다시 살아나는 날에 그에게 평화가 있을 것이다."[48]

다시 말해 690년대에도 종교 간의 경계가 애매했던 것이다. 실제로 이슬람교는 기독교와 너무 가까워 보였기 때문에, 일부 기독교도 학자들은 그 가르침이 기독교의 일탈적 해석이라고 할 수 있을 정도로 새로운 종교의 가르침은 아니라고 생각했다. 당대의 뛰어난 학자였던 다마스쿠스의 요안네스에 따르면 이슬람교는 기독교의 이단이지 다른 종교가 아니었다. 그는 무함마드가 구약과 신약을 읽고 이를 바탕으로 (그리고 회의에 빠져 방황하던 기독교 수도사와의 대화를 참고로 해서) 자신의 생각을 제기했다고 썼다.[49]

무슬림 세계의 중심부에서는 자리와 권위를 놓고 서로 다투고 있었음에도 불구하고 (아니, 어쩌면 그렇기 때문에) 주변부에서는 끝없이 팽창해나가고 있었다. 정치적·신학적 다툼에 끼어들기보다는 전쟁터를 누비는 것이 마음 편했던 지휘관들은 군대를 이끌고 중앙아시아, 캅카스, 북아프리카 깊숙이 들어갔다.

북아프리카에서 이슬람 군대의 진군은 끝이 없을 듯했다. 군대는 지브롤터 해협을 건넌 뒤 히스파니아를 지나 갈리아로 들어갔다. 그들은 732년에 저항에 부딪혔다. 파리에서 겨우 300킬로미터 떨어진 투르와 푸아티에 사이였다. 여기서 이후 이슬람의 파도를 멈추게 한 거의 전설적인 전투가 벌어졌고, 카를 마르텔이 이끈 군대가 그들에게 결정적인 패배를 안겼다. 기독교권 유럽의 운명은 경각에 달려 있었고, 방어군의 용맹과 능력이 아니었더라면 이 대륙은 틀림없이 무슬림 세계가 되었을 것이라고 후대 역사가들은 주장한다.[50] 진실을 말하자면, 이 패배가 하나의 좌절인 것은 틀림없지만 그렇다고 해서 장래에 새로운 공격이 없을 것이라는 의미는 아니었다. 전리품이 있는 한 말이다. 그리고 이 시기의 서유럽에 관해 말하자면, 얻을 가치가 있는 전리품은 거의 없었다. 재물과 보상은 다른 곳에 있었다.

중국까지 위협한 이슬람

200년 전 고트족, 훈족 및 다른 여러 종족들의 침입으로 유럽이 점차 어둠 속으로 빠져들어 가던 상황은 무슬림의 정복으로 정점을 찍었다. 동로마제국의 나머지 부분(이제 콘스탄티노플과 그 배후지 정도였다)은 쪼그라들고 흔들거려서 완전히 붕괴하기 직전이었다. 페르시아와의 전쟁 전에 이미 감소하고 있던 기독교권 지중해 지역의 교역은 무너져버렸다. 한때 북적거리던 아테네와 코린토스 같은 도시들은 크게 위축되었다. 도시의 인구가 줄고, 그 중심부도 황폐해졌다. 배의 조난 사고는 상거래의 규모를 알려주는 지표인데, 7세기 이후로 그런 일이 거의 사라져버렸다. 지역 단위 이외의 교역은 완전히 끝나버렸다.[51]

무슬림 세계와의 대비는 너무나도 뚜렷했다. 동로마제국과 페르시아의 경제 심장부들이 단순히 정복된 것이 아니라 통합되었다. 이집트와 메소포타미아가 연결되어 히말라야 산맥에서 대서양까지 뻗은 새로운 경제적·정치적 공룡의 중핵이 되었다. 이슬람 세계에서 이데올로기 논쟁과 대립이 벌어지고 가끔씩 불안정한 사건(750년 아바스 왕조가 기존 칼리프 왕조를 전복한 일 등)이 터져나오는 상황에도 불구하고 새 제국에는 사상과 상품과 돈이 흘렀다. 사실 이것이야말로 아바스 혁명의 배후에 있던 것이었다. 정권 교체의 기반을 마련한 것은 중앙아시아의 도시들이었다. 이 도시들이 지적 주장들을 가다듬고 반란자들에게 자금을 댄 온상이었다. 이슬람의 영혼을 위한 싸움에서 중대한 결정이 이루어진 곳이 이곳이었다.[52]

무슬림들은 질서 정연하고 소비자들(즉 세금을 낼 수 있는 주민들)이 많이 사는 도시 수백 개가 널려 있는 세계를 접수했다. 도시들이 하나씩 칼리프 왕국의 수중에 떨어지면서 더 많은 자원과 자산이 중심부의 통제 아래로 들어왔다. 교역로와 오아시스와 도시와 천연자원들이 표적이 되고 포획되었다. 페르시아만과 중국 사이의 교역을 연결하는 항구들이 병합되었고, 사하라 사막 횡단 교역로도 마찬가지였다. 사하라 횡단로 덕분에 (현재 모로코에 있는) 페스는 "엄청나게 번영"하고, 당대의 한 목격자의 말대로 "막대한 이익"이 나는 교역 중심지로 성장할 수 있었다.

새로운 지역과 민족들을 정복하면서 엄청난 양의 돈이 무슬림 제국으로 들어왔다. 한 아랍 역사가는 (현재 파키스탄에 있는) 신드를 정복함으로써 6000만 디르함(고대 이슬람 제국에서 유통되던 은화—옮긴이)을 얻었다고 평가했다. 장래에 세금과 징병, 기타 의무들로 뽑아낼 수 있는 부는 감안하지 않은 수치다.[53] 오늘날의 가액으로 환산하면 수십억 달러에 해당한다.

군대가 동쪽으로 향하면서 공물을 받아내는 과정은 팔레스타인과 이집트 등에서 그랬던 것처럼 수익성이 있고 성공적이었다. 중앙아시아의 도시들은 하나씩 제거되었고, 그들 사이의 연결은 느슨해서 몰락은 기정사실이었다. 각 도시는 협력하여 방어할 수 있는 조직 체계를 갖추지 못해 차례차례 파멸을 기다릴 뿐이었다.[54]

사마르칸트 주민들은 무슬림 사령관으로부터 철군 대가로 막대한 돈을 내라는 압박을 받았으나, 어떻든 늦지 않게 항복을 했다. 적어도 이 도시의 통치자는 스스로 소그드 왕이라 칭했던 판자켄트(오늘날의 타지키스탄에 있었다)의 통치자 데바시티치 꼴은 당하지 않았다. 그는 백성들이 보는 앞에서 속고 갇히고 처형당했다. 오늘날의 북부 아프가니스탄에 있던 발흐의 통치자도 비슷한 운명을 당했다.[55]

중앙아시아로의 진군은 페르시아가 무너지던 바로 그때에 스텝 지역을 휩쓸기 시작한 혼란으로 상당히 용이해졌다. 627년 말 628년 초에 혹독한 겨울이 닥쳐 기근이 발생하고 엄청난 가축이 떼죽음을 당했으며, 이에 따라 권력에 큰 변화가 초래되었다. 무슬림 군대는 동쪽으로 밀고 들어가는 과정에서, 역시 페르시아 붕괴의 덕을 보고 있던 유목 부족들과 맞닥뜨렸다. 730년대에 튀르크 유목민들은 참담한 패배를 당했고, 스텝을 호령하던 인물인 튀르기시(돌기시突騎施)의 술루크 카간이 고약한 도박 끝에 살해되자 그 파장은 더욱 심각해졌다.[56]

부족의 완충 장치가 사라지면서 무슬림들은 서서히, 그러나 확실하게 동쪽으로 휩쓸고 나아가면서 도시와 오아시스 마을과 교통 연결 점들을 장악했으며, 8세기 초에는 중국의 서쪽 변경에 도달했다.[57] 751년 아랍 정복자들은 중국인들과 직접 맞닥뜨려 중앙아시아의 탈라스강 부근에서 벌어진 전투에서 결정적인 승리를 거두었다. 이로써 무슬림들은 자연적인 경계선까지 도달했다. 그 너머로 더 나아가는 것은 별 의미가 없었다. 적어도 단기적으로는 말이다. 반면 중국에서는 이 패배가 파장과 격변을 초래했다. 소그드 출신 장군인 안녹산安祿山이 당 왕조에 맞서 대규모 반란을 일으켰다. 이 반란 이후 동요와 불안정의 시기가 이어지고 권력의 공백이 생겨 다른 세력들이 이 혼란한 틈을 이용하여 일어나게 된다.[58]

발 빠르게 나선 것은 위구르인이었다. 당나라를 지지했던 이 민족은 이전 지배자가 상처를 보듬기 위해 안전한 중국 본토로 물러가자 상당한 덕을 보았다. 위구르인들은 점점 늘어나는 자기네 영토를 더 잘 통제하기 위해 영구 정착지를 건설했다. 그 가운데 가장 중요한 곳인 발라사군, 즉 쿠즈오르두(오늘날의 키르기스스탄에 있다)는 통치자인 카간의 치소治所가 되었다. 그곳은 도시와 야영지를 묘하게 조합해놓은 곳이었다. 거기에 지도자의 천막이 있는데, 금색 돔으로 되어 있고 안에는 옥좌가 있었다. 도시에는 열두 개의 관문이 있었고, 성벽과 망루가 있었다. 후대의 기록으로 판단해보면 이 도시는 8세기 이후에 생겨난 여러 위구르 소도시 가운데 하나일 뿐이었다.[59]

위구르인들은 곧바로 이슬람의 동쪽 변경에서 두드러진 세력이되었다. 덕분에 장거리 교역(특히 비단 교역)의 주요 담당자로서 처음에 소그드 상인들 틈에 섞여 들어갔고 이어서 그들을 대신했다. 여러 개의 인상적인 저택 단지는 이 기간 동안 일군 부의 규모를 입증한다.[60] 예컨대 후흐오르둥은 요새화된 도시였는데, 야영 천막들이 수두룩했지만 영구적인 건물들도 있었다. 그중 한 건물에서 카간은 중요한 손님을 만나거나 종교 의례를 치렀다.[61] 위구르인들은 무슬림들과 경쟁하게 되면서 자기네 정체성을 유지하려 노력했다. 마니교로 개종한 것도 아마도 서방의 이슬람 세계와 동방의 중국 사이의 중간자적 입장 때문이었던 듯하다.

무슬림의 정복은 방대한 교역망과 교통로를 통제할 수 있게 했다. 그들은 아프가니스탄과 페르가나의 오아시스들을 북아프리카 및 대서양과 연결하는 역할을 했다. 아시아의 중심부에 엄청난 부가 집중되었다. 판자켄트와 발랄릭테페, 오늘날 우즈베키스탄의 다른 유적지에서 발굴된 출토물들은 상류층이 예술을 후원했음을 보여준다. 이는 돈이 풍족했다는 의미다. 궁정생활의 모습과 페르시아 서사문학에 나오는 장면들이 개인 저택의 벽에 아름답게 그려져 있었다. 사마르칸트 궁전에 그려진 그림들은 무슬림이 국제 사회에 참여하기 시작한 모습을 보여준다. 현지 지배자가 외국에서 온 사신들로부터 선물을 받는 장면에는 중국, 페르시아, 인도, 심지어 고구려에서 온 사신도 보인다. 이런 마을과 지방과 저택들이 무슬림 군대의 수중에 들어간 것이다.[62]

이런 새로운 돈이 중앙 금고로 들어오면서 시리아 같은 곳에서는 거대한 투자가 이루어졌다. 제라시, 스키토폴리스(오늘날 이스라엘의 베트시안), 팔미라에는 8세기에 시장 거리와 가게 등이 대규모로 건설되었다.[63] 가장 놀라운 것은 거대한 신도시의 건설이다. 그곳은 세계에서 가장 부유하고 가장 인구가 많은 도시로서 수백 년 동안 명맥을 유지한다. 10세기에 나온 일부 평가가 과장된 것 같기는 하지만 말이다. 한 작가는 대중목욕탕의 수와 그것을 유지하는 데 필요한 종업원 수, 가정용으로 유통되었을 것으로 보이는 욕조 수를 추산하여 이 도시의 인구가 1억 명에 육박했을 것이라고 추정했다.[64] 그곳은 마디나트 앗살람, 즉 '평화의 도시'로 불렸고, 오늘날 우리는 그곳을 바그다드라고 부른다.

국제 도시 바그다드

바그다드는 이슬람 세계의 풍요와 왕권의 중심지, 후원과 위신의 완벽한 상징이었다. 그곳은 무함마드의 후계자들을 위한 새로운 무게중심이자, 무슬림의 땅을 사방으로 연결하는 정치적·경제적 축이 되었다. 그곳은 경이적인 규모의 장관을 연출하고 과시할 수 있는 무대를 제공했다. 781년 칼리프 알마흐디 빌라흐의 아들 하룬 알라시드의 결혼식도 이곳에서 열렸다.

신부에게 일찍이 없던 크기의 진주 목걸이를 선물하고 튜닉을 루비로 장식하며 '이전에 어떤 여자를 위해서도 베풀지 않았을 듯한' 잔치를 열어준 것은 물론이고, 신랑은 전국 각지에서 온 사람들에게 선물을 퍼주었다. 은이 가득 담긴 금 쟁반과 금이 가득 담긴 은 쟁반을 돌렸으며, 값비싼 향수도 유리 그릇에 담아 나누었다.

"[참석한 여자들] 모두에게 금화를 넣은 지갑과 은화를 넣은 지갑, 그리고 향수가 담긴 커다란 은 상자를 선물했고, 색깔이 화려하고 잘 치장된 예복이 모두에게 지급되었다. 일찍이 이에 비길 만한 것은 없었다." 적어도 이슬람 시대에는 그랬다.[65]

이 모든 것은 광대하고 생산성이 높고 화폐경제가 발달한 제국에서 거둔 전례 없이 막대한 조세 수입 덕분에 가능했다. 809년에 하룬 알라시드가 죽었을 때 그의 금고에는 4000개의 터번과 1000개의 값비싼 자기瓷器, 여러 종류의 향수, 엄청난 양의 보석과 금·은, 15만 개의 창과 15만 개의 방패, 수천 켤레의 장화(상당수가 검은담비, 밍크, 모피로 안감을 댄 것이었다)가 있었다.[66] 9세기 중반에 칼리프는 동로마 황제에게 이런 편지를 썼다고 한다.

"내 신민의 극히 일부가 다스리는 극히 일부의 영토에서 거둔 수입이 당신의 전체 영토에서 거둔 수입보다 많을 것이오."[67]

이런 부는 믿기 어려운 융성과 지적 혁명의 시대를 이끌어냈다.

가처분소득의 규모가 극적으로 늘어나면서 개인 기업이 급증했다. 페르시아만 연안의 바스라는 뭐든지 살 수 있는 시장으로 명성을 얻었다. 비단과 리넨, 진주와 보옥, 헤나 염료와 장미향수 등등 없는 것이 없었다. 커다란 저택들과 훌륭한 대중목욕탕이 있는 도시 모술의 시장은 화살, 등자, 안장 등을 사기에 좋은 곳이라고 10세기의 한 학자는 말했다. 반면에 품질 좋은 피스타치오, 참기름, 석류, 대추를 찾는다면 네이샤부르에 가라고 적었다.[68]

이들은 가장 맛있는 식자재와 가장 정밀한 솜씨, 그리고 최고의 제품을 갈구했다. 입맛이 더욱 까다로워짐에 따라 정보에 대한 욕구도 늘어났다. 751년 탈라스 전투에서 붙잡힌 중국인 포로가 이슬람 세계에 종이 만드는 기술을 전해주었다는 속설은 명백히 허구이지만, 8세기 후반부터 종이가 생산됨에 따라 지식을 기록하고 공유하고 전파하는 것이 더 넓어지고 더 쉬워지고 더 빨라졌다는 것은 분명한 사실이다. 문헌의 폭발적 증가는 과학·수학·지리학·여행 등 모든 분야에 걸쳐 이루어졌다.[69]

작가들은 가장 좋은 모과는 예루살렘에서 나고, 가장 맛있는 과자는 이집트에서 만든 것이라고 적었다. 시리아의 무화과는 더없이 달콤하고, 시라즈의 석류는 먹고 싶어 죽을 지경이었다. 이제 더욱 차별화된 취향을 즐길 수 있게 되면서, 준엄한 비판적 견해들도 나타났다. 같은 저자는 다마스쿠스에서 나는 과일은 맛이 없다고 경고했다(게다가 그 도시 주민들은 이득을 얻으려고 너무 따지고 든다). 그 도시보다 더 형편없는 곳은 '전갈이 득실거리는 황금 대야'인 예루살렘이었다. 그곳은 목욕탕이 더럽고, 생활필수품 가격이 지나치게 비싸며, 잠깐 방문하는 것조차 꺼려질 만큼 물가가 비쌌다.[70]

상인과 여행자들은 자기네가 방문한 곳에 관한 이야기를 가지고 왔다. 그곳의 시장에는 무슨 물건이 있는지, 이슬람의 땅 너머 사람들은 어떻게 생겼는지 등등. 중국인은 늙은이든 아이든 '사철 내내 비단 옷을 입으며' 일부 사람들은 상상할 수 있는 가장 좋은 천으로 만든 옷을 입는다고 했다. 그렇지만 이런 품격이 다른 습속으로 이어지지는 않았다.

"중국인들은 비위생적이어서 대변을 본 뒤 물로 뒤를 씻지 않고 그저 중국 종이로 닦기만 한다."[71]

적어도 중국인들은 음악 공연을 즐겼다. 그런 구경거리를 "부끄러운" 것으로 생각하는 인도 사람들과는 달랐다. 인도 각지의 지배자들은 술을 마시지 않는다. 종교적인 이유가 아니라 술을 마시면 "어떻게 나라를 제대로 다스릴 수 있겠느냐"는 합리적인 생각 때문이었다. 인도가 "의약의 나라이자 철학자들의 나라"이기는 하지만, 중국이 "병이 적고 공기가 좋아 더 건강한 나라"라고 그는 결론지었다. 그곳에서는 "맹인과 애꾸눈이와 기형자"를 보기 어려웠지만, "인도는 그런 사람들 천지"였다.[72]

외국에서 사치품들이 쏟아져 들어왔다. 중국산 자기와 사기그릇이 대량으로 수입되어 지역 도자기의 유행과 디자인과 기술을 변화시켰다. 이와 함께 독특한 흰색 유약을 바른 당나라 사발이 폭발적인 인기를 끌었다. 가마가 커지고 굽는 기술이 발달하여 생산량이 늘었기 때문이다. 중국의 최대급 가마는 한 번에 1만 2000점에서 1만 5000점을 구울 수 있었다고 한다.

한 권위 있는 학자는 "세계 최대의 해상 교역 시스템"이라는 말을 썼는데, 9세기 인도네시아 근해에서 7만 점의 도자기를 실은 배가 난파한 사실은 당시 엄청난 교역 물량을 보여준다. 장식용 궤, 은제품, 금과 납 덩어리 등도 있었다.[73] 이것은 당시 아바스 세계로 수입되던 도자기와 비단, 열대 경재硬材, 이국적 동물들 가운데 자료로 뒷받침되는 일부 사례일 뿐이다.[74] 페르시아만의 항구들로 그렇게 많은 상품이 쏟아져 들어오자 전문 잠수부를 고용하여 화물선에서 버리거나 떨어진 짐들을 항구 부근에서 건져 올리기도 했다.[75]

수요가 많은 물건을 공급하면 돈을 벌 수 있었다. 동방에서 오는 해운 화물의 상당수를 취급하고 있던 시라프 항은 이에 걸맞게 엄청나게 비싼 대궐 같은 저택들이 즐비했다. 10세기의 한 저자는 이렇게 썼다.

"나는 이슬람 땅에서 이보다 더 놀랍고 이보다 더 멋진 건물을 본 적이 없다."[76]

많은 자료들은 대규모 교역품이 페르시아만을 드나들고 중앙아시아에 이리저리 뻗어 있던 육로를 따라 이동했음을 입증한다.[77] 수요가 늘어나자 아예 현지에서 자기와 도기를 생산하기도 했지만, 아마도 비싼 중국산 제품을 살 수 없는 사람들이 수요자였을 것이다. 따라서 메소포타미아와 페르시아만 지역의 도공들이 흰색 유약을 바른 수입품을 모방한 것도 전혀 놀라운 일은 아니다. 알칼리와 주석, 그리고 마침내는 석영으로 실험해서 중국에서 만든 반투명의 (그리고 품질이 더 좋은) 자기를 개발한 것이다. 바스라와 사마라에서는 코발트를 사용해서 '청백색 도자기'를 만드는 기술을 개발했다. 그것은 수백 년 뒤 동아시아에서 유행하게 될 뿐만 아니라 초기 현대 중국 도자기의 특징이었

다.[78]

그러나 8세기와 9세기에는 큰 시장이 있는 곳이 어디인지에 대해 의문의 여지가 없었다. 아랍 제국을 찾은 한 중국인은 그 부에 감탄을 금치 못했다.

"지구상에서 생산되는 모든 것이 그곳에 있다. 수레는 산더미 같은 물건을 시장으로 실어 나르고, 시장에서는 구할 수 없는 물건이 없고 값도 싸다. 양단과 수놓은 비단, 진주와 각종 보석을 시장과 거리의 가게에서 볼 수 있다."[79]

까다로워지는 취향에 맞추어 적절한 취미와 오락에 대한 세련된 아이디어들이 나왔다. 10세기에 쓰인 《왕의 책 Kitāb al-Tāj》 같은 문헌은 지배자와 궁정 사람들의 올바른 예의범절을 나열하고 있으며, 귀족은 사냥을 하고 활쏘기 연습을 하고 장기를 두고 "다른 유사한 활동"에 참여할 것을 권한다.[80] 이는 모두 사산제국의 이상형을 그대로 빌려온 것이지만, 그것이 얼마나 큰 영향을 미쳤는지는 귀족의 저택에서 사냥 장면을 담은 실내 장식이 유행했다는 점으로도 알 수 있다.[81]

부유한 후원자들의 자금 지원은 역사상 가장 놀라운 학문의 시대를 만들어냈다. 우수한 인재들(그들 가운데 상당수는 무슬림이 아니었다)이 바그다드의 궁정과 부하라, 메르브, 군데샤푸르, 가즈니 같은 중앙아시아 곳곳, 그리고 더 멀리 이슬람 세력이 정복한 히스파니아와 이집트의 우수한 학자 집합소로 선발되어 들어갔다. 이들은 수학, 철학, 물리학, 지리학 등의 학문을 연구했다.

그리스어, 페르시아어, 시리아어 문헌들이 수집되어 아랍어로 번역되었다. 말 치료 매뉴얼과 수의학에서 고대 그리스 철학까지 광범위했다.[82] 이 번역물들은 학자들에게 추가 연구의 기반이 되었다. 교육과

학습은 문화적 이상이 되었다.

바르마크 가문은 본래 발흐 출신의 불교도 가문이었는데, 9세기 바그다드에서 영향력과 권력을 얻고는 산스크리트어 문헌을 아랍어로 번역하는 사업을 정력적으로 후원했다. 심지어 더 널리 보급하기 위해 제지공장을 세워 사본을 만들었다.[83]

부흐티슈 가문은 페르시아 군데샤푸르 출신의 기독교 가문으로, 지식인을 많이 배출하여 철학이나 심지어 상사병에 관한 논문들을 내놓았다. 또한 의료 분야에서 활동하여 칼리프 주치의를 배출하기도 했다.[84] 이 시기에 쓰인 의학서들은 이후 수백 년 동안 이슬람 의학의 토대가 되었다. 중세 이집트에서 쓰인 문답서의 열여섯 번째 문답은 이런 것이었다.

문: 걱정거리가 있는 사람의 맥박은 어떨까?
답: 시원찮고 약하고 불규칙하다.

이 답은 10세기에 쓰인 백과사전에 나온다고 책의 저자는 밝히고 있다.[85]

약의 배합과 조제에 관한 책인 약전藥典에는 레몬향초, 도금양 씨, 쿠민 포도 식초, 셀러리 씨, 감송향甘松香 등을 이용한 실험들이 소개된다.[86] 광학을 연구한 사람들도 있었다. 이집트에 살았던 학자 이븐 알하이삼은 시각과 뇌의 연결뿐만 아니라 지각과 이해의 차이를 다룬 획기적인 논문을 썼다.[87]

아부 라이한 알비루니는 지구가 태양 주위를 돌고 축을 중심으로 자전한다고 주장했다. 또한 박학자 이븐 시나는 논리학, 신학, 수학,

의학, 철학에 관한 글을 썼으며, 다방면에서 경외심을 불러일으키는 지능과 명석함과 정직성을 보여주었다. 그는 이렇게 썼다.

"나는 아리스토텔레스의 《형이상학 Metaphysica 》을 읽었지만, 그 내용을 이해할 수 없었다. (……) 다시 처음부터 마흔 번을 읽어 완전히 암기할 정도가 되어서도 마찬가지였다."

그는 주석에서 자신의 책이 "이해할 길이 없는" 복잡한 텍스트를 연구하는 사람들에게 위안을 줄 것이라고 덧붙였다. 그는 어느 날 서점에서 그 시대의 또 다른 위대한 사상가인 아부 나스르 알파라비가 아리스토텔레스의 저작을 분석한 책을 발견했는데, 그제야 갑자기 모든 것을 이해하게 되었다. 이븐 시나는 이렇게 썼다.

"나는 이 책에 환호했다. 그리고 이튿날 가난한 사람들에게 자선을 베풀었다. 숭고하신 하느님에 대한 감사의 표시였다."[88]

인도에서 온 산스크리트어로 쓰인 과학, 수학, 점성술에 관한 책들도 있었다. 무함마드 이븐 무사 알콰리즈미도 그런 책의 독자였다. 그는 기쁨에 넘쳐 영zero이라는 수학적 개념을 탄생시킨 단순한 숫자 체계에 대해 적었다. 그것은 대수학, 응용수학, 삼각법, 천문학의 도약을 위한 토대를 제공했다. 천문학은 메카의 방향을 찾기 위한 실질적인 필요에 의해 촉진된 측면도 있었다. 올바른 방향을 잡고 기도를 올려야 하기 때문이었다.

학자들은 세계 모든 지역에서 자료를 수집하고 연구하고 번역하는 일에 자부심을 느꼈다. 한 작가는 이렇게 썼다.

"인도인의 저작들과 그리스인의 지혜와 페르시아의 문헌들이 번역되었다. 그 결과 어떤 저작들은 더욱 빛났다."

아랍어의 아름다움을 번역하기가 거의 불가능하다는 점이 유감

스럽다고 그는 밝혔다.[89]

이 시대는 황금기였다. 알킨디 같은 뛰어난 사람들이 철학과 과학의 지평을 넓힌 시기였다. (지금의 아프가니스탄에서) 10세기의 시인 라비아 발히 같은 뛰어난 여성들도 배출되었다. 현재 카불의 조산助産 병원이 그녀의 이름을 따서 지어졌다. 마흐사티 간자비 Mahsatī Ganjavi는 완벽하게 짜인 (그리고 더욱 짜릿한) 페르시아어로 유창하게 글을 썼다.[90]

지는 세계와 떠오르는 세계

무슬림 세계가 혁신과 진보와 새로운 생각을 받아들이고 있을 때 기독교권 유럽의 대부분은 어둠 속에서 시들어가고 있었고 자원 부족과 호기심 결핍으로 무력해지고 있었다. 신학자 아우렐리우스 아우구스티누스는 조사·연구라는 개념을 단호히 거부했다. 그는 경멸조로 이렇게 썼다.

"인간은 지식을 위한 지식을 원한다. 그 지식이 그들에게 아무런 가치가 없을지라도 말이다."

그의 말에 따르면 호기심은 질병이나 마찬가지였다.[91]

이런 과학과 학문에 대한 경멸은 무슬림 학자들을 당혹스럽게 했다. 그들은 프톨레마이오스와 에우클레이데스를, 호메로스와 아리스토텔레스를 매우 존경하고 있었다. 몇몇 사람들은 그 책임이 어디에 있는지를 거의 의심하지 않았다. 역사가 알마수디 al-Masʿūdī는 고대 그리스인들과 로마인들은 한때 과학의 융성을 이루었다고 썼다. 하지만 기독교를 받아들이면서 그들은 "[학문의] 흔적을 지우고 그 자취를 없앴으며 그 길을 파괴했다."[92] 과학이 신앙에 굴복하고 말았다. 이는 오늘날 우리가 보는 세계와 거의 정반대다. 근본주의자는 무슬림이 아니라 기독교도였다. 생각이 개방적이고 호기심이 있으며 관대한 쪽은 동방 사람들이었다. 유럽이 아니었다. 한 작가가 말했듯이 이슬람권 밖의 나라들에 대해 쓸 때도 그 점이 드러났다.

"우리는 그들을 [우리 책에] 넣지 않았다. 그들에 대해 이야기해 봐야 아무 소용이 없다는 사실을 알고 있기 때문이다."

그들은 지식 세계의 오지 사람들이었다.[93]

개명된 모습과 문화적 소양은 소수 종교와 문화를 대하는 방식에도 반영되었다. 무슬림 치하의 히스파니아에서는 서고트의 영향이 건축 양식에 배어 있어서 복속된 주민들이 이전 시대와의 연속성을 느낄 수 있었다. 공격적이지도 않았고 패권적이지도 않았다는 말이다.[94] 바그다드를 근거지로 삼고 8세기 말에서 9세기 초까지 동방 교회 수장을 지낸 티마테오스 1세가 쓴 편지에는 기독교 고위 성직자들이 초청에 응하거나 자발적으로 칼리프와 직접 교류한 사실이 적혀 있다. 또한 기독교는 인도, 중국, 티베트와 스텝 지대로 선교사를 파견하는 기지를 운영했는데, 상당한 성과를 거두었을 것이다.[95] 아프리카에서도 이 일은 똑같이 반복되었다. 그곳에서는 무슬림이 정복한 뒤에도 오랫동안 기독교와 유대교 공동체들이 살아남았을 뿐만 아니라 번창하기까지 했던 것으로 보인다.[96]

그러나 자제력을 잃기도 쉬웠다. 우선 종교의 가면에 의해 이슬람 세계가 통합되어 있는 것처럼 보였지만, 내부는 심각하게 분열되어 있었다. 900년대 초에는 정치 중심지가 세 군데로 나뉘었다. 하나는 히스파니아의 코르도바였고, 다른 하나는 이집트와 나일 강 상류 지역이었고, 또 하나는 메소포타미아와 아라비아 반도(의 대부분) 지역이었다. 이들은 신학 문제와 함께 영향력과 권위를 놓고 서로 다투고 있었다.

무함마드가 죽은 지 한 세대도 지나지 않아 이슬람 내부에 심각한 분열이 일어났고, 그의 정통 승계자임을 입증하기 위한 대립된 주장들이 제기되었다. 이들의 주장은 곧 두 가지로 압축되었다. 수니파가 지지하는 해석과 시아파가 지지하는 해석이다. 시아파는 무함마드의 사촌이자 사위인 알리의 후손만이 칼리프로서 통치해야 한다고 열렬하게 주장했고, 수니파는 좀 더 폭넓은 해석을 내놓았다.

이에 따라 관념적으로는 힌두쿠시 산맥에서 메소포타미아와 북아프리카를 거쳐 피레네 산맥까지 잇는 지역이 종교적으로 통합되어 있었지만, 의견의 합치를 이루는 것은 별개의 문제였다. 비슷하게, 신앙에 대한 느슨한 태도는 한결같지도 않았고 지속적이지도 않았다. 다른 신앙을 허용한 시기도 있었지만, 박해를 하고 무자비하게 개종을 강요한 국면도 있었다. 무함마드가 죽은 뒤 처음 100년 동안은 현지 주민들을 강제 개종시키려 하지 않았지만, 곧 무슬림의 통치 아래 사는 사람들을 개종시키기 위한 총체적인 노력이 기울여졌다. 이는 종교적 가르침과 선교에 국한되지 않았다. 예컨대 8세기 부하라에서는 총독이 금요일 기도회에 참석하는 사람에게는 2디르함의 '거금'이 지급될 것이라고 발표했다. 비록 많지 않은 액수였지만 가난한 사람에게 개종하도록 설득하는 장려금이었다. 그들은 코란을 아랍어로 읽을 수 없었고, 기도문이 낭독되는 동안 어떻게 해야 하는지를 옆에서 알려주어야 했다.[97]

동로마제국과 페르시아 사이의 치열한 대결로 시작된 일련의 사건들은 이례적인 결과를 초래했다. 고대 말기의 두 강대국이 위력을 과시하며 마지막 결전을 준비하고 있을 때, 양국을 모두 대체하여 지배하는 세력이 아라비아 반도 먼 구석 출신의 일파일 것이라고 예견한 사람은 거의 없었다. 무함마드에게 고무된 사람들은 온 세상을 상속받아 세계 역사상 가장 큰 제국을 건설했다. 그들은 티그리스 강과 유프라테스 강 유역에서부터 이베리아 반도에 이르기까지 관개기술과 새로운 농작물을 들여와서 수천 킬로미터를 뻗어나가는 그야말로 농업혁명을 촉발하게 된다.[98]

이슬람의 정복은 새로운 세계 질서와 경제 대국을 만들어냈다. 자신감과 관대함, 진보에 대한 강렬한 열망이 이를 추동했다. 부유하고, 정치적으로나 심지어 종교적으로도 자연스러운 경쟁자들이 나타나지 않았다. 이 세계는 질서가 뿌리 내린 곳, 상인들이 부자가 될 수 있는 곳, 지식인들이 존중받는 곳, 서로 다른 생각을 교환하고 토론하는 곳이 되었다. 메카 부근의 한 동굴에서 신통찮게 출발했지만, 전 세계에 걸친 일종의 유토피아를 탄생시킨 것이다.

이 일대 사건은 눈에 띄지 않을 수 없었다. 무슬림 움마의 주변부나 심지어 아주 먼 지역에서 태어난 젊은이들도, 벌이 꿀을 따라가듯 여기에 이끌렸다. 이탈리아의 습지 지역에서, 중부 유럽과 스칸디나비아에서 이름을 떨치고자 하는 (그리고 약간의 돈을 벌고 싶어하는) 젊은이들의 전망은 밝지 않았다. 19세기에 그런 사람들이 명성과 부를 찾아간 곳은 서유럽과 미국이었다. 1000년 전에 그들은 동방을 바라보았다. 무엇보다 끈질기게 노력할 태세가 되어 있는 사람들에게 풍부하게 공급할 수 있고 준비된 시장을 갖춘 상품이 하나 있었다.

6

모피의 길

다른 세계에 대한 호기심

바그다드는 전성기에 참 웅장한 도시였다. 공원과 시장, 이슬람 사원과 목욕탕을 갖춘 (물론 학교와 병원과 자선단체들도 있었다) 이 도시는 '호화로운 도금 장식과 아름다운 태피스트리와 양단 및 비단 벽걸이를 늘어뜨린' 저택들이 모여 있었다.

"[응접실에는] 호화로운 침대 의자와 값비싼 탁자, 최고급 중국산 꽃병, 수많은 금·은 장식품들로 경쾌하면서도 고상하게 가구를 비치했다."

티그리스 강을 따라 내려가면 귀족을 위한 저택과 정자와 정원이 있었다.

"강 위로 떠다니는 수천 척의 유람선들이 활기를 띤다. 작은 깃발로 장식된 유람선이 햇살처럼 물 위에서 춤을 추며, 쾌락을 좋는 도시의 주민들을 바그다드의 이 구석에서 저 구석으로 실어 나른다."

시장은 활기를 띠었고, 궁정과 부자들과 일반 대중은 구매력이 있었다. 호황의 여파는 이슬람 세계 변경 너머로까지 퍼져나갔다. 무슬림의 정복이 사방에 새로운 길을 내어 물건과 사상과 사람들이 오갔다. 일부 사람들은 이런 연결망의 확장으로 근심이 생겼다.

840년대에 칼리프 알와시크 빌라흐 Al-Wāthiq Bi'llah는 사나운 야만인들을 막기 위해 전능하신 하느님이 만들었다는 전설의 성벽을 식인종들이 뚫는 꿈을 꾸고 나서 원정대를 보내 조사하게 했다. 살람이라는 믿음직한 조언자가 이끄는 정찰대는 1년 6개월 만에 돌아와서 이 성벽의 상태에 관해 보고했다. 그는 성채가 어떻게 유지되었는지를 설명했다. 이를 지키는 것은 매우 중대한 일이기에 한 가족이 책임을 지고 정기적으로 점검을 했다. 일주일에 두 차례 망치로 성벽을 세 번씩 두드려 이상이 없는지를 확인했다. 한 기록은 이렇게 되어 있다.

"문에 귀를 대면 말벌 집에서 나는 것과 같은 희미한 소리가 들린다. 그러고는 모든 것이 다시 조용해진다."

그런 행동은 성벽이 잘 방어되고 있으므로 절대 통과할 수 없음을 야만인들에게 알리려는 목적이었다.[2]

이 성벽 점검 기록은 너무도 생생하고 그럴듯해서 일부 역사가들은 사실로 받아들인다. 그 성벽은 아마도 중국으로 들어가는 관문인 둔황 서쪽의 위먼관일 것이다.[3] 사실 동방의 산맥으로 가로막힌 세계 파괴자들에 대한 공포는 고대 세계를 구약과 신약, 그리고 코란과 연결시켜주는 주제였다.[4] 살람의 원정이 실제로 있었는지와는 상관없이, 변경 너머의 세계에 대한 공포는 매우 생생한 것이었다. 세계는 둘로 나뉘어 있었다. 질서와 문명이 펼쳐진 곳인 이란과 혼란스럽고 무정부적이고 위험한 투란이다. 북쪽의 스텝 지대에 갔다 온 여행자들과 지리학자들의 여러 보고가 보여주듯이, 무슬림 세계 밖에 사는 사람들은 낯설었다. 기괴하고 불가사의하고 대체로 공포스러웠다.

아흐마드 이븐 파들란Ahmad Ibn Fadlān은 가장 유명한 보고자 중한 사람이다. 그는 10세기 초 박식한 학자들을 보내 이슬람의 가르침을 전해달라는 볼가불가르 왕의 요청에 따라 스텝 지대로 파견되었다. 이븐 파들란이 기록했듯이 이 종족(카스피해 북쪽의 볼가 강이 카마 강과 만나는 지역에 살고 있었다)의 지배층은 이미 무슬림이 되었지만, 신앙에 대한 지식은 얕았다. 볼가불가르 왕이 이슬람 사원을 건설하고 무함마드가 받은 계시에 대해 더 자세히 알기 위해 도움을 요청하기는 했지만, 진짜 목적은 스텝의 다른 민족들이 도발한 싸움에서 반격을 하는 데 지원을 얻는 것임이 금세 드러났다.

이븐 파들란은 북쪽으로 가면서 멍해졌다가, 놀랐다가, 공포에 사로잡혔다. 끊임없이 이동하는 유목민의 생활은 바그다드 같은 도시들의 점잖고 안정적이고 세련된 도시 문화와 뚜렷한 대조를 이루었다. 이븐 파들란이 만난 부족 가운데 하나가 오구즈족이었다. 그는 이렇게 썼다.

"그들은 펠트 천막에 산다. 다른 곳으로 옮기면 다시 천막을 친다".

"그들은 떠도는 나귀들처럼 가난하게 산다. 그들은 하느님을 경배하지 않고, 또한 판단의 근거로 삼을 만한 것이 전혀 없다."

"그들은 용변을 보고 나서 씻지 않는다. (……) [그리고 실제로] 물을 묻히지 않는다. 특히 겨울에는 더 그렇다."

여자들이 베일을 쓰지 않는 것은 문제도 아니었다. 어느 날 밤 그들은 한 남자와 함께 앉아 있었고, 그의 아내도 동석했다.

"우리는 이야기를 나누고 있었는데, 뻔히 보고 있는데도 그 여자가 은밀한 부위를 드러내고 긁었다. 우리는 손으로 얼굴을 가리고 말했다. '하느님께 용서를 구합니다.'"

남편은 손님들이 내숭 떠는 모습을 보며 그저 허허 웃을 뿐이었다.[5]

스텝 지대에 사는 다른 종족들의 풍습과 신앙도 그에게 충격을 주었다. 뱀을 숭배하는 종족도 있었고, 물고기를 숭배하는 종족도 있었다. 또 다른 종족은 두루미 떼의 개입으로 전투에서 이겼다고 믿고 새들에게 기도했다. 그리고 여행을 떠나기 전에 행운의 키스를 하기 위해 나무로 만든 남근男根을 목에 두르고 다니는 종족도 있었다. 이들은 바시키르족 사람들인데, 흉포하기로 유명해서 적의 머리를 승리의 기념으로 가지고 다녔다. 그들은 이와 벼룩을 먹는 소름 끼치는 습성을 가지고 있었다. 어떤 남자가 자기 옷에서 벼룩을 발견했다.

"그는 벼룩을 손톱으로 찌부러뜨린 뒤 입안에 털어넣었다. 그리고 내가 보고 있는 것을 알아채고는 이렇게 말했다. '맛있네요!'"[6]

스텝 지대에서의 생활은 이븐 파들란 같은 여행자가 헤아리기는 어려웠지만, 이들 유목민들은 남쪽의 정착민들과 긴밀하게 접촉했다. 그 징표 가운데 하나가 이들 종족 사이에 이슬람교가 퍼졌다는 사실이다. 비록 조금 괴상한 모습으로 전해지기는 했지만 말이다. 예컨대 오구즈족은 자기네가 무슬림이라고 주장하고, "자기네 부락에 머물고 있는 무슬림들에게 좋은 인상을 주기 위해" 적당히 경건한 구절을 읊조렸다. 그러나 그들의 신앙에는 실체가 없다고 이븐 파들란은 적었다.

"누가 억울한 일을 당하거나 자신에게 나쁜 일이 일어나면 그는 하늘을 보며 이렇게 말한다. '비르 텡그리 Bir Tengri!'"[7]

알라를 부르지 않고 유목민들의 최고신 텡그리를 부르는 것이다. 실제로 스텝 지역의 종교는 결코 단일하지 않았다. 기독교, 이슬람교, 유대교, 조로아스터교와 토착 신앙이 뒤섞여 구분하기 어려운 복합적인 세계관을 만들어냈다.[8] 이런 변형되고 현지에 적응한 영적 관점을 확산시키는 일은 부분적으로 일종의 선교사로 활동하고 있던 새로운 유형의 무슬림 성자聖者들이 떠맡았다. 수피로 알려진 이 신비주의자들은 스텝 지대를 떠돌았는데, 때로 동물 뿔 목걸이만 걸친 채 벌거벗고 다니기도 했다. 그들은 아픈 동물을 보살폈으며, 기이한 행동을 하고 헌신과 경건에 대해 중얼거려 사람들에게 깊은 인상을 심어주었다. 그들은 중앙아시아에 널리 퍼져 있던 샤머니즘과 애니미즘 신앙을 이슬람 교리와 융합시켜 개종자를 늘리는 데 중요한 역할을 했던 것으로 보인다.[9]

영향을 미친 것은 수피들뿐만이 아니었다. 다른 방문자들도 종교에 관한 생각을 확산하는 데 결정적인 개입을 했다. 볼가불가르족의 개종에 관한 후대의 기록에 따르면, 이 부족의 지배자와 그의 아내가 중병에 걸렸는데 온갖 시도에도 차도가 없던 차에 지나가던 무슬림 상인이 치료해주었다고 한다. 병을 낫게 해주면 이슬람교로 개종하겠다는 다짐을 받아낸 뒤 그는 약을 주어 "그들을 치료했고, 그 나라의 온 백성이 이슬람교를 받아들였다."[10] 이것은 전형적인 개종 스토리다. 지도자나 그 측근의 개종은 많은 무리가 일련의 의례와 신앙을 받아들이는 데 결정적인 순간이 되곤 했다.[11]

이 신앙을 새로운 지역으로 전파하는 것은 통치자들과 지방 왕실에게 위신의 증표가 된 것이 틀림없는 사실이다. 그들은 칼리프의 관심을 얻고, 자기네 사회에서 찬양을 받았다. 예를 들어 부하라를 근거지로 삼았던 사만 왕조는 이슬람교를 열렬하게 옹호했다. 그들은 불교 수도원 개념을 빌려다가 마드라사madrasa, 즉 학교 시스템을 도입해서 코란을 가르치고, 무함마드의 언행의 전승인 하디스에 대한 연구를 후원했다. 그리고 오는 사람들에게 돈을 나눠주어 이슬람 사원이 미어터지게 했다.[12]

스텝 도시의 모피 시장

스텝 지대는 '거친 북부' 그 이상이었다. 야만인들과 이상한 풍습으로 가득 찬 변경 지역이며, 이슬람교가 확장해 들어갈 수 있는 공백이자 문명의 세례를 받지 못한 주민들을 문명화할 수 있는 곳이었다. 이븐 파들란 같은 방문자들의 기록에는 야만적인 모습으로 묘사되었지만, 유목민들의 생활방식은 잘 통제되고 질서가 잡혀 있었다. 한곳에 머물지 않고 계속 이동하는 삶은 정처 없는 방랑의 결과가 아니라 동물 사육이라는 현실에서 비롯한 것이었다. 큰 무리의 가축을 돌보아야 하기 때문에, 좋은 목초지를 찾고 체계적으로 이동하는 것은 부족의 번영뿐만이 아니라 그들의 생존을 위해서도 필수적이었다. 외부인의 눈에는 무질서해 보이지만 안에서 보면 결코 그렇지 않은 것이다.

10세기 콘스탄티노플에서 편찬된 책도 그 점을 정확하게 포착하고 있다. 이 책은 흑해 북쪽에 사는 한 주요 집단이 성공을 위한 최적의 기회를 잡기 위해 어떻게 조직되었는지를 정리하고 있다. 페체네크족은 여덟 개의 하위 부족으로 나뉘고, 그것은 다시 마흔 개의 작은 단위로 나뉘었다. 각 단위는 각각 구획된 지역에서 살았다. 이리저리 이동한다고 해서 부족사회의 생활이 무질서했다는 의미는 아니었다.[13]

스텝 세계에 흥미를 가졌던 당대의 작가, 여행자, 지리학자, 역사가들은 자기네가 관찰한 그들의 생활방식과 습관에 매료되기는 했지만, 유목민들의 경제적 공헌에도 관심을 가졌다. 특히 농업 생산에 관해서다. 스텝 지대는 정착 사회에 귀중한 서비스와 생산물을 공급했다. 오구즈족 가운데는 1만 마리의 말과 그 열 배나 되는 양을 소유한 사람들도 있었다. 이런 수치를 과대평가하면 안 되겠지만, 사육 규모는 분명히 엄청났다.[14]

말은 유목 경제의 필수적인 부분이었다. 스텝 지대의 주요 부족들이 많은 기병대를 거느렸다는 여러 자료의 언급들이 그 사실을 뒷받침해준다. 이들은 말을 사육하여 내다팔았다. 8세기에 아랍 습격군이 상당수의 종마 사육장을 파괴했다는 기록이 있고, 고고학자들도 흑해 북쪽에서 발견한 뼈들을 연구하여 그런 결론을 냈다.[15] 농업은 또한 스텝 경제에 점점 더 중요한 부분이 되었다. 볼가 강 하류 곳곳에서 "많은 경작지와 과수원"으로 표현되듯이 농작물이 재배되었다.[16] 크림 반도에서 나온 이 시기 이후의 고고학적 증거들은 밀, 수수, 호밀이 상당한 규모로 경작되었음을 입증한다.[17]

남쪽의 시장에서는 개암, 매, 칼 같은 물건이 팔렸다.[18] 밀랍과 꿀도 있었는데, 꿀은 추위를 잘 견디게 해주는 것으로 생각되었다.[19] 호박琥珀 역시 시장에 많이 나왔다. 스텝 지대뿐만 아니라 서유럽에서도 나왔다. 한 중진 역사가는 수지樹脂가 굳어 만들어진 이 보석을 동방의 열렬한 구매자들에게 보내는 길을 묘사하기 위해 '호박의 길'이라는 말을 만들어냈다.[20]

무엇보다도 중요한 것은 모피 교역이었다. 모피는 따뜻하고 높은 신분의 상징으로 매우 귀중하게 여겨졌다.[21] 8세기의 한 칼리프는 각종 모피를 가지고 여러 차례 동결 실험을 하기까지 했다. 어떤 종류의 모피가 가장 보온 효과가 높은지 알아보기 위해서였다. 한 아랍 작가에 따르면, 그는 여러 개의 그릇에 물을 채우고 몹시 추운 날씨에 밤새 밖에 두었다.

"아침이 되자 그는 [그릇들을] 가져오게 했다. 모두 물이 얼었지만 검은 여우 모피로 덮은 것만은 얼지 않았다. 이렇게 해서 가장 따뜻하고 가장 수분이 적은 모피를 알아냈다."[22]

무슬림 상인들은 여러 종류의 모피에 각각 가격을 매겼다. 10세기의 한 작가는 스텝 지역에서 검은담비, 회색다람쥐, 흰족제비, 밍크, 여우, 담비, 비버, 얼룩토끼 등을 수입했음을 언급한다. 수완이 좋은 상인들은 이런 여러 가지 모피들을 다른 곳으로 가지고 가서 비싸게 팔았다.[23] 실제로 스텝 지대 일부에서는 모피가 화폐처럼 쓰였다. 그것도 고정 환율이었다. 다 자란 다람쥐 모피 열여덟 장은 은화 한 닢의 가치와 맞먹었고, 한 장만으로도 "덩치 큰 남자 한 명이 먹을 수 있는 커다란 빵"을 살 수 있었다.

한 관찰자는 이것을 이해할 수가 없었다. "다른 곳에 가면 1천 바리로도 콩 한 쪽 사지 못할 것"[24]이기 때문이었다.

그러나 이 통화 시스템에는 분명한 논리가 있었다. 서로 거래하는 사회들은 교환 수단이 필요했지만, 대규모 주화 발행을 감독할 중앙 기구가 없었다. 그래서 짐승의 가죽과 털이 화폐 기능을 했다.

한 역사가에 따르면, 스텝 지역에서 한 해에 50만 장의 모피가 수출되었을 것이라고 한다. 이슬람 제국의 등장은 새로운 교통로와 새로운 교역로를 만들어냈다. 북쪽의 스텝과 삼림 지대로 통하는 '모피의 길'이 만들어진 것은 7~8세기의 대규모 정복 이후 수백 년 동안 가용 재산이 급격하게 증가한 직접적인 결과였다.[25]

당연한 일이지만 거리가 모든 것을 좌우했다. 동물과 모피와 기타 산물을 시장으로 쉽게 가져오는 것이 가장 중요했다. 부유한 유목 종족들은 당연히 좋은 길목에 자리 잡고 있어 정착민 세계와 활발하고 믿을 만한 거래 상대였다. 마찬가지로 스텝 지대에서 가까운 도시들은 부유해졌다.

메르브는 최대 수혜 도시였다. 당대의 어떤 사람이 '세계의 어머니'라고 부를 정도로 커졌다. 스텝 지대의 남쪽 접경에 자리 잡은 메르브는 유목 세계와 거래하기에 좋은 위치였으며, 유라시아 대륙의 등뼈 위를 달리는 동서 축의 핵심 지점이었다. 한 작가의 말을 빌리면, 그곳은 "유쾌하고 멋지고 우아하고 화려하고 넓고 쾌적한 도시"였다.[26] 한편 서쪽에 위치한 라이는 "교역의 관문"이고 "지구의 신랑"이며 세계에서 "가장 아름다운 창작품"이었다.[27] 그리고 발흐는 무슬림 세계 어느 곳과 견주어도 손색이 없었다. 그곳에는 멋진 거리와 웅장한 건물들이 있고 깨끗한 강물이 흘렀다. 또한 북적거리는 상인들과 도시 내 경쟁 덕분에 소비재 가격도 쌌다.[28]

호수에 돌을 던지면 파문이 일듯이, 이 시장에 가까운 곳은 가장 큰 영향을 받았다. 시장 접근성에 큰돈이 걸려 있기 때문에 스텝 지대의 종족 집단들은 서로 경쟁했다. 가장 좋은 목초지와 수자원을 놓고 벌이던 경쟁이 도시와 가장 좋은 교역 시장에 대한 접근권을 둘러싼 대립으로 격화되었다. 이는 두 가지 반응을 예상할 수 있다. 폭력에 의해 분열되거나, 종족 내부와 종족들이 통합하는 것이다. 싸울 것이냐 협력할 것이냐, 선택은 둘 중 하나였다.

볼가 강의 유목민 하자르

시간이 지나면서 균형이 잘 잡힌 '불변 상태'가 만들어져, 서부 스텝 지대 전체는 안정과 번영을 누렸다. 그 지역의 패권 세력은 북해와 카스피해 북안 일대를 지배하던 튀르크 종족 집단의 일부였다. 하자르로 알려진 이들은 흑해 북쪽의 스텝 지대를 지배했으며, 무함마드가 죽은 뒤 수십 년의 대규모 정복 기간 동안 그들이 벌인 군사적 저항으로 인해 점점 유명해졌다.[29] 그들이 무슬림 군대를 상대로 효과적인 저항을 벌이자 다른 부족들이 그들의 지도 아래 뭉쳐 지원에 나섰다.

그들은 또한 콘스탄티노플의 동로마 황제의 관심을 끌었다. 그들은 스텝 지대의 지배 세력과 동맹을 맺으면 서로에게 이익이 될 것이라고 생각했다. 하자르족과의 동맹관계가 중요했기 때문에 8세기 초에 하자르와 동로마 왕가 사이에 두 건의 혼인이 이루어졌다.[30] 동로마 황실이 외국인과 혼인관계를 맺는 것은 드문 일이었고, 더욱이 스텝 지대 유목민과 혼사를 맺는 것은 거의 유례가 없었다.[31] 이런 사태 전개는 동로마제국의 동쪽 변경 소아시아에 대한 무슬림의 압박이 극심해지면서 외교적·군사적으로 하자르의 중요성이 그만큼 커졌음을 보여준다.

하자르의 수장인 카간에게 주어진 보상과 위신은 하자르 사회에 엄청난 영향을 미쳤다. 최고 지도자의 입지가 강화되고, 종족의 고위층에게 선물과 지위가 주어지면서 계층 분화가 시작되었다. 그것은 다른 종족들을 복속시켜 보호와 포상의 대가로 공물을 바치도록 촉진하는 효과도 가져왔다. 이븐 파들란에 따르면 카간은 아내가 스물다섯 명이었는데, 각각 다른 종족 출신이고 모두 종족 지배자의 딸이었다.[32] 9세기에 히브리어로 쓰인 한 자료에도 하자르족에 종속된 종족

들에 대한 이야기가 나온다. 저자는 속국이 스물다섯인지 스물여덟인
지 잘 모르겠다고 말한다.[33] 폴라니족, 라드미치족, 시베리아니족은 하
자르족의 패권을 인정했으며, 그들이 자기네 입지를 강화하여 지금의
우크라이나와 남부 러시아에 펼쳐진 서부 스텝 지대의 지배 세력이 되
도록 했다.[34]

교역 규모가 늘어나고 오랫동안 안정과 평화의 시기가 계속되면
서 하자르 사회 내부에 상당한 변화가 촉발되었다. 카간의 역할이 점
차 일상적인 일에서 배제되어 종교 의례를 담당하는 왕으로 변했다.[35]
생활방식도 바뀌었다. 하자르와 그 속국들이 재배하고 경영하고 생산
하는 산물들에 대한 인접 지역의 수요가 커진 데다 장거리 교역이 필
요해짐에 따라 정착지들이 생겨나더니 점차 소도시로 발전했다.[36]

10세기 초에는 북적거리는 도시 아틸이 수도이자 카간의 상주지
였다. 볼가 강 하류에 자리 잡은 이 도시에는 각국 사람들이 모여 살
았다. 도시가 매우 복잡했기 때문에 서로 다른 관습법에 따라 분쟁을
해결하기 위해 별도의 법정이 마련되었다. 판사가 재판을 주재하여 무
슬림들 사이, 기독교도들 사이, 심지어 토착 신앙을 가진 사람들 사이
의 분쟁을 판결했다. 그리고 판사가 판결을 내릴 수 없는 경우의 해결
방법까지 마련해두고 있었다.[37]

펠트로 지은 집과 큰 상점과 왕궁이 있던 아틸 외에도 많은 정착
지들이 생겨나서 유목민의 생활을 바꾸어놓았다.[38] 상업활동이 증가
하면서 소도시들도 생겨났다. 예컨대 사만다르에는 반구형 지붕의 목
조 건물들이 들어섰다. 아마도 전통적인 유르트(중앙아시아 유목민들의
이동식 천막—옮긴이)를 본떴을 것이다. 9세기 초에는 하자르에 신도들
을 보살피기 위해 주교뿐만 아니라 대주교까지도 둘 정도로 기독교도

가 많았다.[39] 틀림없이 사만다르와 아틸과 기타 지역에는 무슬림 주민도 많았을 것이다. 이 지역 곳곳에 세워진 이슬람 사원에 대한 아랍 자료들의 기록을 보면 분명한 사실이다.[40]

하자르인들은 이슬람교를 받아들이지 않고 새로운 종교적 믿음을 택했다. 9세기 중반에 그들은 유대교를 받아들이기로 결정했다. 860년 무렵 콘스탄티노플에 도착한 하자르의 사절들은 전도사를 파견해서 기독교의 원리를 설명해달라고 요청했다. 그들은 이렇게 말했다.

"아득한 옛날부터 우리는 하나의 하느님(텡그리)만 알고 있었소. 그분이 만물을 지배하시오. (……) 유대인들은 자기네 종교와 관습을 받아들이라고 강권하고, 아랍인들은 우리에게 자기네 신앙을 선전하면서 평화와 많은 선물을 약속하고 있소."[41]

이에 따라 대표단이 파견되었다. 하자르인들을 개종시키는 것이 목표였다. 이들을 이끌고 간 것은 콘스탄티누스(수도자명 키릴로스)였다. 슬라브어 이름인 키릴로 잘 알려져 있고, 그가 슬라브인들을 위해 고안한 키릴 문자의 창제자로 유명하다. 그의 형 메토디우스와 마찬가지로 위대한 학자였던 콘스탄티누스는 동쪽으로 가다가 잠시 멈춰 겨울을 보내며 히브리어를 배우고 유대교 율법을 익혔다. 역시 카간의 궁정으로 향하고 있는 유대교 학자들과 토론하기 위한 준비였다.[42]

대표단은 하자르의 수도에 도착하여 이슬람교와 유대교를 소개하도록 초청된 경쟁자들과 여러 차례 열띤 토론을 벌였다. 콘스탄티누스는 박식함으로 상대를 모조리 꺾었다(적어도 그의 글에 크게 의존한 그의 생애에 대한 기록을 보면 그렇다).[43] 카간은 성서에 대한 그의 설명을 듣고 "꿀처럼 달다"고 말했다. 그러나 실제로는 콘스탄티누스의 활약에도 불구하고 사절단은 바라던 결과를 얻지 못했다. 하자르 카간은 유대교가 자기네 백성들에게 적합한 종교라고 결정했기 때문이다.[44]

한 세기 뒤에 이 이야기와 비슷한 버전이 나왔다. 수천 킬로미터 서쪽의 유대인 공동체들은 하자르인들의 개종 소식에 놀랐고, 하자르인이 어떤 사람들이고 그들이 어떻게 해서 유대교로 개종했는지 알고 싶어했다. 그들이 고대 이스라엘의 잃어버린 부족들 가운데 하나라는 억측도 나왔다.

알안달루스(무슬림 통치하의 히스파니아)의 코르도바를 중심으로 활동한 박식한 학자 하스다이 이븐 샤프루트 Hasdai ibn Shaprūṭ 는 마침내 이 종족과 접촉하는 데 성공했다. 그는 하자르인들이 정말로 유대교로 개종했는지 아니면 그저 그의 환심을 사려는 사람들이 내놓은 허황된 이야기인지 밝히고자 했다. 마침내 하자르인들의 개종이 사실이고 더군다나 그들이 부유하고 "강력한 군대를 보유하고 있다"는 것을 알고서는 하늘의 하느님에게 절하고 찬양하지 않을 수 없었다. 그는 카간에게 이렇게 썼다.

"저는 카간 폐하와 폐하의 가족 및 왕실의 건강을 위해, 그리고 폐하의 왕권이 영원하기를 기도합니다. 폐하의 시대와 폐하 자손들의 시대가 이스라엘 속에서 영원하시기를!"[45]

놀랍게도 이 편지에 대한 카간의 답장 사본이 남아 있다. 편지에서 하자르의 지배자는 자기네 종족의 유대교 개종에 관해 언급하고 있다. 개종은 그의 선대 카간이 지혜롭게도 세 종교 사절단을 초청하여 이야기를 들어본 결과 내린 결정이라고 카간은 썼다.

그 선대 카간은 기독교도들에게 이슬람교와 유대교 중 어느 것이 더 나은 신앙이냐고 물었다. 기독교도는 이슬람교가 유대교보다 못

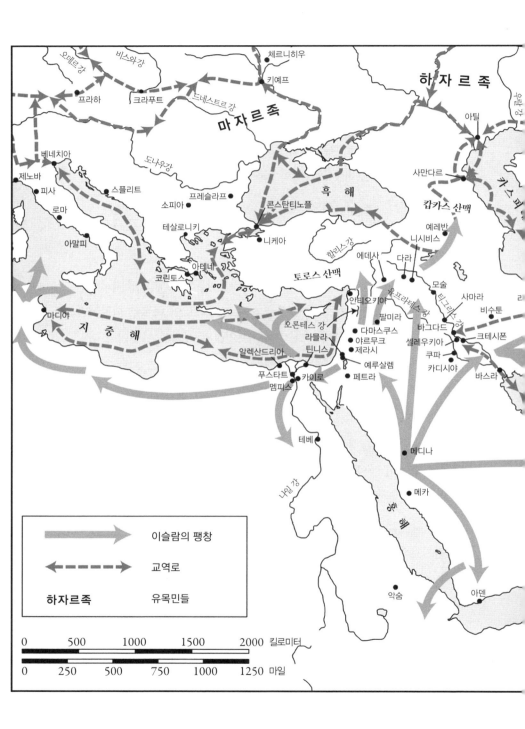

오데르 강 · 비스와 강 · 체르니히우 · 키예프 · **하 자 르 족** · 우
랄 강 · 프라하 · 크라푸트 · 드네스트르 강 · **마 자 르 족** · 아틸 · 카 스 피 해
베네치아 · 도나우 강 · 사만다르 · 제노바 · 피사 · 스플리트 · 프레슬라프 · 소피아 · 콘스탄티노플 · 흑 해 · **캅카스 산맥** · 예레반 · 로마 · 테살로니키 · 니케아 · 할리스 강 · 니시비스 · 아말피 · 아테네 · 에데사 · 다라 · 모술 · 사마라 · 비수툰 · 레 · 코린토스 · **토로스 산맥** · 유 프 라 테 스 강 · 티 그 리 스 강 · **지 중 해** · 안티오키아 · 팔미라 · 바그다드 · 크테시폰 · 마디아 · 오론테스 강 · 다마스쿠스 · 셀레우키아 · 라믈라 · 야르무크 · 쿠파 · 알렉산드리아 · 틴니스 · 제라시 · 카디시야 · 바스라 · 푸스타트 · 카이로 · 예루살렘 · 멤피스 · 페트라 · 테베 · 메디나 · 나 일 강 · 메카 · 홍 해 · 악숨 · 아덴

⟹	이슬람의 팽창
⇠--⇢	교역로
하자르족	유목민들

0   500   1000   1500   2000 킬로미터

0   250   500   750   1000   1250 마일

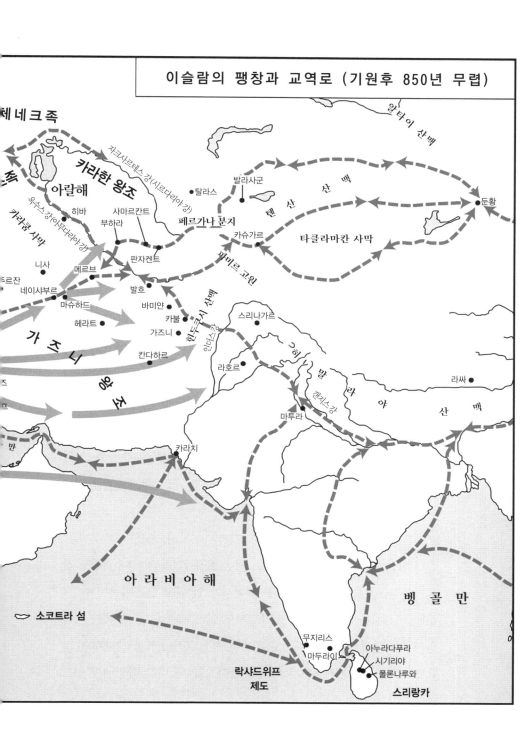

이슬람의 팽창과 교역로 (기원후 850년 무렵)

하다고 대답했다. 그러자 카간이 이번에는 무슬림들에게 기독교와 유대교 가운데 어느 것이 더 좋은지 물었다. 그들은 기독교를 격렬하게 비난하며 차라리 유대교가 낫다고 대답했다. 카간은 드디어 마음의 결정을 내렸다. 그는 기독교와 이슬람교도 양쪽이 "이스라엘인들의 종교가 더 낫다"고 인정했다고 말했다.

"하느님의 자비와 전능하신 신의 권능을 믿고 나는 이스라엘의 종교, 즉 아브라함의 종교를 선택하겠소."

그런 뒤에 그는 사절들을 고국으로 돌려보내고 스스로 할례를 했으며, 그의 하인과 시종과 모든 백성들에게도 그렇게 하도록 명령했다.[46]

유대교는 9세기 중반쯤에는 하자르 사회에 깊이 침투해 들어갔다. 사절단이 카간의 궁정에 도착하기 전 수십 년 동안에 있었던 유대인들의 전도에 관한 아랍의 자료들이나 장례 풍습이 바뀐 사실을 제쳐두더라도, 최근 발견된 하자르의 주화들은 830년대에 유대교가 국가 종교로 공식 채택되었다는 강력한 증거가 된다. 이 주화들에 새겨진 글은 종교가 어떻게 이질적인 사람들에게 호소력을 가질 수 있었는지를 보여주는 사례다. 주화는 이런 문구로 구약 최고의 선지자를 옹호한다.

"무사 라술 알라 Mūsā rasūl allāh(모세는 하느님의 사도다)."[47]

이는 아마도 들리는 것보다는 덜 도발적이었을 것이다. 코란도 선지자들 사이에는 아무런 차별도 있어서는 안 되고 그들이 전하는 전하는 메시지를 따라야 한다고 가르치고 있기 때문이다.[48] 모세는 이슬람의 가르침에서 받아들여지고 존경받았다. 그러니 그를 찬양하는 것은 어떤 면에서 논쟁거리가 되지 못한다. 그러나 다른 측면에서 하느님의 사도로서의 무함마드의 특별한 지위를 환기시키는 것은 아잔(이슬람 사원에서 하루 다섯 번 기도 시간을 알리는 소리)에서 핵심 요소였다. 그런 만큼 주화에 모세의 이름을 새긴 것은 하자르가 이슬람 세계와는 독립적인 정체성을 가지고 있다는 도전적인 표현이었다. 7세기 말의 동로마제국과 무슬림 사이의 대결에서처럼 싸움은 단지 전쟁터에서만이 아니라 이데올로기와 언어, 심지어 주화를 통해서도 벌어졌다.

유대 상인들의 대활약

하자르인들이 유대교를 접하게 된 경로는 두 가지였다. 첫째, 고대에 캅카스에 정착한 오래된 유대인 공동체가 있었고, 이들은 스텝 지대의 번영에 자극을 받았음이 틀림없다.[49] 10세기의 한 작가에 따르면, 하자르에서 종교가 용인되고 상류층 상당수가 신앙생활을 한다는 사실이 알려지면서 더 많은 사람들이 "무슬림과 기독교 도시들"을 떠나 이곳으로 이주했다.[50] 10세기에 하자르 지배자와 코르도바의 하스다이 사이에 왕래된 편지는 유대교를 제대로 배우기 위해 랍비들이 초청되고 학교와 유대교 회당이 세워졌음을 알려준다. 하자르 곳곳의 도시에 종교 건물이 들어서고 법정에서도 유대교 율법에 따라 판결을 내렸다는 기록이 다수 있다.[51]

유대교에 대한 관심을 불러일으킨 두 번째 방아쇠는 하자르가 국제적인 교역 중심지로 떠오르자 훨씬 더 먼 곳에서 온 상인들이었다. 그곳은 스텝 지대와 이슬람 세계 사이에서만이 아니라 동방과 서방 사이의 중심지였다. 많은 자료들이 입증하듯이, 유대인 상인들은 장거리 교역에서 적극적으로 활동하면서, 이슬람 세력이 등장할 무렵에 소그드인들이 중국과 페르시아 사이에서 했던 것과 같은 역할을 했다.

당대의 한 자료에 따르면, 유대인 상인들은 "아랍어, 페르시아어, 라틴어, 프랑크어, 안달루시아어, 슬라브어"를 유창하게 했다.[52] 그들은 지중해 지역에 근거지를 두고 인도와 중국을 정기적으로 여행하면서 사향麝香, 침향沈香, 장뇌, 계피 및 "다른 동방의 산물들"을 가지고 돌아왔다. 그것을 여러 항구와 도시들에 팔아넘기고 그곳에서는 다시 메카, 메디나, 콘스탄티노플의 시장들과 티그리스 강 및 유프라테스 강 유역의 도시들에 공급했다.[53] 그들은 육로를 이용해서 중앙아시아를 거쳐 중국으로 가기도 했다. 바그다드와 페르시아를 거치거나, 하자르 인들의 땅을 지나 발흐와 옥수스 강 동쪽으로 향하기도 했다.[54] 이 경로에서 가장 중요한 지점 중 하나가 카스피해 바로 남쪽(오늘날의 이란)에 있던 라이였다. 이 도시는 캅카스에서, 동방에서, 하자르와 기타 스텝 지역에서 온 상품들을 취급했다. 이들은 주르잔(북부 이란의 고르간) 마을에서 처음 통관 절차를 거친 것으로 보인다. 아마도 이곳에서 관세를 낸 뒤 라이로 실려 갔을 것이다. 10세기의 한 아랍 작가는 이렇게 썼다.

"가장 놀라운 일은 이곳이 세계의 상업 중심지라는 것이다."[55]

러시아의 조상, 바이킹

스칸디나비아의 상인들도 이 기회를 놓치지 않았다. 우리는 바이킹 하면 언제나 북해를 건너 영국과 아일랜드를 공격하는 모습, 뱃머리가 용처럼 생긴 긴 배가 강간과 약탈을 위해 무장한 사람들을 가득 태우고 안개 속에서 나타나는 모습을 떠올린다. 아니면 바이킹들이 콜럼버스보다 수백 년 일찍 북아메리카에 갔던 것은 아닐까 하는 생각을 할 수도 있다. 그러나 바이킹의 시대에 가장 용감하고 가장 억센 남자들은 서쪽으로 가지 않고 동쪽과 남쪽으로 갔다.

많은 사람들은 부자가 되었고, 고향에서뿐만이 아니라 그들이 정복한 새로운 나라에서도 명성을 얻었다. 더구나 그들이 남긴 흔적은 북아메리카에서처럼 미미하고 일시적인 것이 아니었다. 그들은 동방에서 새로운 나라를 발견하게 된다. 발트해에서 카스피해 및 흑해와 연결되는 거대한 수계水系를 장악한 상인, 여행자, 침략자 들의 이름을 딴 나라다. 이 사람들은 루시Rus' 또는 로스rhos로 알려져 있었다. 아마도 그들의 빨간 머리칼 때문이거나, 좀 더 가능성이 높은 것은 그들의 노 젓는 솜씨 때문이었을 것이다. 이들은 러시아의 조상들이었다.[56]

처음 바이킹들이 남쪽으로 가도록 유혹한 것은 이슬람 세계에서 이루어지는 교역과 부였다. 스칸디나비아 사람들은 9세기 초부터 스텝 세계와, 바그다드의 칼리프 정권과 접촉하기 시작했다. 오데르 강, 네바 강, 볼가 강, 드네프르 강 등을 따라 정착지가 늘어났다. 이와 함께 자기네 시장으로서, 그리고 상품을 싣고 남쪽을 드나드는 상인들을 위한 교역 장소로서 새로운 기지들이 곳곳에 생겨났다. 스타라야라도가, 류리코보고로디셰, 벨로오제로(오늘날의 벨로제르스크), 노브고로드('새로운 마을'이라는 의미) 등이 거대한 유라시아 무역로를 북부 유럽의 먼 변경까지 잇는 새로운 거점들이었다.[57]

대중의 상상 속에서 아주 유명한 긴 배는 바이킹 루시에 의해 개조되어 더 작아졌다. 강이나 호수에서 짧은 거리를 이동하는 데 적합한 형태였다. 이 단일 선체의 배들은 무리를 지어 길고도 위험한 여행에 나섰다. 10세기 중반 동로마 요원들이 수집한 정보에 근거해서 콘스탄티노플에서 엮은 한 문헌은 남쪽으로 가는 항해길에서 마주치는 위험한 장애물에 대해 기록하고 있다. 드네스트르 강의 급류는 특히 위험했다. 어떤 좁은 보狀에는 중간에 위험한 바위가 여러 개 있었다.

"그것들은 섬처럼 튀어나와 있다. 그 뒤에서 물살이 밀어닥쳐 솟구치고 반대편으로 떨어지며 요란하고 끔찍한 소음을 냈다."

이 장애물에는 진지한 농담으로 '졸지 마'라는 별명이 붙었다.[58]

같은 책에서 지적하고 있듯이, 루시들은 난폭한 습격자들에게 공격당하기가 쉬웠다. 공격자들은 지친 여행자들이 급류를 지날 때 습격해서 순식간에 한몫을 챙길 수 있었다. 페체네크 유목민들은 숨어서 기다리다가 배가 나타나면 습격해서 물건을 탈취한 뒤 멀리 사라지곤 했다. 경비들은 갑작스러운 공격에 대비하도록 요구받았다. 스칸디나비아인들은 이런 위험들을 벗어나면 한 섬에 모여 수평아리를 제물로 바치거나 화살을 성스러운 나무에 꽂아서 토속 신들에게 감사드렸다.[59]

카스피해와 흑해 부근의 시장까지 안전하게 가려면 최소한 튼튼해야 했다. 한 무슬림 작가는 감탄하며 이렇게 말했다.

"그들은 대단한 정력과 인내심을 가지고 있었다."[60]

루시들은 "야자나무처럼" 키가 컸다고 이븐 파들란은 썼다. 게다가 그들은 항상 무장을 했고 위협적이었다.

"그들은 각자 도끼와 긴 칼, 단도 하나씩을 가지고 있었다."[61]

그들은 비정한 범죄 조직원처럼 행동했다. 예를 들어 그들은 함께 적과 맞서 싸우면서도 서로를 극도로 경계했다. 한 작가는 이렇게 썼다.

"그들은 용변을 볼 때도 혼자 가지 않고 자신을 지킬 동료 셋과 함께 간다. 칼도 들고 간다. 그들은 서로를 그다지 믿지 못하기 때문이다."

아무도 동료를 강탈하는 것을 주저하지 않았다. 그를 죽이게 되더라도 말이다.[62] 그들은 자주 주지육림에 빠져 서로가 보는 가운데 개의치 않고 섹스를 했다. 누군가가 병에 걸리면 버려두고 떠났다. 그들은 이런 일을 거리낌 없이 하는 사람들이었다.

"그들은 모두 발끝에서 목까지 짙푸른색으로 문신을 하고, 무늬 같은 것을 그려넣었다."[63]

이들은 모진 시대의 모진 사나이들이었다.

그들은 밀랍, 호박, 꿀 등의 교역에 종사했다. 아랍어권에서 인기 있는 좋은 칼도 취급했다. 가장 벌이가 좋은 것은 비단 장사였다. 북쪽으로, 러시아의 수계를 거슬러 올라가 스칸디나비아를 향해 흘러들어가는 막대한 양의 돈의 원천이었다. 이는 시리아, 동로마와 심지어 중국에서 온 수많은 좋은 비단들이 보여주고 있다. 그런 것들이 스웨덴, 덴마크, 핀란드, 노르웨이의 무덤들에서 발견되었다. 하지만 이것은 이곳에 들어온 비단의 극히 일부일 뿐이었고, 대부분은 잔존하지 못했을 것이다.[64]

그러나 먼 지역과 이루어진 교역의 규모에 관해 가장 확실하게 알려주는 것은 주화다. 놀랄 만큼 많은 주화 발견지가 북쪽으로 뻗은 큰 강들을 따라 줄을 이루고, 북부 러시아와 핀란드, 스웨덴, 심지어 스웨덴 최대의 섬 고틀란드에서도 발견되었다. 이는 바이킹 루시가 무슬림 및 바그다드의 칼리프 정권 언저리 지역들과의 교역에서 막대한 돈을 벌었음을 보여준다.[65] 통화의 역사에 관한 최고의 전문가 중 한 사람은 이슬람 국가들과의 교역을 통해 얻은 은화의 양이 1000만 또는 심지어 1억 닢이 될 것이라고 추산했다. 현대의 가액으로 이는 수십억 달러짜리 사업이었다.[66]

스칸디나비아에서 카스피해까지 그 먼 거리(5000킬로미터에 가까운 여정이다)를 오가는 데 걸리는 시간과 위험을 감수하려면 보상이 두둑해야 한다. 따라서 상당한 이문을 남기려면 상품을 대량으로 팔아야 한다는 것도 그리 놀라운 일은 아닐 것이다. 남쪽으로 실어 보낸 상품에는 여러 가지가 있었지만, 가장 중요한 것은 노예였다. 인신매매는 또 하나의 돈벌이의 원천이었다.

노예의 길

호황을 누리는 노예무역

루시는 지역 주민들을 노예로 잡아 무자비하게 남쪽으로 끌고 갔다. "덩치와 체격과 용맹성"으로 유명했던 바이킹 루시는 "교양이라고는 전혀 없었고, 약탈에 의존해 살았다"라고 한 아랍 작가는 썼다.[1] 그들에게 가장 큰 피해를 당하는 것은 지역 주민들이었다. 너무도 많은 사람들이 잡혀갔기 때문에 그 잡힌 사람들의 종족 이름인 슬라브가 자유를 박탈당한 모든 사람을 지칭할 때도 쓰이게 된다. 바로 '노예'를 뜻하는 영어 '슬레이브slave'다.

루시는 포로들을 세심하게 다루었다. 당대의 한 기록자는 이렇게 적었다.

"그들은 노예들을 잘 대우했고 옷도 잘 입혔다. 그들에게 노예는 교역 품목이기 때문이다."[2]

그들은 노예를 싣고 물줄기를 따라 내려갔으며, 급류를 지나갈 때는 노예를 사슬에 묶었다.[3] 예쁜 여자들은 특히 소중하게 여겼다. 그들은 하자르나 볼가불가르에서 상인들에게 팔렸으며, 상인들은 다시 그들을 더 남쪽으로 데려갔다. 물론 포획자들이 여자 노예들과 마지막으로 한 번 더 성관계를 가진 뒤에야 그들을 보냈다.[4]

노예는 바이킹 사회의 필수적인 부분이었고, 그 경제의 중요한 요소였다. 동방에서만 노예를 사냥한 것은 아니었다. 브리튼 제도에서 나온 상당량의 문헌과 물적 증거들은, 긴 배를 타고 공격하는 무리들의 목적은 사람들이 상상하는 것처럼 닥치는 대로 강간하고 약탈하는 것만이 아니라 포로를 산 채로 잡는 것이었음을 보여준다.[5] 9세기 프랑스의 한 기도문은 이렇게 애원한다.

"오, 주여, 우리 나라를 파괴하는 저 야만스러운 북방 사람들로부터 우리를 구해주소서. 저들은 (……) 우리의 어리고 깨끗한 아이들을 끌고 갑니다. 이 재난에서 우리를 구해주시기를 간절히 기도합니다."[6]

족쇄와 수갑과 열쇠들이 노예 운송로를 따라 발견되었다. 특히 북유럽과 동유럽에서 두드러진다. 새로운 연구는 그동안 가축용으로 생각되었던 감금 우리가 사실은 노브고로드의 시장에서 팔릴 노예들을 가두었던 곳임을 시사한다. 노브고로드의 시장은 위쪽 거리와 노예 거리 교차로에 있었다.[7]

노예로 돈을 벌려는 욕망은 너무도 만연해 있었다. 이에 따라 일부 스칸디나비아인들은 현지 지배자들로부터 새로운 지역을 약탈하여 포로를 잡아도 좋다는 허가를 받았고, 어떤 경우에는 서로를 노예로 잡는 일도 서슴지 않았다. 11세기 북유럽의 한 박식한 성직자는 "그들 중 한 사람이 다른 사람을 잡으면" 그다음에 할 일을 망설이지 않았다고 썼다.

"[기회만 생기면] 그는 인정사정 볼 것 없이 잡힌 자를 자기 동료

중 한 사람이나 이방인에게 노예로 팔아버린다."[8]

많은 노예들이 스칸디나비아로 끌려갔다. 유명한 고古노르드어 시 〈리그의 노래Rígsþula 〉에 나오듯이 사회는 단 세 개의 부류로 나뉘어 있었다. 귀족인 야를라르jarlar 와 자유민인 카를라르karlar, 그리고 노예인 드라일라르ðrælar 였다.[9] 그러나 다른 많은 사람들은 좋은 물건에 많은 돈을 지불하는 곳으로 보내졌다. 그리고 활기 넘치고 부유한 아틸의 시장만큼 수요가 많고 구매력이 큰 곳은 없었다. 그곳이 최종적으로 바그다드와 아시아의 다른 도시들, 그리고 북아프리카와 알안달루스 등의 무슬림 세계에 노예를 공급했다.

비싼 가격을 지불할 수 있는 능력과 의지는 막대한 보상을 제공했고, 그것이 북유럽 경제를 활성화하는 기반을 마련했다. 발견된 주화들을 가지고 판단해보면 9세기 후반에 교역이 급증했다. 발트해 연안인 스웨덴 남부와 덴마크가 급성장하고 헤데비, 비르카, 볼린, 룬드 같은 도시들이 급격히 팽창했다. 주화 출토지가 러시아의 강들을 따라 점점 넓은 지역으로 확산되는 것은 교역 규모의 급격한 증대를 보여준다. 이 주화들은 사마르칸트, 타슈켄트, 발호와 전통적인 교역로, 수송로, 교통로를 따라 지금의 아프가니스탄에 이르는 곳에서 주조되었다.[10]

현금이 풍부한 이들 지역에서는 노예 수요가 대단히 많았다. 노예들은 북쪽뿐만이 아니라 사하라 사막 이남의 아프리카에서도 왔다. 어떤 상인은 페르시아 시장에서 흑인 노예 1만 2000명 이상을 팔았다고 자랑했다.[11] 노예는 또한 중앙아시아의 튀르크계 종족들에서도 잡아왔다. 이들은 용기와 지략이 있어 매우 귀중하게 여겨졌다. 또 다른 학자는 이렇게 썼다.

"가장 귀중한 노예는 (……) 튀르크인들의 나라 출신이다. 지구상에서 튀르크인 노예에 필적할 만한 노예는 없다."[12]

노예 교역의 규모는 비교적 상세하게 연구가 이루어진 로마제국의 노예와 비교 추론함으로써 상상해볼 수 있다. 최근 연구는 로마제국이 전성기일 때 노예 인구를 유지하기 위해 매년 25만 명에서 40만 명의 노예를 새로 들여와야 했음을 시사한다.[13] 알안달루스에서 아프가니스탄까지 뻗은 아랍어권의 시장은 훨씬 더 컸다(노예 수요가 비슷하다고 가정할 경우다). 이는 팔리는 노예 수가 심지어 로마의 경우보다도 훨씬 더 많았음을 시사한다. 1차 자료들이 제한적이기는 하지만, 한 기록에 따르면 칼리프와 그의 아내가 각기 1000명의 여자 노예를 소유하고 있었다고 하고, 다른 기록에는 적어도 4000명은 된다고 적힌 것을 감안하면 그 규모를 어느 정도 상상해볼 수 있다. 무슬림 세계에서 노예는 로마와 마찬가지로 어디에나 있었다(그러나 조용했다).[14]

로마는 또한 노예 매매에 관한 유용한 비교치를 제공한다. 로마 세계에서는 제국 변경 너머에서 잡아온 포로들을 차지하기 위한 경쟁이 치열했다. 그들은 특이한 외모와 이야깃거리로서 가치가 있는 수집품이었다. 개인적인 기호 역시 한몫했다. 모든 조건을 갖춘 한 귀족은 조화를 잘 이룬 노예를 고집했다. 모두 똑같이 매력적이고 모두 같은 나이로 말이다.[15] 좋은 노예를 고르는 법을 알려주는 후대의 안내서들이 분명히 보여주듯이 부유한 무슬림들도 매한가지였다. 11세기의 한 작가는 이렇게 썼다.

"모든 흑인 [노예] 중에서 누비아 여자가 가장 상냥하고 부드럽고 정중하다. 매끈한 피부를 가진 그들의 몸은 날씬하고 안정되고 균형이 잡혀 있다. (……) 그들은 마치 시중을 들기 위해 태어나기라도 한 듯이 주인을 공경한다."

베자족은 오늘날의 수단, 에리트레아, 이집트 지역에 살던 사람들이다.

"[그 여자들은] 피부색이 금빛이고 얼굴이 아름답고 몸매가 가냘프고 피부가 매끄럽다. 그들은 어렸을 때 데려오면 즐거운 잠자리 상대가 될 수 있다."

1000년 전에도 돈이 있으면 사랑은 살 수 없었지만 원하는 것을 얻을 수 있었다.[16]

다른 안내서들도 똑같이 유용한 조언을 했다. 《카부스나마 Qābūs-nāma》라는 11세기 페르시아의 유명한 책의 저자는 이렇게 썼다.

"노예를 사려면 신중해야 한다. 남자 노예를 고르는 것은 어려운 일이다. 다들 좋아 보이기 때문이다."

그러나 나중에 보면 정반대다. 저자는 이렇게 덧붙인다.

"대부분의 사람들은 노예를 사는 것이 다른 물건을 사는 것과 비슷하다고 생각한다."

그러나 실제로 노예를 사는 기술은 "철학의 한 분야"[17]였다. 안색이 누런 것은 치질이 있다는 징후이고, 잘생긴 외모와 흘러내린 머리칼과 예쁜 눈을 가진 남자도 조심하라고 경고한다.

"그런 특징을 가진 사람은 여자를 너무 좋아하거나 중개 역할을 하기 좋아한다."

구매 결정을 서두르지 마라. 혹시 염증이나 질병의 흔적이 있는지 "여기저기 눌러보고 살펴보라." 그리고 "숨겨진 결점"을 꼼꼼히 확인하라. 입 냄새가 나는지, 귀가 잘 들리지 않거나 말을 더듬는지, 잇몸은 튼튼한지 등등. 이런 요령(이 밖에도 상당히 많다)을 따르면 후회하지

않을 것이라고 저자는 단언했다.[18]

노예 시장은 중부 유럽에서 번성했다. 동쪽으로 팔려갈 남자, 여자, 아이들이 대기하고 있었다. 서쪽의 코르도바 궁정으로도 갔는데, 그곳에는 961년에 1만 3000명 이상의 슬라브인 노예들이 있었다.[19] 10세기 중반 무렵에는 프라하가 바이킹 루시와 무슬림 상인들에게 인기 있는 교역 중심지가 되었다. 이들은 주석과 모피와 노예를 사고팔았다. 보헤미아의 다른 소도시에서도 밀가루, 보리, 닭을 팔았고, 노예도 거래되었다. 이 모든 것은 아주 합리적인 가격에 거래되었다고 한 유대인 여행자는 말했다.[20]

노예는 때로 무슬림 지배자들에게 선물로 보내졌다. 10세기 초에 바그다드에 온 토스카나의 사절은 아바스의 칼리프 알무크타피 비알라에게 값비싼 선물을 했다. 칼과 방패, 사냥개와 맹금류 같은 것들이었다. 그리고 우정의 징표로 20명의 슬라브인 내시와 20명의 아름다운 슬라브 소녀를 선물했다. 세계 한쪽 지역의 꽃다운 젊은이들이 다른 쪽 세계 젊은이들의 방종을 위해 보내진 것이다.[21]

장거리 교역에 종사하는 일은 광범위했다. 이브라힘 이븐 야쿠브Ibrāhīm ibn Yaʿqūb는 지금의 독일 서부에 있는 마인츠를 지나가면서 자신이 본 풍경에 깜짝 놀랐다. 그는 이렇게 썼다.

"그렇게 먼 서방 지역에서 후추, 생강, 정향, 감송향, 강황 같은 먼 동방에서 나는 양념류와 향료를 볼 수 있다는 것은 놀라운 일이다. 이 식물들은 모두 인도에서 들여온 것들이다."

그가 놀란 것은 이뿐만이 아니었다. 디르함 은화가 통화로 쓰이고 있었는데, 사마르칸트에서 주조된 것도 있었다.[22]

사실 무슬림 세계에서 온 주화의 영향력과 위력은 훨씬 먼 곳에까지 미쳤고, 시간적으로도 한동안 더 이어지게 된다. 800년 무렵 웨일스인들의 습격을 막기 위해 유명한 제방을 건설했던 영국 머시아의 왕 오파는 자기네 통화를 만들면서 이슬람 금화의 디자인을 베꼈다. 그는 주화 한쪽 면에 '오파 렉스 Offa Rex'(오파 왕)라는 글자를 넣었고, 다른 쪽에는 아랍어 문구를 엉성하게 베껴 넣었다. 비록 그의 왕국 사람들에게는 별 의미가 없었을 테지만 말이다.[23] 랭커셔 큐어데일에서 발견되어 현재 옥스퍼드 대학의 애시몰 박물관에 소장된 많은 귀중품들 중에는 9세기에 발행된 아바스 왕조의 주화들도 들어 있다. 이 통화들이 브리튼 섬 같은 오지까지 왔다는 것은 이슬람 세계의 시장이 얼마나 멀리까지 뻗어 있었는지를 보여준다.

9세기에 유럽으로 밀려 들어오기 시작한 수입품들의 대금으로 지불된 것은 노예를 팔아 번 돈이었다. 인기 있는 사치품이나 의료 필수품으로 기록에 점점 더 자주 등장하는 양념류와 마약은 대규모 인신매매에서 번 돈으로 치렀다.[24] 그리고 노예 장사로 이득을 본 것은 바이킹 루시만이 아니었다. 현재 프랑스 동북부 베르됭의 상인들은 내시들을 팔아 많은 이득을 올렸다. 알안달루스의 무슬림이 주요 구매자였다. 이 시기의 아랍 자료들이 시사하듯이, 장거리 교역에 종사한 유대인 상인들 역시 내시는 물론 "어린 소녀와 소년들"의 매매에 깊숙이 관여했다.[25]

유럽에서 "노예[와] 소년·소녀들"을 데려오는 과정에서 유대인 상인들이 맡았던 역할에 대해서는 많은 자료에 기록되어 있다. 그들은 젊은 남자들이 도착하면 거세 시술을 받게 했다. 그것은 아마도 섬뜩한 일종의 인증 절차였을 것이다.[26] 노예 교역은 벌이가 좋았다. 그것이 유럽인 이외의 노예들도 동방으로 끌어온 이유 가운데 하나였다. 무슬림 사업가들도 뛰어들었다. 그들은 동부 이란을 벗어나서 슬라브인들의 땅을 습격했다. 비록 잡힌 노예들은 분명히 "거세도 하지 않았고, 신체를 훼손"하지도 않았지만 말이다.[27]

그런 포로들은 거세를 했고 매우 인기가 있었다. 이 시기의 한 아랍 작가는 슬라브인 쌍둥이를 잡아 그중 한 명을 거세시키면 그는 틀림없이 다른 형제보다 더 재주가 있고 "이해력과 대화에서 더 적극적"인 사람으로 자랄 것이라고 썼다. 반면에 다른 형제는 무식하고 어리석고 슬라브인들의 특성인 단순한 사람이 될 것이라고 했다. 거세를 하면 슬라브인들의 정신이 순화되고 개조될 것이라고 생각했다.[28] 더욱 좋은 것은, 그런 일이 "흑인들"에게는 일어나지 않는데 이들에게는 일어나는 것이라고 했다. 같은 시술이 흑인에게는 "타고난 소질"에 부정적인 영향을 미친다고 했다.[29]

슬라브인 노예들이 늘어나면서 아랍어에도 영향을 미쳤다. 내시를 의미하는 '시클라비ṣiqlabī'는 슬라브인을 가리키는 '사칼리비ṣaqālibī'에서 유래했다.

무슬림 상인들은 지중해 지역에서 매우 활발하게 움직였다. 북유럽 전역에서 데려온 남자와 여자, 아이들이 마르세유 시장에서 거래되었다. 때로는 현재 프랑스 북부의 루앙 같은 작은 시장을 거쳐 들어오기도 했다. 루앙에서는 아일랜드와 플랑드르 노예들이 제3자에게 팔렸다.[30] 로마도 중요한 노예 시장이었다. 하지만 일부 사람들은 이를 불쾌하게 여겼다.

베네치아 노예 상인들

776년 교황 하드리아누스 1세는 인간을 가축처럼 사고파는 것을 비난했다. "입에 담기도 싫은 사라센 인종"에게 남녀 노예를 파는 것을 규탄했다. 일부는 자발적으로 동방으로 가는 배를 탔다고 그는 주장했다. 최근의 기근과 참담한 빈궁 때문에 "살아남을 희망이 없었던" 것이다. 그럼에도 불구하고 같은 기독교도를 파는 "그런 수치스러운 행동을 우리는 절대로 하지 말아야" 하며, "하느님께서 그런 일을 금지"했다고 썼다.[31]

지중해와 아랍 세계에서는 노예가 일반적이었기 때문에 심지어 오늘날의 인사말에도 인신매매가 언급된다. 이탈리아에서는 베네치아 방언에서 나온 '스키아보schiavo!'가 인사말로 쓰인다. 더 일반적인 인사말은 '차오ciao!'인데, '안녕하세요?'라는 뜻이 아니다. '나는 당신의 노예입니다'라는 뜻이다.[32]

기독교도들을 노예로 잡아 무슬림 주인에게 파는 행위를 비난한 사람은 하드리아누스 교황뿐만이 아니었다. 현재의 독일 북부 브레멘의 랑베르 주교도 그런 사람들 가운데 하나였다. 그는 9세기 말에 현대 독일과 덴마크의 국경 부근인 헤데비의 시장을 돌아다니며 기독교도라고 주장하는 노예들의 몸값을 내서 구해주었다(그런 고백을 하지 않은 사람은 구하지 않았다).[33]

그러나 모두가 이런 감정을 느꼈던 것은 아니다. 아드리아해 북쪽 끝에 위치한 보잘것없는 석호 지대의 주민들은 인신매매에 대해 죄책감을 느끼지 않았다. 그곳은 노예 교역과 사람들의 고통을 통해 부를 축적하여 중세 지중해 지역의 가장 화려한 보석 가운데 하나로 변신했다. 그 나라가 바로 베네치아다.

베네치아인들은 장사로 엄청난 성공을 거두었다. 석호 지대 위에 장엄한 교회와 아름다운 건물들이 늘어선 휘황찬란한 도시가 건설되었다. 동방과 수지맞는 장사를 해서 번 돈을 가지고 건설한 것이었다. 도시는 오늘날 과거의 영광스러운 모습으로 서 있지만, 베네치아의 성장은 젊은이들을 노예로 파는 일을 하기로 마음먹음으로써 시작된 것이었다. 상인들은 베네치아에 정착하기 시작한 8세기 후반에 이미 노예무역에 관계했다. 물론 그 대가로 돈이 대량으로 쏟아져 들어오는 데는 시간이 걸렸다.

그들이 결국 노예무역을 했다는 것은 한 세기 뒤에 작성된 여러 가지 협정을 통해 알 수 있다. 베네치아인들은 이 협정들을 통해 노예 판매 제한에 참여하기로 동의했다. 이탈리아의 다른 지역에서 불법적으로 잡아온 노예들도 돌려보내기로 했다. 이런 합의는 부분적으로 베네치아가 성공 가도를 달리는 데 대한 반응이자, 그 영향력에 위협을 느끼던 세력들이 베네치아의 날개를 꺾으려는 시도였다.[34]

단기적으로는 습격자들이 제한을 피해 보헤미아와 달마티아에서 비기독교도들을 잡아다가 이득을 남기고 팔았다.[35] 그러나 장기적으로는 정상적인 사업이 재개되었다. 9세기 말의 협정들을 보면, 자유민까지 노예로 팔리고 있다고 걱정하는 지역 통치자들에게 베네치아인들은 그저 입에 발린 말이나 하는 상황임을 알 수 있다. 베네치아인들은 이웃 나라의 신민들을 기독교도건 아니건 죄다 노예로 팔아넘긴다는 비난을 받았다.[36]

결국 노예 교역은 줄어들기 시작했다. 적어도 동유럽이나 중부 유럽에서 들어오는 노예의 수는 감소했다. 그 이유 중 하나는 바이킹 루시가 장거리 인신매매에서 보호세 명목으로 공갈을 치는 사업으로 옮겨갔기 때문이다. 하자르인들이 아틸 같은 도시들을 통과하는 교역으로부터 누리는 이득에 관심을 가진 것이었다. 하자르 영토를 통과하는 상품들에 매기는 관세로 인한 이득이다. 유명한 페르시아의 지리학 논문《세계의 변경 Ḥudūd al-ʿĀlam》은 하자르 경제를 지탱한 것은 조세 수입이라고 적고 있다.

"하자르 왕의 번영과 부는 대부분 바다에서 거두는 세금에서 나온다."[37]

다른 무슬림 작가들도 하자르 정부가 상업활동으로부터 거두는 엄청난 조세 수입에 대해 거듭 이야기한다. 여기에는 수도 주민들에게 물리는 세금도 들어 있었다.[38]

이것은 필연적으로 바이킹 루시의 주목을 끌었다. 다양한 복속 종족들이 카간에게 바치는 공물도 마찬가지였다. 이 종족들은 차례로 떨어져나가더니 호전적인 새 지배자에게로 충성(그리고 공물)의 방향을 바꾸었다. 9세기 후반이 되면 중앙 및 남부 러시아의 슬라브계 종족들은 스칸디나비아인들에게 공물을 바쳐야 했을 뿐만 아니라 "하자르에는 바쳐야 할 이유가 없다"며 더 이상 공물을 바치지 않았다. 그 대신 공물은 루시의 지배자에게 바쳐야 했다.[39]

이런 관행은 다른 지역에서도 똑같이 나타났다. 아일랜드에서는 보호세 명목으로 뜯어내는 돈이 점차 인신매매를 대체했다. 프랑스 생베르탱 수도원에서 발견된《베르탱 연대기 Annales Bertiniani》는 아일랜드인들이 해마다 공격을 받은 끝에 평화를 돌려주는 대가로 연례 공물을 바치기로 약속했다고 적었다.[40]

동방에서는 루시가 점점 존재감을 드러내면서 오래지 않아 하자르와 정면으로 대결하게 되었다. 바이킹 루시는 카스피해 연안의 무슬림 상인 공동체들을 여러 차례 공격해서 "피가 강물처럼 흐르게" 만들고, 결국 "전리품을 잔뜩 챙겨 더 이상 공격할 대상이 없어지자" 하자르를 공격했다.[41] 아틸은 965년에 약탈당하고 완전히 파괴되었다. 한 작가는 이렇게 썼다.

"가지에 잎이 하나 남아 있다면 루시 가운데 하나가 그것을 떼어낼 것이다. [하자르에는] 포도 하나, 건포도 하나도 남아나지 못한다."[42]

하자르는 사실상 대치 상태에서 제거되었고, 무슬림 세계와의 교역에서 생기는 이익은 대규모로 북유럽으로 흘러들어갔다. 이는 러시아의 강들을 따라 발견되는 주화 비축량이 잘 보여준다.[43]

서부 스텝 지대의 강자, 루시

10세기 말에는 루시가 서부 스텝 지대의 지배 세력이 되었다. 카스피해에서부터 흑해 북안을 거쳐 멀리 도나우 강까지 뻗어 있는 나라들을 통제했다. 한 자료는 그들이 이제 감독하게 된 시장의 활력을 이야기하고 있다. 그곳은 "금, 비단, 포도주와 그리스에서 들여온 각종 과일, 헝가리와 보헤미아의 은과 말, 루시가 가져온 모피, 밀랍, 꿀, 노예"가 들어오는 집결지였다.[44]

그러나 그들이 이 나라들에 행사한 권위는 절대적인 것은 아니었다. 유목 민족들과 자원을 둘러싸고 경쟁하기도 했다. 스텝 지대 유목민인 페체네크인들이 키예프 대공을 살해한 사례가 이를 잘 보여준다(972년 키예프 대공 스뱌토슬라프 1세가 페체네크인들에게 습격당해 죽었다 — 옮긴이). 대공을 잡자 이들은 신이 나서 자축했으며, 그의 두개골에 금을 입혀 승리의 기념물로 보관하고 의식에서 축배를 들 때 사용했다.[45]

그러나 10세기를 거치면서 루시는 강과 스텝 지대에 대한 통제권을 계속 강화했고, 남쪽으로 가는 교통로까지 장악했다. 이런 과정은 상업적·종교적·정치적 지향의 점진적 변화와 맞물려 일어났다. 300년 가까이 안정과 풍요를 누리던 바그다드의 칼리프 체제가 혼란을 겪은 것도 그런 변화를 부채질했다. 번영이 중앙과 변방 사이의 연계를 느슨하게 했고 지역 실력자들이 힘을 키우고 서로 충돌을 빚으면서 마찰의 가능성을 열었다. 이런 마찰이 일으킬 수 있는 위험은 923년 바스라가 시아파 반란자들에게 약탈당하고 이어 7년 뒤 메카가 공격당해 성스러운 카바의 '검은 돌'이 약탈당한 일에서 극명하게 드러났다.[46]

920년대에서 960년대 사이에 이례적으로 혹독한 겨울이 몰아닥쳐 식량 부족 사태가 빚어졌다. 사람들은 "말과 나귀의 똥에서 보리 낟알을 골라내" 먹어야 하는 상황이라고 한 작가는 썼다. 폭동과 소요가 자주 발생했다.[47] 한 아르메니아 역사가가 적었듯이, 950년대에 7년 연속 흉년이 들자 "많은 사람들이 미쳐" 무차별적으로 서로를 공격했다.[48]

내부의 불안으로 인해 부와이흐라는 새 왕조가 칼리프 왕국의 핵심 영토인 이란과 이라크에서 정치적 지배권을 확립할 수 있었고, 칼리프는 권한이 크게 줄어든 명목상의 우두머리로 남았다. 한편 이집트에서는 정권이 완전히 붕괴했다. 10세기판 아랍의 봄(2010년 12월 이후 북아프리카와 서아시아 각국에서 잇달아 일어난 반정부 시위와 혁명 — 옮긴이)이었다. 전에 북아프리카에 바그다드 및 코르도바의 주류 수니파 칼리프와 거의 무관한 토후국을 세우는 데 성공했던 시아파 무슬림들이 이집트 수도 푸스타트로 이동했다. 969년, 해마다 일어나던 나일강 범람의 덕을 보지 못하고 흉년이 들자 사망자와 기아민이 속출했다. 이를 기화로 혁명은 북아프리카 전역으로 확산되었다.[49] 새 지배자들은 파티마 왕조로 알려졌다. 시아파 무슬림이었던 이들은 무함마드가 남긴 진정한 유산에 관해 아주 다른 견해를 가지고 있었다. 이들의 등장은 무슬림 세계의 통일성에 심각한 영향을 미쳤다. 이슬람의 과거, 현재, 미래에 대한 근본적인 의문이 제기되면서 균열이 생기기 시작했다.

이렇게 격변이 일어나고 그에 따라 사업 기회가 감소하자 바이킹 루시는 눈길을 볼가 강을 따라, 그리고 카스피해 쪽으로 이동하는 대신 흑해로 흘러들어가는 드네프르 강과 드네스트르 강으로 돌렸다. 그들의 관심은 무슬림 세계에서 동로마제국과, 스칸디나비아 전승에 '큰 도시'라는 뜻의 미클리가르드르(또는 미클레가르스)로 나오는 대도시 콘스탄티노플 쪽으로 옮겨가기 시작했다.

동로마인들은 루시의 관심을 경계했다. 특히 860년에 대담하게 습격해서 도시 주민들을 (그리고 방어군도) 잡아간 이후다. 완전히 허를 찔린 것이었다. "교외를 유린하고, 모든 것을 파괴하며, 아무 데나 칼로 쑤시고, 동정심이라고는 전혀 없고 아무것도 봐주지 않는" 이 "사납고 야만적인" 전사들은 누구란 말인가? 콘스탄티노플 총대주교 포티오스 1세는 이렇게 울부짖었다. 먼저 죽은 사람들은 그 뒤에 닥친 재앙을 몰랐다는 점에서 운이 좋았다고 그는 적었다.[50]

루시의 콘스탄티노플 시장 접근을 당국은 철저하게 규제했다. 10세기의 한 협정은 루시가 같은 시기에 최대 50명, 그것도 지정된 문을 통해서만 도시로 들어갈 수 있게 했다. 그들의 이름을 기록하고, 도시 안에서 활동을 감시했다. 그들이 무엇을 살 수 있고 무엇을 살 수 없는지도 제한했다.[51] 그들은 경계해야 할 위험한 사람들로 간주되었다.

그럼에도 불구하고 관계는 결국 정상화되었다. 노브고로드와 체르니히우, 그리고 무엇보다도 키예프 같은 도시들이 교역 중계지에서 방어벽을 갖춘 성채이자 영구 주거지로 발전했기 때문이다.[52] 988년 키예프루시 대공 블라디미르 1세의 기독교 수용 역시 중요했다. 그것이 처음에 콘스탄티노플에서 보낸 성직자들이 시무하는 성직자 조직 창설로 이어졌기 때문이기도 하고, 제국의 수도로부터 북방으로 흘러가는 불가피한 문화적 차용 때문이기도 했다. 이런 영향은 결국 성상聖像과 교회의 종교적 공예품에서 교회의 디자인과 루시가 옷을 입는 방식에 이르기까지 영향을 미쳤다.[53] 루시의 경제가 더욱 상업적으로 변하면서 호전적인 사회가 점차 도시적이고 국제적으로 변했다.[54] 포도주, 식용유, 비단 같은 사치품이 동로마에서 수입되어 팔렸고, 상인들은 자작나무 껍질에 청구서와 영수증을 썼다.[55]

동로마의 부활

루시가 무슬림 세계를 바라보던 시선을 콘스탄티노플 쪽으로 돌린 것은 서부 아시아에서 일어난 변화의 결과였다. 우선 역대 황제들은 아바스 칼리프 왕조의 불안과 불확실성을 이용해왔다. 동로마는 동부주의 상당수를 무슬림에게 빼앗겼다. 이에 따라 제국의 지방 행정은 근본적인 재편이 불가피했다. 10세기 전반에 흐름이 바뀌기 시작했다. 아나톨리아의 제국 영토를 공격하는 데 이용되었던 기지들이 차례로 떨어져 수복되었다. 크레타와 키프로스가 탈환되어 지중해 동부와 에게해 지역이 안정을 되찾았다. 수십 년 동안 아랍 해적들의 습격에 속수무책이던 곳이었다. 969년에는 주요 상업 중심지이자 직물 생산의 중심지인 대도시 안티오키아가 점령되었다.[56]

이런 운세의 역전은 기독교 세계에서 부활의 정서를 자극했다. 그것은 또한 재산과 수입이 바그다드에서 콘스탄티노플로 대거 이동하는 것을 의미했다. 전에 칼리프 왕조로 흘러들어가던 세금과 공물 수입이 이제는 제국의 금고를 채웠다. 이것은 동로마 황금기의 시작을 알리는 것이었다. 사상가, 학자, 역사가들에 의한 예술적·지적 르네상스의 시기였다. 교회와 수도원이 지어지고, 확장된 제국의 운영을 감독할 수 있는 판사들을 훈련시키는 법률학교가 설립되었다.

동로마는 또한 10세기 말 바그다드와 이집트 사이의 관계가 단절된 덕을 가장 많이 본 나라였다. 980년대 말 황제 바실리우스 2세는 새 왕조를 선포한 파티마 왕조 칼리프와 협정을 맺었다. 공식적인 교역관계를 수립하고, 콘스탄티노플의 이슬람 사원에서 매일 올리는 기도에서 바그다드에 있는 그의 경쟁자인 아바스 왕조 칼리프 대신 그의 이름을 찬미하게 될 것이라고 약속했다.[57]

경제 성장과 인구 증가에 힘입은 제국 수도의 활기찬 시장은 아바스 칼리프 왕국의 위축과 불확실성을 반영한 것이었다. 그 결과로 동방에서 오는 교역로가 조정되었다. 대륙의 배후지에서 하자르와 캅카스를 통과하는 노선 대신 홍해 쪽으로 옮겨간 것이다. 메르브, 라이, 바그다드를 번영하게 했던 육로는 해로를 따라가는 해운으로 대체되었다. 푸스타트, 카이로와 특히 알렉산드리아의 흥성은 명약관화했고, 이 도시들이 번창하면서 중산층이 급속히 늘어났다.[58] 동로마는 좋은 자리를 차지하고 있었고, 금세 파티마 왕조와 관계를 맺은 과실을 누리기 시작했다. 아랍어와 히브리어 문헌들이 전하듯이, 10세기 말 이후 상선이 이집트의 항구들을 밤낮으로 드나들며 콘스탄티노플로 향했다.[59]

이집트산 직물은 동부 지중해 지역에서 인기가 높았다. 틴니스산 리넨은 인기가 높아서, 이 시대 페르시아의 유명한 작가이자 여행가인 나시르이 호스로는 이렇게 썼다.

"나는 동로마의 통치자가 언젠가 이집트 술탄에게 전갈을 보내 자기네 도시 100개를 주고 틴니스 하나를 얻고 싶다고 했다는 말을 들었다."[60]

1030년대부터 이탈리아 아말피와 베네치아 상인들이 이집트에 나타나고 그로부터 30년 뒤에 제노바에서 온 상인들이 나타난 것은, 콘스탄티노플보다도 더 먼 곳에서 온 다른 사람들이 새로운 상품 공급원이 열리기를 학수고대하고 있었음을 보여준다.[61]

루시와 새로운 북방 교역망의 관점에서 볼 때 양념류, 비단, 후추, 경재硬材와 기타 품목이 들어오는 주요 경로가 변화했다고 해서 크게 달라진 것은 없었다. 기독교의 콘스탄티노플과 무슬림의 바그다드 중 하나를 선택할 필요가 전혀 없었다. 반대로 오히려 물건을 사고파는 잠재적인 거래 파트너를 하나보다 둘 갖는 것이 나았다. 비단은 스칸디나비아에 상당히 많이 들어왔다. 이는 노르웨이 오세베르그에서 발굴된 침몰선에서 나온 100여 점의 비단 조각들, 그리고 동로마 세계 및 페르시아에서 들여온 비단이 묻힌 바이킹 무덤들로 입증된다. 비단은 죽은 사람의 지위를 드러내는 물건으로서 함께 묻혔다.[62]

11세기 중반에는 여전히 자기네 조상들이 해오던 그대로 동방의 이슬람 국가들에서 돈을 벌 수 있다고 생각하는 사람들이 있었다. 스웨덴 스톡홀름 부근의 멜라렌 호 옆에 있는 고대 게르만의 룬문자가 새겨진 돌이 그것을 말해준다. 이 돌은 11세기 중반 톨라라는 여자가 자신의 아들 하랄드르와 전우들을 기념하기 위해 세운 것이다. 거기에는 이렇게 적혀 있다.

"남들처럼 그들은 금을 찾아 먼 길을 떠났다."

그들은 성공했다. 그러나 곧 "남쪽에서, 세르클란드에서" 죽었다.

다시 말해 사라센인(무슬림)의 땅에서 죽었다는 말이다.[63] 구들레이프가 아들 슬라그베를 기념하여 세운 돌도 있다. 아들은 "동방의 호라즘에서 죽음을 만났다."[64] 《나그네 잉바르 이야기》(잉바르는 하랄드르의 형제다)도 마찬가지로 스칸디나비아인들을 카스피해와 그 너머의 탐험으로 인도한 야심찬 모험을 전하고 있다. 실제로 최근 연구는 바이킹의 영구 식민지가 이 시기에 심지어 페르시아만 지역에도 건설되었을 것이라고 주장한다.[65]

그러나 관심은 점차 기독교도들의 동방과 동로마로 쏠렸다. 서유럽의 지평이 확대되면서 예수가 살고 죽고 부활한 땅을 방문하고자 하는 관심이 증가했다. 예루살렘 순례가 당연하게도 영광의 원천이 되었다.[66] 성도聖都를 본 사람들은 서유럽의 기독교 유산이 초라하다는 사실을 깨달았다. 특히 동로마제국과 비교해볼 때 그랬다. 콘스탄티누스 대제의 어머니 헬레나는 4세기에 기독교 유물을 콘스탄티노플로 옮겨오는 일에 힘썼다. 11세기가 되면 이 도시의 놀라운 수집품 가운데는 예수의 십자가형에 썼던 못과 가시 면류관, 처형 집행자들이 제비를 뽑아 나눠 가진 예수의 옷, 성십자가 잔편 같은 것이 들어 있는 것으로 생각되었다. 그뿐만 아니라 동정녀 마리아의 머리카락과 세례 요한의 머리도 있다고 했다.[67] 이와 대조적으로 유럽의 유물함에는 이렇다 할 만한 것이 별로 없었다. 왕과 도시, 교회 재단들은 점점 더 부자가 되어가고 있었지만, 그들은 예수 및 그 제자들의 이야기와 물리적인 연결고리가 거의 없었다.

예루살렘과 콘스탄티노플은 기독교의 본향과 수호자로서 점점 더 많은 사람들을 동방 기독교 세계로, 특히 제국의 수도로 끌어들였다. 교역을 하거나, 근무를 하거나, 그저 순례길에 지나가는 것이었다.

스칸디나비아와 브리튼 제도에서 온 남자들은 바랑기아(바이킹) 호위대로부터 환영받았다. 호위대는 황제의 경호를 맡은 엘리트 부대였다. 이 부대에서 복무하는 것이 하나의 통과의례가 되어, 나중에 노르웨이 왕이 되는 하랄드 시구르다르손(하랄드 하르드라디로 더 잘 알려져 있다)도 고국으로 돌아가기 전에 이 부대에서 근무했다.[68]

11세기에 콘스탄티노플의 부름은 유럽 전역에 메아리쳤다. 기록들은 그곳이 영국, 이탈리아, 프랑스, 독일에서 온 남자들의 활동무대였음을 적고 있다. 키예프, 스칸디나비아, 아이슬란드에서 온 사람들에게도 마찬가지였다. 이탈리아의 베네치아, 피사, 아말피, 제노바에서 온 상인들은 물건을 사서 고국으로 보내기 위해 이 도시에 정착지를 건설했다.[69]

중요한 도시는 파리나 런던이 아니었고, 독일이나 이탈리아에도 있지 않았다. 바로 동방에 있었다. 동방과 연결된 도시들은 중요했다. 크림 반도 북쪽의 헤르손과 노브고로드 같은 도시들, 아시아의 등뼈를 가로질러 달리는 실크로드와 연결된 도시들이었다. 키예프는 중세 세계의 중핵이었다.

이는 11세기 후반 지배 가문의 혼맥婚脈으로도 입증된다. 1054년까지 키예프 대공으로 통치했던 '현자賢者' 야로슬라프 1세의 딸들은 노르웨이 왕, 헝가리 왕, 스웨덴 왕, 프랑스 왕과 혼인했다. 아들 하나는 폴란드 왕의 딸과 결혼했고, 다른 아들은 동로마 황실의 여자를 신부로 맞았다. 그다음 세대에 맺어진 혼인은 더욱 인상적이다. 루시의 공주들은 헝가리 왕, 폴란드 왕, 그리고 강력한 신성로마제국 황제 하인리히 4세와 혼인했다. 다른 유명한 배우자 가운데 한 사람인 블라디미르 2세의 아내 기타는 1066년 헤이스팅스 전투에서 살해된 잉글랜드 왕 해럴드 2세의 딸이었다. 키예프의 지배 가문은 유럽에서 가장 많은 연줄을 가진 왕실이었다.

계속 늘어나는 도시와 정착지들이 러시아 곳곳에 펼쳐져 있었다. 모두가 목걸이에 새로 추가된 진주들이었다. 류베치, 스몰렌스크, 민스크, 폴라츠크가 그들 이전에 키예프, 체르니히우, 노브고로드가 그랬던 것처럼 우뚝 솟아났다. 이것은 베네치아, 제노바, 피사, 아말피의 부와 세력이 커졌던 것과 똑같은 과정이었다. 그 도시들이 성장한 열쇠는 동방과의 거래였다.

남부 이탈리아에서도 같은 일이 일어났다. 중세 초기의 가장 놀라운 성과 가운데 하나로서, 11세기 초 이탈리아 반도 남단인 풀리아, 칼라브리아에 처음 눈독을 들였던 노르만 용병들은 지중해 지역의 주요 세력으로 부상했다. 그들은 한 세대 만에 동로마 고용주들을 전복시킨 뒤 무슬림의 시칠리아를 제압하는 쪽으로 관심을 돌렸다. 그곳은 북아프리카를 유럽과 연결하며 지중해 지역을 지배하는, 돈이 되고 전략적으로 긴요한 중간 기착지였다.[70]

어느 경우든 힘을 가진 자리에 오르게 한 것은 교역과 탐나는 상품에 대한 접근성이었다. 이런 의미에서 궁극적으로 기독교와 이슬람교의 경계선이 어디에 그어졌는지, 그리고 최고의 시장이 콘스탄티노플인지 아틸인지 바그다드인지 부하라인지(또는 11세기에는 마흐디야인지 알렉산드리아인지 카이로인지)는 별문제가 되지 않았다. 많은 자료들이 군사·외교나 종교의 중요성을 주장하고 있지만, 상인이나 무역업자들에게 그런 일은 문제를 더 복잡하게 만들 뿐이어서 아예 피해버리는 게 상책이었다.

실제로 문제가 되는 것은 거래 장소와 상대가 아니라 사치품의 대금을 어떻게 치를 것이냐였다. 8세기에서 10세기 사이에 기본 판매 상품은 노예였다. 그러나 서유럽과 동유럽 경제가 더욱 활기를 띠고 이슬람 세계로부터 은화가 대량으로 들어와서 자극을 줌에 따라 도시가 커지고 인구가 늘어났다. 그리고 그렇게 됨에 따라 거래의 규모가 커졌고, 이는 다시 화폐 시스템에 대한 수요를 촉발했다. 다시 말해 모피 대신 주화를 기반으로 하는 거래가 필요해졌다. 이런 이행이 일어나면서 지역 사회들이 더 복잡해지고 정교해짐에 따라 계층화가 진행되고 도시 중산층이 등장했다. 사람이 아니라 돈이 동방과의 교역에서 통화로 사용되기 시작했다.

중앙아시아의 부유한 왕조들

이와 똑같은 현상으로, 유럽에서 사람들을 끌어당긴 이 자력磁力은 동방에서도 느껴졌다. 무슬림의 정복과 중앙아시아로의 팽창에 의해 확립되었던 국경이 11세기에 허물어지기 시작했다. 중앙아시아 각지의 여러 무슬림 왕조들은 오래전부터 스텝 지대 사람들을 용병으로 고용하고 있었고, 바그다드의 칼리프 정권 역시 마찬가지였다. 같은 시기에 동로마의 황제가 북유럽 및 서유럽 출신의 용병들을 고용하고 있던 것과 마찬가지였다. 사만 왕조는 튀르크 종족 출신의 병사들을 적극적으로 모집했다. 통상 굴람, 즉 노예 부대로서였다. 그러나 점차 일반 사병뿐만 아니라 지휘관까지도 이들에게 의존하게 됨에 따라 오래지 않아 그 고위 장교들이 권력에 관심을 갖기 시작했다. 군 복무는 야망을 가진 사람들에게 하나의 기회가 되었다. 그러나 왕국의 열쇠까지 넘볼 수준은 아니었다.

그 결과는 극적이었다. 11세기 초에 지금의 동부 아프가니스탄에 있는 가즈니를 중심지로 한 새로운 제국이 튀르크 노예 장군의 후손에 의해 세워졌다. 이 나라는 너무도 많은 병사들을 전쟁터에 내보낼 수 있어서, 당대의 한 사람은 그 수를 "메뚜기와 개미" 떼에 비교하고 "사막의 모래처럼 셀 수 없이 많다"라고 말했다.[71]

가즈니 제국은 동부 이란에서 북부 인도까지 뻗은 지역을 정복하여 예술과 문학의 후원자가 되었다. 그들은 대서사시《샤흐나메 Šāhnāmeh》의 저자 피르다우시 같은 뛰어난 작가들을 지원했다.《샤흐나메》는 중세 초기 페르시아 서사시의 보물 가운데 하나다(다만 최근 연구는 오랫동안 인식되어온 것과 달리 이 위대한 시인이 아프가니스탄 궁정에 가본 적이 없을 것이라고 시사한다).[72]

카라한 왕조는 바그다드가 약화된 덕을 본 또 다른 수혜자였다. 옥수스 강으로도 알려진 아무다리야 강(우즈베키스탄과 투르크메니스탄의 경계를 따라 흐르는 큰 강) 북쪽에 영토를 얻어 트란스옥시아나 지역의 지배권을 확립했다. 그러고는 가즈니 제국과 협정을 맺어 이 강을 두 나라의 경계로 삼았다.[73]

카라한 왕조도 그 이웃들과 마찬가지로 여러 학파의 학자들을 후원했다. 지금 남아 있는 가장 유명한 책은 아마도 마흐무드 알카시가리 Maḥmūd al-Kāšġari의《투르크어 집성 Dīwān Lughāt al-Turk》일 것이다. 그는 중앙아시아에 있는 카라한의 수도 발라사군을 세계의 중심이라고 생각하고 아름다운 지도를 그렸다. 이 박식하고 뛰어난 사람이 자기 주위의 세계를 어떻게 보았는지를 알려주는 지도다.[74]

이 밖에도 굉장히 많은 책이 만들어졌다. 활기차고 풍요로운 사회의 세련미를 (그리고 관심사를) 엿볼 수 있게 해주는 책들이다. 그 가운데 눈에 띄는 책은《행복해지는 지혜 Qutadġu Bilig》다. 11세기 말에 유수프 하스 하집 Yūsuf Khāṣṣ Ḥājib이 카라한 투르크어로 쓴 것이다. 현명한 지도자는 문제가 생기면 화를 내기보다 차분하게 대응해야 한다고 강조하는 것에서부터, 거물은 어떻게 근사한 잔치를 열어야 하는지에 대한 조언까지 빼곡히 담겨 있다. 현대의 예의범절에 관한 책들이 뻔한 이야기를 주절주절 늘어놓아 짜증을 유발하는 데 반해, 1000년 전에 쓰인 이 책은 지배자들에게 멋진 저녁 연회를 위한 조언을 들려주고 있어 저자에게 매혹되지 않을 수 없다.

"잔과 식탁보를 깨끗이 한다. 집안과 연회장을 청소하고 비품들을 제자리에 둔다. 위생적이고 맛있고 깨끗한 음식과 음료를 골라 손님들이 흡족하게 먹을 수 있도록 해야 한다."

계속 잔을 가득 채워주고, 늦게 오는 사람들도 모두 자애롭고 너그럽게 보살펴야 한다. (……) 단 한 사람도 잔칫집에서 나가면서 배가 고프거나 불평하게 해서는 안 된다.[75]

야심찬 세력가에게는 그런 조언이 필요했다. 현대의 벼락부자 재벌들이 손님들의 도착에 맞추어 적절한 실내장식과 함께 어울리는 음식과 음료를 식탁에 내놓지 못하고 있듯이, 그들은 사람들과 어울리는 데 서툴렀다(이 책의 저자는 물에 장미 설탕절임을 가미하면 더 좋을 것이라고 장담한다).

그러나 더 결연한 사람들은 자신의 왕조를 만들고 산해진미를 즐긴다는 생각을 버리고 그 대신 최고의 목표물을 마음에 두었다. 바로 바그다드였다. 본래 구즈족 무리(주로 오늘날의 카자흐스탄에 살고 있었다)에서 나온 한 지도자의 후예들인 셀주크인들이 10세기 말부터 세를 불려가고 있었다. 그들은 적절한 순간에 입장을 바꾸는 데 능숙했으며, 적당한 보상을 받고 지역 지배자들에게 서비스를 제공했다. 오래지 않아 그들은 권력을 잡기 시작했다. 1020년대 말에서 1030년대 말 사이에 셀주크인들은 능숙하게 도시들을 통제하게 되었다. 메르브, 네이샤부르, 발흐가 차례차례 항복했다. 이윽고 1040년에 그들은 전투에서 가즈니 제국을 이겼다. 메르브 부근의 단다나칸에서 수적으로 우세한 적을 궤멸시킨 것이다.[76]

바그다드의 새 주인, 셀주크

셀주크인들이 노예 병사에서 막후 실력자로 갑자기 떠오른 것은 1055년에 칼리프의 초청으로 바그다드에 입성하여 이 인기 없고 비효율적인 부와이흐 왕조를 몰아내면서부터다. 그 지도자 토그릴 베그의 이름으로 주화가 만들어졌고, 그의 이름으로 후트바ḫuṭba를 하라는 명령이 내려졌다. 매일 기도를 드릴 때 그의 지배를 위해 신의 가호를 빌라는 말이다. 바그다드와 칼리프 왕국 전역에서 그의 지위가 우월함을 보여주는 또 다른 표지로 토그릴은 두 개의 새로운 칭호를 받았다. '국가의 기둥al-Sulṭān Rukn al-Dawla'과 '신앙의 지도자의 오른팔Yamīn Amīr al-Muʾminīn'이다.[77]

여기에 아이러니가 없는 것은 아니다. 왕조 이름의 연원이 된 창시자 셀주크의 아들들 이름이 셀주크인은 본래 기독교도였거나 아니면 심지어 유대교도였음을 시사하기 때문이다. 아들들의 이름은 각기 미카일(미카엘), 이스라일(이스라엘), 무사(모세), 유누스(요나)다. 그들은 총대주교 티마테오스 1세가 보냈다는 선교사들에 의해 전도되었거나 하자르에 유대교를 전파한 상인들에 의해 전도된 스텝 지대 사람들이었을 것이다.[78]

그들이 이슬람교로 개종한 시기와 상황은 분명하지 않지만, 그들이 정통성을 잃지 않고 빠르게 전진하면서 다수파인 무슬림 사이에서 소수파에 속하는 종교를 유지하기는 어려웠을 것이다. 그들의 성공이 좀 더 천천히 이루어졌다면 세계는 아주 다르게 보이기 시작했을 것이다. 기독교도 또는 유대교도 지배자가 이끄는 나라가 동방에서 떠올랐을 것이다. 그런데 셀주크인들은 개종을 선택했다. 무함마드 유산의 수호자이자 이슬람교의 옹호자이며 역사상 가장 강력한 제국 중 하나의 주인이 되는 것은 벼락출세한 칼리프 체제 변방 출신의 비무슬림이었다.

동로마는 셀주크인이 아바스의 수도에서 정권을 장악하기 전부터 이미 그들의 등장을 걱정스럽게 바라보고 있었다. 그들의 거침없는 성장은 주변의 다른 유목민들을 흔들어 캅카스와 소아시아에서 발칸 반도 깊숙한 곳까지 대담한 습격을 감행하게 했고, 그들의 진격 속도는 현지 주민들을 공포에 떨게 했다. 한 역사가는 그들의 말이 "독수리만큼 빠르고 그 발굽은 돌처럼 단단했다"라고 적었다. 그들은 "굶주린 늑대가 먹이를 삼키는 것처럼 만족할 줄 모르고" 도시들을 약탈했다.[79]

동방의 방어벽을 강화하겠다는 동로마 황제 로마누스 4세의 시도는 오판이었다. 그는 콘스탄티노플에서 대군을 이끌고 출전했으나, 1071년 현재 터키의 동부인 말라즈기르트에서 재앙을 만났다. 그곳에서 동로마군이 습격을 받고 굴욕을 당한 것이다. 이 전투는 오늘날에도 터키 국가 탄생의 순간으로 기념되고 있는데, 제국 군대가 포위되어 궤멸되고 황제는 포로로 잡혔다. 셀주크의 지배자 알프 아르슬란은 동로마 황제를 땅바닥에 눕게 하고 그의 목을 발로 밟았다.[80]

사실 셀주크인들과 바그다드의 정권은 동로마제국을 그다지 걱정하지 않았고, 그보다는 이집트의 시아파 파티마 칼리프 정권을 더 우려했다. 두 세력은 금세 싸움이 붙었고, 예루살렘의 통제권을 둘러싸고 격투를 벌였다. 이런 일이 진행되는 동안 셀주크는 사이가 좋지 않았던 동로마와 관계를 수립했다. 서로의 이익이 겹치는 덕분이었다. 양국은 모두 소아시아를 떠돌며 습격하고는 평화를 돌려주는 조건으로 보상을 요구하는 고전적인 스텝 유목민들의 전략을 사용하는 무리들을 없앨 필요가 있었다. 동로마에게는 이것이 취약한 지방 경제를 붕괴시킬 수 있는 위협이었고, 셀주크에게는 제 분수를 망각한 자들이 지도자의 권위에 도전하는 일인 셈이었다.

황제와 술탄은 거의 20년 동안 협력했다. 고위급 회담이 이루어져 두 지배자의 단결을 위해 혼인관계를 맺을 가능성까지 논의했다. 그러나 1090년대에 균형이 무너졌다. 셀주크가 승계 위기에 빠지자 소아시아의 신흥 지도자들은 자기네 영토를 확보하여 몫을 늘려나갔다. 이들은 사실상 바그다드로부터 독립한 셈이었고, 그것은 동로마 쪽에서 보면 위험한 가시였다.[81]

재난이 잇달아 일어나자 동로마제국은 급격하게 흔들렸다. 쓸 수 있는 카드가 별로 남지 않았던 황제는 극단적인 행동을 취했다. 유럽 전역의 주요 실력자들에게 구원을 요청한 것이다. 교황 우르바누스 2세에게도 사절을 보냈다. 교황에게 호소하는 것은 동로마가 흔들거리며 깊은 구렁텅이로 빠져 들어가는 것을 막기 위한 막다른 골목에서의 시도였고, 거기에는 위험이 따랐다. 40년 전 로마와 콘스탄티노플 교회 사이의 긴장이 점점 높아진 결과로 종파 분립이 일어났고, 총대주교들과 황제들이 파문당했다. 사제들은 서로 지옥의 이글거리는 불길에 떨어질 것이라고 위협했다. 논쟁은 부분적으로 교리와 관련된 것으로 특히 성령이 성부로부터만 오는 것이냐, 성부와 성자 모두로부터 오는 것이냐가 문제였다. 그러나 문제의 핵심은 기독교도들에 대한 지배권을 둘러싼 더 넓은 범위의 경쟁이었다. 교황에게 접근한다는 것은 분열을 얼버무리고 넘어간다는 의미이기도 했고, 관계 회복을 모색한다는 말이기도 했다. 두 가지 모두 말처럼 쉬운 일은 아니었다.[82]

1095년 3월 황제의 사절들이 왔을 때 우르바누스 교황은 이탈리아 북부 피아첸차에 있었다.

"[사절들은] 이교도들에 맞서 이 성스러운 교회를 지키기 위해 성하聖下와 모든 기독교도들이 도와줄 것을 간청했다. 그들의 교회는 지금 콘스탄티노플의 성벽 밑까지 정복한 이교도들에 의해 절멸 직전에 있었다."[83]

교황은 무엇이 걸려 있는지 곧바로 알아차리고 행동을 취했다. 그는 알프스 북쪽으로 가서 프랑스 중부 클레르몽에서 교회 회의를 열었다. 회의에서 교황은 기독교 기사단이 진군해서 동방의 교우教友들을 돕는 것은 그들의 의무라고 밝혔다. 그런 뒤에 우르바누스는 주요 실력자들(가장 중요한 것이 프랑스였다)의 지지를 모으고, 최종적으로 성도 예루살렘에 이르게 될 위대한 원정에 참여하도록 그들을 회유하고 설득하는 고된 여행을 시작했다. 동방이 곤경에 처해 있다는 사실이 교회의 통합을 가져다줄 것으로 보였다.[84]

군대 동원령은 잘 준비된 불쏘시개에 불을 붙였다. 교황이 도움을 호소하기 전 수십 년 동안 점점 더 많은 기독교도들이 성지 예루살렘을 찾았다. 서유럽과 콘스탄티노플 사이에 광범위한 연결이 있었던 이 세계에서 소식은 빠르게 전파되었다. 소아시아와 인근 지역의 혼란으로 순례길은 거의 막혔고, 아나톨리아의 투르크인들이 진군해오고 있다는 걱정스러운 소식들이 들려왔다. 그 소식들은 동방 기독교도들의 고난을 생생하게 보여주었다. 이에 따라 많은 사람들은 파멸이 가까워졌다고 확신했다. 우르바누스의 군대 동원령은 커다란 반향을 불러일으켰다. 1096년, 수만 명의 남자들이 예루살렘을 향해 떠났다.[85]

많은 원천 자료들이 보여주듯이, 동방으로 떠난 사람들은 대부분 신앙과 함께 공포와 잔혹 행위에 대한 이야기에 자극을 받았다. 그러나 십자군이 주로 종교전쟁으로 기억되고 있기는 하지만, 가장 중요한 함의는 세속적인 것이었다. 지위와 부와 위신을 놓고 멀리 떨어진 땅에서 벌이는 유럽 강자들 사이의 첫 번째 큰 싸움이 시작되려 하고 있었다. 이 싸움을 촉발한 것은 보상을 받고자 하는 욕망이었다. 사태가 그렇게 급작스럽게 변하면서 서방은 스스로를 세계의 중심으로 가까이 끌어가려 하고 있었다.

8

천국으로 가는 길

십자군 전쟁

1099년 7월 15일. 예루살렘이 1차 십자군 기사들에게 함락되었다. 동방으로 가는 여정은 거의 견딜 수 없을 정도로 힘들었다. 출발했던 사람들 중 상당수는 성도에 가보지도 못하고 전투 중에 죽거나 질병과 굶주림으로 죽고 포로로 잡혔다. 십자군이 마침내 예루살렘에 도착하자 그들은 도시 성벽으로 다가가면서 기쁨과 안도의 눈물을 흘렸다.[1] 6주간의 포위 끝에 마침내 도시 성벽을 돌파하자 공격자들은 학살에 나섰다. 예루살렘은 곧 시체로 가득 찼다. 한 학살극 목격자는 이렇게 말했다.

"[시체가] 도시 성문 밖 언덕 위에 집채만 하게 [쌓였다.] 아무도 전에 그런 엄청난 살육이 있었다는 말을 들어본 적이 없었다."[2]

또 다른 작가는 몇 년 뒤에 이렇게 썼다.

"거기에 있었다면 죽은 자들의 피로 발목까지 더러워졌을 것이다. 내가 어떻게 말해야 할까? 그들 가운데 아무도 살아남지 못했다.

여자고 아이들이고 살려두지 않았다."[3]

성도 예루살렘을 점령했다는 소식은 들불처럼 퍼져나갔다. 원정 지도자들은 하룻밤 사이에 유명 인사가 되었다. 특히 한 사람이 대중의 상상을 사로잡았다. 전설적인 노르만 지도자의 아들이며 남부 이탈리아와 시칠리아에서 명성을 얻었던 보에몽 1세였다. 그는 1차 십자군에 관한 초기 기록에서 스타였다. 보에몽은 푸른 눈과 매끄럽고 힘찬 턱에 특유의 짧은 머리칼을 뽐내는 적당하게 멋진 사람으로, 용기와 간계를 보여주어 서유럽에서 화제가 되었다. 12세기 초 그가 동방에서 돌아오자 영웅으로 환대를 받았고 가는 곳마다 사람들이 몰려들었으며, 좋은 신부 후보들이 그 앞에 줄을 서서 선택을 기다렸다.[4]

보에몽은 막 떠오르려는 새로운 세계의 모든 것을 대표하는 듯했다. 당시 라틴 역사가들의 관점에서 보면 그는 권력을 동방에서 서방으로 이전하도록 보장하는 완벽한 부적符籍이었다. 기독교 세계는 수천 킬로미터를 행진해서 예루살렘에 입성한 용감한 기사들에 의해 구출되었다. 성도는 기독교도들에 의해 해방되었다. 동로마제국의 그리스 정교회에 의해서가 아니라 원정대의 절대다수를 차지했던 노르망디, 프랑스, 플랑드르 사람들에 의해서였다. 무슬림들은 그들이 수백 년 동안 통제해왔던 도시에서 쫓겨났다. 십자군 원정 직전에는 곧 다가올 세상의 종말에 관한 암울한 예측이 나돌았다. 이것이 이제 낙관론으로, 떠들썩한 자신감과 야망으로 바뀌었다. 5년 사이에 세상의 종말에 대한 두려움은 새로운 시대에 대한 환영으로 변했다. 새로운 시대란 바로 서유럽이 지배하는 시대였다.[5]

우트르메르Outremer('해외'라는 의미)에 새로운 기독교 통치자들이 지배하는 새로운 식민지들이 건설되었다(이들이 레반트 지역에 건설한 국가들의 총칭이 바로 우트르메르였다 ― 옮긴이). 이는 유럽 세력의 분명한 팽창이었다. 예루살렘, 트리폴리, 티로스(수르), 안티오키아는 모두 유럽인들의 통제하에 들어가고, 봉건 서유럽에서 들여온 관습법에 따라 통치되었다. 그것이 새로 도착한 사람들의 재산권에서부터 세금 징수와 예루살렘 왕의 권한에 이르기까지 모든 일에 영향을 미쳤다. 레반트는 서유럽처럼 움직이도록 개편되었다.

1차 십자군과 그 이후 정복한 땅들을 지켜내기 위해 200년에 걸쳐 막대한 노력이 투입되었다. 교황은 계속해서 유럽의 기사단에게 성지를 수호할 의무를 상기시켰다. 예루살렘의 왕을 위해 일하는 것은 하느님을 위해 일하는 것이나 마찬가지였다. 이 메시지는 강력하게 표현되고 널리 유포되었으며, 그 결과 많은 남자들이 동방을 향해 떠났다. 그들 가운데 일부는 성전聖殿기사단이 되었다. 그들은 열정에 찬 무공武功과 헌신과 독실함을 겸비하여 황홀할 정도로 매력적이어서, 특히 인기가 있는 새로운 조직이었다.

예루살렘으로 가는 길은 바로 천국으로 가는 길이 되었다. 1095년 1차 십자군이 시작되는 바로 그 순간에 교황 우르바누스 2세는 십자가를 메고 성도 원정에 참가하는 사람은 죄를 사면받을 것이라고 선언했다. 이것은 원정이 진행되는 과정에서 이교도와 싸우다 전사하는 사람은 구원의 길로 들어선 것이라는 관념으로 진화했다. 동방으로 가는 것은 현세에서의 여행이자 내세의 낙원으로 가는 방법이었다.

기독교와 교황과 기사단의 승리 이야기가 서방 기독교 세계에서 설교와 노래와 시로 교회와 술집에서 울려퍼지는 동안, 무슬림 세계에서의 반응은 대체로 무관심이었다. 예루살렘 함락 전과 그 직후에 십자군 전사들에 대처하기 위한 공동의 노력이 있었지만, 저항은 국지적이고 제한적이었다. 일부에서는 이런 자유방임적 태도에 대해 당혹스러워했다. 바그다드의 한 판사가 칼리프의 궁정으로 달려 들어가서 유럽의 군대가 쳐들어왔는데도 왜 가만히 있느냐며 비난했다고 한다. 그는 그 자리에 있던 사람들에게 이렇게 말했다.

"당신들은 어떻게 안전하다고 스스로를 속여 낮잠을 자면서 생명을 앞뜰의 꽃처럼 하찮게 만들고 있단 말이오? 시리아에 있는 당신네 형제들은 집에서 쫓겨나 낙타 등에서 자거나 독수리 배 속에 들어가고 있지 않소?"

바그다드와 카이로에서는 암묵적인 동의가 있었다. 아마도 기독교도들이 이 도시를 점령하는 편이 라이벌인 시아파나 수니파가 통제권을 갖는 것보다 낫다는 정서에 기인한 것이었으리라. 칼리프 주변의 일부 사람들은 이 이야기를 듣고 울었지만 대부분의 사람들은 냉담했다. 그리고 아무런 행동도 취하지 않았다.[6]

십자군 성공 스토리에 가려진 이야기들

1차 십자군의 성공은 유럽이나 팔레스타인의 유대인들에게 전혀 위안이 되지 않았다. 그들은 고결하다는 십자군 전사들이 저지르는 충격적인 폭력을 목격했다. 유럽에서 반유대주의가 갑작스럽게 끓어올라 라인 강 서쪽의 라인란트에서는 여자와 아이들, 노인들이 학살당했다. 유대인들은 서유럽이 다시 인력과 관심을 동방에 집중시킨 데 따른 대가를 치렀다.[7] 피를 보려는 충동의 저변에는 유대인들이 예수의 십자가 처형에 책임이 있으며 이스라엘 땅은 유럽의 기독교도들이 장악해야 한다는 생각이 있었다. 새로운 조직인 십자군이 레반트 지역으로 파고들어가는 것을 방해할 사람은 아무도 없었다.

십자군은 동로마인들에게도 역시 성공 스토리일 수는 없었다. 십자군과 그 간판 스타인 보에몽의 군사적 승리 뒤에는 조금 덜 영웅적인 이야기가 숨어 있었다. 영광스러운 성과와 화려한 성공 이야기가 아니라 제국에 대한 신의를 저버린 배신 이야기다.

원정 지도자들은 1096년부터 1097년까지 제국의 수도를 지나가면서 황제 알렉시우스 1세를 직접 만났으며, 이전에 동로마 땅이었던 도시와 영토들을 자기네가 정복하면 모두 동로마에 돌려주겠다고 약속했다. 성십자가 유물을 놓고 한 맹세였다.[8] 원정이 장기화되면서 보에몽은 이 약속을 깨고 전리품을 자신이 차지할 방도를 궁리했다. 가장 큰 전리품은 대도시 안티오키아였다.

그는 이 도시가 힘겨운 포위전 끝에 함락되자 도박을 했다. 그는 이 도시를 약속대로 동로마 황제에게 넘겨주기를 거부해서, 안티오키아 대성당에서 이 문제에 대해 해명하라는 추궁을 당했다. 이 시대의 가장 극적인 대결 가운데 하나였다. 모든 십자군 지도자들 가운데 가장 강력했던 툴루즈 백작 레몽 4세는 엄숙하게 그에게 약속을 상기시켰다.

"우리는 주님의 십자가와 가시 면류관, 그리고 많은 성스러운 유물 앞에 맹세했소. 황제의 동의 없이는 그의 영토에 있는 어떤 도시나 성도 차지하지 않겠다고 말이오."

보에몽은 그저 알렉시우스가 자기 의무를 지키지 않았기 때문에 맹세는 무효라고 말하고, 원정을 계속하는 것을 결단코 거부했다.[9]

이는 12세기 초에 전개된 뛰어난 선전활동의 흔적이었다. 이를 통해 보에몽은 십자군 승리의 주역이 되었으나, 그 영웅이라는 사람이 성도 예루살렘이 함락될 때 그 근처에는 가지도 않았다는 사실은 언급되지 않았다. 안티오키아를 둘러싼 난국을 해결하려고 애쓰면서 거의 한 해를 미적거리며 보낸 끝에 십자군 부대는 결국 보에몽을 남겨두고 출발했다. 예루살렘 포위전을 시작하기 전에 기사들이 하느님에게 감사를 표하기 위해 성 주위를 행진(일부는 겸손을 보이기 위해 맨발로 걷기도 했다)할 때 보에몽은 수백 킬로미터 떨어진 곳에서 새로운 전리품 위에 군림하고 있었다. 그 전리품은 순전히 고집과 냉혹함으로 확보한 것이었다.[10]

보에몽이 안티오키아와 그 주변 지역에 머무른 것은 동부 지중해 지역에서 특별한 기회를 발견했기 때문이다. 그런 의미에서 그의 안티오키아 점령은 그 이전 수십수백 년 동안 북유럽과 서유럽의 야심차고 유능한 사람들을 끌어당긴 유인 과정의 다음 단계였다. 십자군은 종교전쟁으로 인식되지만, 부와 권력을 축적하는 발판이기도 했다.

보에몽이 안티오키아를 넘겨주기를 거부하고 공격적이고 적대적인 행동을 보이자 기분이 상한 것은 동로마인들뿐만이 아니었다. 그의 지지자들이 퍼뜨린 알렉시우스에 대한 악의적인 이야기들이 유럽 곳곳에 떠돌고 있었다. 또한 애당초 십자군에 대해 전혀 열의를 보이지 않는 사람들도 있었다. 대표적인 사람이 시칠리아 백작 루제로 1세였다. 제 손으로 일군 재산을 위태롭게 하고 싶지 않은 노인 세대의 한 사람이었다. 한 아랍 역사가에 따르면 루제로는 예루살렘 공격 계획을 경멸하고 지중해 지역에 새로운 기독교계 식민지를 건설한다는 전망에 들뜬 사람들의 사기를 꺾으려 했다. 그는 예루살렘 점령 계획을 듣고 이런 반응을 보였다.

루제로는 자신의 발을 올리고 크게 방귀를 뀌었다. 그러고는 이렇게 말했다. "내가 진실이라고 믿는 바에 따르면, 거기에는 당신이 말하려는 것보다 더 많은 이득이 있지."

무슬림을 공격한다는 것은 그 자신과 북아프리카 무슬림 지도자들 사이에 마찰을 일으키고 교역을 중단시키는 일이었다. 무슬림 인구가 많은 시칠리아에는 더 말할 나위도 없었다. 그로 인한 소득 상실은 농산물 수입 하락으로 가중될 것이라고 그는 말했다. 틀림없이 수출이 막힐 것이기 때문이다. "당신이 무슬림을 상대로 성전을 벌이겠다면" 그렇게 하라고 그는 말했다. 다만 시칠리아는 절대로 끌어들이지 말라고 했다.[11]

루제로의 우려에는 근거가 있었다. 십자군이 시작되기 수십 년 전부터 지중해 지역 시장은 불안정 상태를 겪었다. 금융위기가 닥치자 콘스탄티노플의 구매력은 급격하게 떨어졌다. 예컨대 알렉산드리아에서 팔리는 인디고 염료의 가격은 1094년에 30퍼센트 이상 떨어졌다. 이는 후추, 계피, 생강 교역에도 영향을 미쳤을 것이다.[12] 팔레스타인을 경유하는 북아프리카와 유럽 사이의 수익성 좋은 교역(1085년에 브라질 나무가 150퍼센트의 이문을 남겼다)도 마찬가지로 위축을 겪었을 것이다.[13] 갑작스러운 수요·공급의 충격으로 가격이 출렁거렸을 것이다. 노르만인의 시칠리아 정복 이후 밀 가격이 급등했고, 11세기 중반 아마(亞麻)의 과잉 공급에 따라 지중해 지역에서 가격이 절반으로 폭락했던 것처럼 말이다.[14]

가격이나 부의 변동은 십자군의 충격으로 촉발된 지중해 지역의 변모에 비하면 아무것도 아니었다. 10세기와 11세기에는 무슬림 함대가 바다를 완전히 장악하고 있어서 기독교도들은 바다에 널빤지 하나도 떠올 수 없었다고 북아프리카의 역사가 이븐 할둔은 썼다.[15] 그러나 무슬림들이 오랫동안 지중해를 지배하기는 했지만, 그들은 새로운 경쟁자들에게 해상 통제권을 잃기 직전이었다. 그 경쟁자들이란 바로 동방의 거대 교역망의 가장 신참인 이탈리아의 도시국가들이었다.

신앙과 탐욕의 뒷거래

사실 아말피, 제노바, 피사, 베네치아 등은 1090년대 훨씬 이전부터 힘을 과시하고 있었다. 베네치아의 경우 노예와 기타 상품 교역을 통해 달마티아 해안의 자다르, 트로기르, 스플리트, 두브로브니크 같은 도시들과 밀접한 관계를 맺었다. 그것이 아드리아해 지역과 그 너머로 진출하는 디딤돌이 되었다. 이들 무역 기지들은 지역 시장 구실을 하고 긴 여행에서 쉬어갈 수 있는 안전한 장소를 제공했다.

이탈리아의 도시국가들이 콘스탄티노플과 다른 동로마제국의 도시들에 상인들의 영구 거류지를 가지고 있었다는 사실은 동부 지중해 지역과의 교역에 대한 관심이 늘어가고 있었음을 보여준다.[16] 이는 본국 이탈리아의 경제 성장을 촉진했다. 피사에서는 11세기 말에 막대한 부가 축적되어, 자신의 부를 과시하고 싶어 안달인 귀족들이 높은 탑을 세우자 주교와 시민들이 탑의 높이를 제한할 정도였다.[17]

이탈리아 도시국가들은 예루살렘 점령에서 상업적 가능성을 재빨리 발견했다. 제노바, 피사, 베네치아는 심지어 십자군이 성도에 도달하기도 전에 선단을 바다로 내보내 시리아와 팔레스타인으로 향하게 했다. 이들의 출항은 십자군 원정에 참여해달라는 교황의 호소에 대한 직접적인 응답이었거나, 동로마에서 온 목격자들과 사절들이 전하는 끔찍한 잔혹 행위로부터 기독교도를 보호하려는 충동에서 나온 것이었다.[18] 그러나 영적인 자극이 중요한 요인이기는 했지만, 막대한 물질적 보상이 제공되고 있음도 금세 분명해졌다.

예루살렘 점령 이후 십자군은 위험한 상황에 처해 보급이 절실하게 필요했고, 근거지인 유럽과 연결망을 갖추고자 필사적이었다. 따라서 도시국가의 함대들은 예루살렘의 새 지배자들과의 협상에서 유리한 위치에 있었다. 그들의 입지는 십자군이 성공적인 포위전에 나서기 위해 하이파, 야파, 아크레, 트리폴리 등의 해안과 항구를 확보할 필요가 커지면서 더욱 강화되었다.

협상이 타결되어 막대한 이익을 올릴 가능성이 생겼다. 예컨대 새로 도착한 베네치아는 1100년의 아크레 포위전에 참여하는 대가로 십자군이 점령하는 모든 도시에 교회와 시장 한 곳씩을 둘 것을 약속받았고, 동시에 적으로부터 노획한 전리품의 3분의 1을 받으며 모든 세금을 면제받기로 했다. 이는 어느 학자가 고전 베네치아의 '경건과 탐욕'의 혼합이라고 부른 것의 완벽한 사례였다.[19]

1101년 카이사레아가 포위되었을 때 유리한 교역 조건과 더불어 엄청나게 많은 전리품을 확보한 것은 제노바인들이었다. 그들의 입지는 3년 뒤 예루살렘의 왕 보두앵 1세가 제노바인들에게 포괄적인 면세 조치와 함께 각종 법적·상업적 권리를 제공하면서 더욱 강화되었다. 사형을 당할 범죄를 저질러도 치외법권을 누린 것도 그중 하나다. 그들은 또한 카이사레아 시의 3분의 1, 아르수프 시의 3분의 1, 아크레의 3분의 1을 양도받았고, 아울러 아크레의 세금 수입의 상당 부분을 받았다. 왕은 또한 제네바에 연공年貢을 지불하겠다고 약속하면서 군사적 지원을 해주면 전리품의 3분의 1을 주겠다고 했다.[20] 이런 협정들은 동방에서 십자군의 입지가 약하다는 징표였다. 거꾸로 도시국가들

에게는 지역 중심지에서 세계의 강국으로 변모할 수 있는 번영의 기반이었다.[21]

당연한 얘기지만, 이런 엄청난 보상은 피사, 제노바, 베네치아 사이의 극심한 경쟁을 촉발했다. 동방에 배를 보내는 데 미적거렸던 아말피는 경쟁에서 밀려났고, 이제 경쟁자들이 기회와 이권과 수지 맞는 사업 조건을 차지하기 위해 '큰 게임'을 벌였다. 피사와 베네치아는 이미 1099년에 베네치아가 로도스 섬 앞바다에서 50여 척에 달하는 피사의 소함대 배 가운데 28척을 격침시키며 툭탁거리기 시작했다. 포로와 나포된 배들은 풀어주었다. 나중의 자료에 따르면 베네치아인들은 예수의 십자가를 옷에 부착했을 뿐만 아니라(교황이 십자군에게 그렇게 하도록 지시했다) 마음에도 새겼기 때문에 아량을 보인 것이었다.[22]

이 특별한 다툼에는 배경이 있었다. 1092년 베네치아는 동로마제국 내에서 광범위한 교역상의 이권을 얻었다. 알렉시우스 황제가 경제를 활성화하기 위해 추진한 거대한 전략의 일환이었다. 이를 통해 베네치아인들은 콘스탄티노플 항에 상륙용 부교浮橋를 얻었고, 수출과 수입 관세를 모두 면제받았다.[23] 이에 따라 7년 뒤 베네치아인들의 가장 큰 관심은 피사인들을 이 시장에 들어오지 못하게 하고, 그럼으로써 자기네가 황제와 합의했던 매력적인 조건들을 보호하는 것이었다. 피사인들은 베네치아인들과 합의하는 과정에서 다시는 "성묘聖墓에 예배하는 일 이외에 교역을 위해" 동로마에 들어오지 않고, "어떤 형태로든 기독교도들에 맞서 싸우지 않겠다"고 동의하도록 강요당했다. 적어도 베네치아인들의 설명으로는 이것이 그동안 일어난 일들이었다.[24]

그런 협약을 강요하는 것은 그리 쉬운 일은 아니었다. 실제로 12세기 초에 동로마 황제는 전에 베네치아에 주었던 것과 다를 바 없는 특권을 피사에 주었다. 그만큼 관대하지 못할지는 모르지만 말이다. 피사 상인들 역시 제국 수도에 부두와 정박지를 얻었지만, 완전 면세는 아니고 관세 감면만 받았다.[25] 이는 베네치아인들의 독점을 막으려는 노력의 한 사례였다.[26]

동부 지중해 지역의 교역 패권을 둘러싼 이탈리아 도시국가들의 이전투구는 광포하고 무자비했다. 그러나 오래지 않아 베네치아가 확실한 승자로 떠올랐다. 이는 상당 부분 아드리아해에 면한 지리적 위치 덕분이었다. 동쪽에서 베네치아로 가는 것이 피사나 제노바로 가는 것보다 항해 시간이 짧았던 것이다. 또한 이 항로의 정박지들이 더 안전하게 여행할 수 있었던 점도 도움이 되었다. 위험한 펠로폰네소스 반도 지역을 빠져나오기만 하면 말이다. 베네치아의 경제가 더 강력하고 더 발달했던 점과 이 도시를 방해할 지역 경쟁자가 없었던 점도 유리하게 작용했다. 피사와 제노바가 그들이 위치한 리구리아 해안과 무엇보다도 그 건너편의 코르시카 섬의 통제권을 놓고 극심한 경쟁을 벌이다가 중요한 순간에 함께 레반트에서 밀려난 것과 대조적이다.[27]

이는 1119년 이른바 아제르상귀니스('피의 벌판') 전투에서 서방 기사들의 대군이 완전히 궤멸되자 베네치아에게 유리하게 작용했다. 이 패배는 독립된 십자군 국가(12~13세기 서유럽 십자군이 그리스, 아나톨리아, 레반트 지역에 세운 기독교 국가들 ─ 옮긴이)로서의 안티오키아의 생존 능력에 엄청난 타격을 주었다.[28] 피사와 제노바가 서로 옥신각신하는 사이에 안티오키아는 베네치아의 도제(중세 및 르네상스 시기 이탈리아 도시국가의 국가원수 ─ 옮긴이)에게 예수의 이름으로 도움을 청했다. 강력한 힘이 모아졌다. 당대의 한 너그러운 비평가가 말했듯이 베네치아인들이 "하느님의 도움을 받아 예루살렘과 그 인근 지역을 확대"하기를 원했기 때문이었다. "모두가 기독교 세계의 이익과 영광을 위해서"였다.[29] 더 중요한 것은 보두앵 2세가 도움을 요청하면서 그 대가로 새로운 특권을 주겠다고 약속했다는 점이다.[30]

베네치아인들은 이 기회를 이용하여 동로마인들에게 한 수 가르쳤다. 아버지 알렉시우스의 뒤를 이어 1118년에 즉위한 새 황제 요한네스 2세는 국내 경제가 충분히 회복되었으므로 20여 년 전 베네치아인들에게 주었던 특혜의 갱신을 거부하기로 했다. 그러자 베네치아인들은 함대를 동쪽 안티오키아로 보내는 길에 코르푸 섬을 포위 공격하고, 황제가 특혜를 갱신하지 않으면 추가 조치를 취하겠다고 위협했다. 대치가 이어진 끝에 황제는 아버지 대에 처음 주었던 특권들을 재확인했다.[31]

도제의 배들이 마침내 성지에 도착해서 거둔 성공은 이보다 더 큰 것이었다. 기민하게 상황을 판단한 베네치아인들은 예루살렘에 있는 서방 지도자들에게 대출을 해주었다. 무슬림들이 차지하고 있는 항구들을 공격하기 위한 자기네 군대의 유지비였다. 그 대가로 막대한 이자를 짜낼 수 있었다. 베네치아는 예루살렘 왕국의 모든 왕령 및 남작령男爵領 도시들에서 교회 하나와 거리 하나, 상당한 면적의 구역을 받게 되었다. 베네치아는 매년 연공도 받게 되었다. 이 지역의 주요 교역 중심지인 티로스의 장래 세금 수입이 담보였다. 이 도시가 1124년에 포위전 끝에 함락되자 베네치아는 예루살렘 왕국 전역에 적용되는 방대한 특혜를 얻음으로써 이 지역의 강자로 변모했다. 그저 거점을 지녔을 뿐이던 베네치아가 매우 강력한 위치를 차지하려고 획책하자 일부에서는 이들이 왕권을 위태롭게 할 수 있음을 깨닫고 곧바로 일부 조건을 약화시키고자 했다.[32]

이때는 표면적으로는 신앙과 열렬한 종교적 확신의 시대였고, 기독교라는 이름의 자기확신의 시기였다. 그러나 종교는 현실정치 및 돈줄을 쥐고 있는 사람들과 씨름을 해야 했다. 교회 지도자들도 그것을 알고 있었다. 동로마 황제 요한네스 2세가 안티오키아에 대한 권리를 주장하자 교황은 누구라도 동로마를 돕는 사람은 영원한 지옥에 떨어질 것이라고 모든 신도들에게 선언했다.[33] 이는 오로지 가톨릭교도 편을 즐겁게 하는 일과 관련이 있는 것이었지, 신학이나 교리와는 거의 관계가 없는 일이었다.

그러나 영적인 것과 물질적인 것이 뒤섞인 가장 좋은 사례는 1144년에 에데사를 무슬림에게 빼앗긴 뒤에 나왔다. 이는 십자군에게 또 하나의 좌절이었다. 유럽 전역에서 증원군을 편성하여 원정에 나서야 한다는 요구가 일어났고, 이것이 2차 십자군으로 이어졌다. 증원군은 카리스마 넘치고 정력적인 인물인 클레르보의 베르나르가 이끌었다. 그는 매우 현실적인 사람이었다. 죄를 사면해준다는 말과 순교하면 구원받는다는 말만으로는 동방으로 갈 사람들을 모을 수 없음을 알고 있었다. 그는 널리 유포된 편지에서 이렇게 말했다.

"상인과 하루빨리 거래를 원하는 사람들에게 이것은 엄청나게 좋은 기회입니다. 이 기회를 놓치지 마십시오!"[34]

12세기 중반이 되면 이탈리아 도시국가들은 동방에 구축해놓은 거점들을 이용하여 돈을 벌어들였다. 콘스탄티노플은 물론 동로마제국과 팔레스타인 해안의 주요 도시들에 우선적으로 접근할 수 있었던 베네치아인들은 이제 그 발판을 동부 지중해 전역으로 확장했다. 레반트 지역뿐만 아니라 머지않아 이집트에도 미쳤다. 일부에서는 시샘 어린 눈으로 바라보았다. 중세 제노바의 유명한 역사가 카파로 디 루스티코 Caffaro di Rustico가 대표적이었다. 그는 한탄조로, 1150년대의 제노바는 "잠이 들어 무관심 속에서 허우적거리고 있었다"라고 썼다. 그것은 "항해사도 없이 바다를 항해하고 있는 배나 마찬가지"[35]였다.

이 말은 다소 과장된 것이며, 제노바 정치를 지배하고 있던 유력 가문들에 대한 못마땅함이 묻어나고 있다. 실제로는 제노바 역시 이 시기에 번영을 구가하고 있었다. 십자군 국가들에서 누리는 특권을 정기적으로 재확인하고 있을 뿐만 아니라 서부 지중해 지역에서도 교역망을 구축하고 있었다. 1161년에는 모로코의 무와히드 왕조와 휴전에 합의하여 시장 진출과 공격으로부터의 보호를 약속받았다. 1180년대가 되면 북아프리카와의 무역이 제노바 상업활동의 3분의 1 이상을 차지했다. 창고와 여관 등 광범위한 사회 기반시설들이 연해 지역에 속속 들어서서 상인들을 지원하고 거래가 원활하게 이루어질 수 있도록 했다.[36]

제노바, 피사, 베네치아는 주위의 다른 소도시들이 줄지어 발달하도록 자극했다. 러시아에서 키예프가 했던 그대로다. 나폴리, 페루자, 파도바, 베로나 같은 도시들이 급속하게 성장했다. 새로운 교외가 빠르게 확장되어 도시 성벽이 계속 중심부에서 점점 멀리 옮겨져 다시 세워졌다. 실증 자료가 없어 인구 규모를 추정하기는 어렵지만, 이탈리아에서 시장이 흥성하고 중산층이 형성되며 소득이 증가하면서 12세기에 도시화가 크게 진척되었음은 의문의 여지가 없다.[37]

사상, 과학, 학문의 교류

역설적이지만 십자군 시대의 성장 배경에는 무슬림 세계와 기독교 세계가 안정되고 좋은 관계를 유지했다는 점이 있었다. 예루살렘 자체에서도, 그 밖의 지역에서도 마찬가지였다. 1099년 예루살렘 점령 이후 수십 년 동안 자주 충돌이 빚어지기는 했지만 심각한 수준은 아니었는데, 1170년대 말에 긴장이 극적으로 높아졌다. 전체적으로 보아 십자군은 자기네 지배 아래에 들어온, 그리고 더 먼 곳에 있는 다수 무슬림 주민들을 어떻게 다뤄야 하는지를 배웠다. 사실 예루살렘 왕은 자주 자기네 귀족들을 달래어 지나가는 상인단이나 이웃 도시들을 무분별하게 습격하지 못하도록 했다. 현지 지도자들의 반감을 불러일으키거나 바그다드 또는 카이로의 심각한 대응 조치를 유발할 수 있기 때문이었다.

예루살렘에 새로 도착한 일부 십자군은 이를 이해하기 어려웠고, 이에 따라 이들은 현지에서 지켜본 사람들이 인식했듯이 끊임없이 문제를 일으켰다. 신참자들은 '이교도'들과의 거래가 일상적으로 일어나는 것을 보고 의구심을 느꼈고, 실제로 사태를 유럽에서 출발하기 전에 생각했던 대로 그렇게 흑백 논리로 따질 수 없음을 알아차리는 데는 시간이 걸렸다. 시간이 지나면서 편견은 차츰 사라졌다. 동방에 한동안 머물렀던 서방 사람들은 "도착한 지 얼마 되지 않은 사람들에 비해 훨씬 나았다"라고 한 아랍 작가는 썼다. 그는 새로 도착한 사람들의 거칠고 상스러운 기질에 (그리고 기독교도가 아닌 모든 사람들에 대한 그들의 태도에) 질겁했다.[38]

무슬림 쪽에도 이런 식으로 생각하는 사람들이 있었다. 1140년대에 발표된 한 파트와(포고령)는 무슬림들에게 서방을 여행하거나 기독교도와 거래하지 말도록 요구하고 있다.

"우리가 그들 나라를 여행하면 물가가 오를 것이고, 그들은 우리로부터 많은 돈을 뜯어갈 것이다. 그들은 그 돈을 무슬림과 싸우고 무슬림의 땅을 공격하는 데 사용할 것이다."[39]

그러나 양쪽에서 격한 말을 쏟아내기는 했지만, 대체로 관계는 놀라우리만큼 조용하고 신중했다. 실제로 서유럽에서는 이슬람에 관해 상당한 호기심을 가졌다. 심지어 1차 십자군 당시에도 일부 사람들은 오래지 않아 무슬림 투르크인들에 대해 긍정적인 견해를 가지게 되었다. 예루살렘 원정을 다룬 인기 있는 역사서를 쓴 한 작가는 아쉬운 듯이 이렇게 썼다.

"투르크인들이 기독교와 기독교 세계에 대한 굳건한 믿음을 가졌더라면 좋았으리라. (……) 그들보다 더 강하고 더 용감하고 더 능숙한 병사들은 찾아볼 수 없다."[40]

이는 아마도 셀주크인들이 무슬림으로 개종하기 전의 과거 종교적 배경을 암시하는 것인지도 모른다.

서방 학자들은 오래지 않아 무슬림 세계의 과학적·지적 성과를 발견하고 탐독했다. 바스의 애덜라드 Adelard of Bath 가 대표적이다.[41] 그는 안티오키아와 다마스쿠스의 도서관들을 샅샅이 뒤져 기독교 세계의 수학 연구의 바탕이 되는 연산표演算表 사본을 가지고 돌아왔다. 이 지역 곳곳을 여행하는 것은 눈을 뜨는 일이었다. 그가 고국에 돌아와서 발견한 것은 이런 것이었다.

"군주는 야만스럽고, 주교는 술에 절어 있고, 판사는 뇌물이나 밝히고, 윗사람은 의지할 수 없고, 아랫사람은 알랑거리기나 하고, 약속하는 자는 거짓말쟁이고, 친구는 시샘이나 하고, 거의 모든 사람들이 욕심에 가득 차 있다."[42]

이런 관점은 기독교권 서방의 문화적 한계와 대비되는 동방의 세련미를 확고하게 인식함으로써 형성된 것이었다. 애덜라드만 그렇게 생각한 것은 아니었다. 몰리의 대니얼 Daniel of Morley은 12세기 후반에 공부를 하기 위해 잉글랜드를 떠나 파리로 갔다. 그 도시의 근엄한 지식인들은 근사해 보이려고 "조각상처럼 가만히" 앉아 "아무 말도 하지 않음으로써 지혜가 있는 것처럼 보이려" 했다. 대니얼은 이 사람들에게서 배울 만한 것이 없음을 깨닫고는 "되도록 빨리" 무슬림들이 사는 톨레도로 옮겨가서 "세계에서 가장 현명한 철학자들의 말을 듣고자" 했다.[43]

동방에서 온 사상들은 열심히 수용되었다. 들쑥날쑥하기는 했지만 말이다. 중세 프랑스의 신학 사상과 지적 사고의 본산이었던 클뤼니 수도원 원장 '가경자可敬者' 피에르는 코란의 번역을 추진했다. 자신과 다른 기독교도 학자들이 이슬람을 더 잘 이해하기 위해서였다. 그리고 틀림없이 이를 이슬람교가 비정상적이고 창피하고 위험하다는 기존의 관점을 강화하는 데 이용했다.[44]

서유럽인들이 영감을 얻기 위해 의지한 것은 무슬림 세계뿐만이 아니었다. 콘스탄티노플에서 만들어진 책들도 역시 라틴어로 번역되었다. 알렉시우스 1세의 딸 안나 콤네나의 주문에 따라 만들어진 아리스토텔레스의《니코마코스 윤리학》주석서 같은 것들이다. 이 책은 결국 토머스 아퀴나스의 손에 들어갔고, 그 뒤 기독교 철학의 주류 속으로 녹아들었다.[45]

마찬가지로 12세기 유럽의 경제적·사회적 개화開花의 한가운데에 있던 것은 무슬림들과의 교역만이 아니었다. 콘스탄티노플과 동로마제국이 지중해 기독교 세계 상업의 주요 원동력이었기 때문이다. 현재 남아 있는 이 시기의 기록으로 판단하자면, 동로마는 베네치아 국제무역의 절반을 차지하고 있었다.[46] 그렇기는 하지만, 그리고 동로마에서 온 유리, 금속세공품, 식용유, 포도주, 소금이 이탈리아, 독일, 프랑스의 시장으로 수출되고는 있었지만, 가장 인기 있고 수요가 많으며 이문이 큰 것은 더 먼 곳에서 온 물건들이었다.

비단, 무명, 리넨 등 지중해 동부와 아시아 중심부 및 중국에서 생산된 직물에 대한 수요는 엄청났다. 서유럽에서 나온 물품 목록과 판매 장부와 교회의 금고들이 이를 분명히 보여준다.[47] 레반트 지역의 도시들은 떠오르고 있는 시장에 투자했다. 안티오키아는 물건을 서쪽으로 실어 보내는 교역 중심지였고 그 자체가 생산 중심지로 자리 잡고 있었다. 안티오키아 옷감은 불티나게 팔리고 탐나는 것이어서 잉글랜드 왕 헨리 3세는 런던 탑과 클래런던 및 윈체스터의 궁전들, 그리고 웨스트민스터 등의 거처에 '안티오키아 방'을 만들었다.[48]

향신료 또한 점점 더 많은 물량이 동방에서 유럽으로 들어오기 시작했다. 이들은 콘스탄티노플, 예루살렘, 알렉산드리아 등 세 도시로 들어온 뒤 이탈리아의 도시국가들과 독일, 프랑스, 플랑드르, 영국 시장으로 운송되었다. 이들 지역은 이국적인 상품을 팔아 많은 돈을 벌었다. 어떤 면에서 동방에서 온 비싼 사치품을 사고자 하는 욕망은 스텝 유목민들이 중국 궁정에서 온 비단을 탐내는 과정과 비슷했다. 오늘날도 그렇지만, 중세 세계에서는 부자들이 지위를 과시하기 위해 남들과 차별화할 필요가 있었다. 비싼 물건과 상품을 거래하는 상인들은 바로 그런 역할을 해주는 존재로 부각되었다. 그 덕분에 상인들은 사회 유동성을 드러내고 열망을 키울 수 있었다.

예루살렘은 기독교 세계의 중심이라는 상징적인 도시였지만, 또한 그 자체로 상업 중심지로서의 역할도 하고 있었다. 다만 교역 중심지로서는 아크레에 미치지 못했다. 12세기 말 왕국의 세금 목록은 당시 그곳에서 거래된 물건 품목을 상세히 보여주는 동시에 당국이 귀중한 수입을 놓치지 않기 위해 세심하게 감시했음을 드러낸다. 세금은 후추, 계피, 명반明礬, 니스, 육두구, 아마, 정향, 침향, 설탕, 절인 생선, 향료, 소두구, 암모니아수, 상아 등에 매겨졌다.[49] 이들 상품의 거의 대부분은 예루살렘에서 나는 것이 아니고, 무슬림들이 장악하고 있던 교역로를 통해 운송되어오는 것이었다. 이집트의 항구들도 여기에 포함되는데, 이 시기 아랍의 세금에 관한 한 논문에 따르면 그곳에서는 엄청나게 많은 가짓수의 향신료와 직물과 사치품들이 수출되고 있었다.[50]

그렇기 때문에 역설적이지만 십자군은 서유럽의 경제와 사회를 자극하는 데 기여했을 뿐만 아니라, 새로운 시장이 많은 보상을 안겨줄 기회임을 알아챈 무슬림 중간상인들을 부자로 만들어주었다. 가장 약삭빠른 사람 가운데 하나가 페르시아만에 있는 시라프 출신의 라미시트라는 사람이다. 그는 12세기 초에 큰돈을 벌었는데, 중국과 인도에서 오는 상품들의 중간상인 노릇을 하며 늘어가는 수요를 맞추어주는 재주가 있었다. 그가 고용한 한 중개인은 한 해에만 50만 디나르어치가 넘는 상품을 실어왔다. 그의 재산은 전설적이었고, 그의 관대함도 마찬가지였다. 그는 은으로 만들어진 메카 카바의 분수를 금으로 바꾸는 데 돈을 댔으며, 카바에 걸친 천이 손상되자 새 천을 사는 데 직접 돈을 댔다. 이 시기의 기록에 따르면 그 중국산 천의 "가치는 헤아릴 수 없는" 것이었다. 그는 이런 선행을 베푼 덕분에 특별 대우를 받으며 메카에 묻혔다. 그의 묘비에는 이렇게 쓰여 있다.

"선주船主 아불카심 라미시트가 여기 누워 있다. 그에게, 그리고 그를 위해 은총을 비는 모든 사람들에게도 하느님의 은총이 내리시기를."[51]

큰돈이 걸려 있으니 경쟁이 격화될 수밖에 없었고, 중세의 '큰 게임'은 새로운 국면으로 접어들었다. 무슨 수를 쓰더라도 동부 지중해 지역에서 패권을 차지해야 했다. 1160년대가 되면 이탈리아 도시국가들 사이의 경쟁이 더욱 치열해져서 콘스탄티노플 거리에서는 베네치아, 제노바, 피사인들 사이의 싸움이 끊이지 않았다. 동로마 황제가 중재하려고 노력했지만 폭력 사태는 빈번하게 발생했다. 이는 아마도 상업적 경쟁이 격화된 결과이자 상품 가격이 하락했기 때문일 것이다. 무역 기지를 보호하기 위해서는 필요한 경우 힘을 동원해야 했다.

도시국가들의 이기주의는 수도 주민들의 반감을 샀다. 도시의 재산이 손상된 때문이기도 했고, 서방의 무력 시위가 다른 곳에서도 점점 뚜렷해지고 있었기 때문이다. 1171년, 동로마 황제 마누엘 1세는 점점 더 환멸을 느낀 끝에 수천 명의 베네치아인들을 가두는 방식으로 대응했다. 그러고는 일방적이고 예고 없는 조치에 대해 사과하기는커녕 이를 시정해달라는 요청마저 묵살했다. 도제 비탈레 미키엘 2세가 직접 콘스탄티노플까지 가서 문제를 해결해보려 했지만 실패하면서 베네치아의 상황은 과열되었다. 좋은 소식을 기다리며 모였던 군중의 실망은 분노로 바뀌었고, 급기야 폭력으로 번졌다. 도제는 산자카리아 수녀원으로 도망쳤으나, 그곳에 도착하기도 전에 군중에게 붙잡혀 린치를 당했다.[52]

동로마는 이제 더 이상 베네치아의 동맹자도 후원자도 아니었고, 그 자체가 적대자이자 경쟁자였다. 1182년 콘스탄티노플 주민들은 제국 수도에 거주하던 이탈리아 도시국가 사람들을 공격했다. 많은 사람들이 살해당했고, 그중에는 로마 가톨릭교회 대표자도 포함되어 있었다. 개가 그의 머리를 도시 거리에서 끌고 다녔다.[53] 이는 유럽을 반분하고 있던 두 기독교 세력 사이의 적대감의 시작일 뿐이었다. 1185년 동로마제국의 가장 중요한 도시 가운데 하나인 테살로니키가 남부 이탈리아에서 온 서방 군사들에 의해 약탈당했다. 서방은 1차 십자군을 통해 동부 지중해 지역에 그물을 가라앉혀놓았다가 이제 거기에 걸린 먹잇감을 끌어올리고 있었다.

살라딘의 예루살렘 점령

그러나 긴장은 어떤 사람들에게는 기회를 제공했다. 서방에는 살라딘으로 알려진 유명한 지휘관 살라흐 앗딘 유수프 이븐 아이유브라는 사람은 한동안 이집트에서 두각을 나타내고 있었다. 연줄이 좋고 약삭빠르고 매력적인 그는 콘스탄티노플에서 일어난 충돌 사태가 자신에게는 기회라는 것을 알아차렸다. 그는 재빨리 동로마 달래기에 나섰다. 그리스 정교회의 예루살렘 총대주교를 다마스쿠스로 초청하여 후하게 대접하면서, 서방의 가톨릭교도들이 아니라 자신이 제국의 자연스러운 동맹자임을 보여주었다.[54]

1180년대 말에 동로마 황제 이사키우스 2세는 호의를 가지고 "[나의] 형제인 이집트 술탄 살라흐 앗딘에게" 편지를 써서 정보 보고 내용을 알려주었다. 그는 자신의 적들이 꾸며낸 제국의 의도에 관한 소문은 터무니없다며, 서방 사람들에 맞서 지원군을 보내달라고 요청했다.[55]

콘스탄티노플에서는 수십 년 동안 반反서방 정서가 팽배해 있었다. 12세기 중반의 한 작가는 서유럽에서 온 사람들이 믿을 수 없고 탐욕스러우며 돈을 위해서라면 가족까지 팔아먹으려 한다고 비난했다. 이른바 순례자들은 자신이 독실하다고 주장하지만, 사실은 탐욕으로 가득하다고 한 황제의 딸은 썼다. 그들은 끊임없이 이 제국의 도시를 점령하고 제국의 명예를 손상시키며 같은 기독교도를 해치려 음모를 꾸미고 있었다.[56] 12세기 말과 특히 1204년 이후에 동로마 사람들 사이에서는 이런 생각이 굳어지고 널리 퍼져 있었다.

'성지' 예루살렘에서도 마찬가지였다. 기사들은 너무도 폭력적이고 무책임해서 마치 죽으려고 하는 사람들 같았다. 12세기 말에는 몇 번이나 주요 인물들이 어리석은 결정을 내리고, 서로 쓸데없는 싸움을 걸며, 경고음이 들리는데도 자기네에게 닥쳐오는 해일에 대비하지 못했다. 그들의 행동은 이 시기에 알안달루스에서 온 한 무슬림 방문자를 어리둥절하게 했다. 정치와 싸움의 문제에서는 기독교도와 무슬림 사이에 "불화의 불길"이 타오르는데 교역 문제에서는 여행자들이 "아무런 방해를 받지 않고 오가는"[57] 모습을 보고 놀랐다고 이븐 주바이르Ibn Jubayr는 썼다.

상인들은 자기네가 어디를 가든 안전하다고 확신할 수 있었다. 그들이 어떤 신앙을 가졌는지도 상관없었고, 그곳에서 전쟁이 벌어지건 말건 상관없었다. 이는 잘 돌아가는 관계 덕분이라고 이븐 주바이르는 썼다. 상호 조세 협정이 협조를 보장했고, 엄한 처벌 역시 도움이 되었다. 이 협정을 존중하지 않고 합의된 영역을 침범하는 라틴 상인들은 무슬림들과 관계가 틀어지지 않으려고 노심초사하는 같은 기독교도들에 의해 목이 잘리거나, 오랫동안 유지해왔던 거래 관계가 끊어졌다. 그 침범의 정도가 '두어 발짝'에 불과할지라도 말이다. 이븐 주바이르는 어리둥절하기도 하고 감명을 받기도 했다. 그것은 "가장 기분 좋고 특이한 [서방 사람들의] 관습 가운데 하나"였다.[58]

예루살렘 궁정이 자기네 문제에 몰두하면서 경쟁 파벌들 사이의 내분은 고질병이 되었다. 이에 따라 성공을 과신하는 고집 세고 야심찬 인물들이 떠오를 완벽한 상황이 조성되었고, 기독교도와 무슬림 사이의 관계에 엄청난 타격을 입혔다. 이들 가운데 가장 중요한 사람이 샤티용의 르노Renaud de Châtillon였다. 그는 무모한 짓을 저질러 거의 혼자서 예루살렘 왕국을 무너뜨렸다.

'성지' 예루살렘 탈환전에 참전했던 르노는 살라흐 앗딘이 이집트에서 입지를 강화하면서 압박이 커지고 있음을 인식했다. 특히 살라흐 앗딘이 시리아의 대부분을 장악함으로써 자기네 기독교 왕국을 포위하게 된 이후에 그랬다. 위협을 누그러뜨리려는 르노의 시도는 떠들썩한 실패로 끝났다. 홍해의 아카바 항을 공격하겠다는 성급한 결정은 아랍의 비판자들로부터 히스테리에 가까운 반응을 불러일으켰다. 그들은 메디나와 메카가 위협을 받고 있으며 파멸과 세상의 종말이 임박했다고 울부짖었다.[59]

그런 움직임은 적대적인 것이었다. 뿐만 아니라 살라흐 앗딘이 이 십자군 국가에 일격을 가할 수 있다면 그는 더욱 높은 명예와 인기를 얻을 터였다. 당대의 한 무슬림 작가는 르노가 동방에 간 모든 기독교도들 가운데 "가장 믿을 수 없고 가장 악독하며, (……) 해악을 끼치고 나쁜 짓을 일삼으며 굳은 약속과 엄숙한 맹세를 깨고 자신이 했던 말을 뒤집고 거짓말을 하는 데 가장 열심인 사람"이라고 썼다. 살라흐 앗딘은 "그의 목을 치겠다"고 맹세했다.[60]

그는 곧 기회를 얻었다. 1187년 7월, 예루살렘 십자군 왕국의 기사들이 카르네이히틴에서 포로가 되었다. 살라흐 앗딘은 이곳에서 벌어진 싸움에서 그들을 압도하고 의표를 찌르며 승리를 거두어, 서방의 병사 거의 모두를 죽이거나 사로잡았다. 포로가 된 참전 기사들, 특히 병원기사단과 성전기사단은 즉결 처형되었다. 이들은 비기독교 공동체와는 타협할 의지가 전혀 없는 골수파였다. 살라흐 앗딘은 직접 르노를 찾아내서 목을 베었다. 르노가 십자군을 죽음으로 몰아넣은 주범이었는지의 여부는 논란이 있지만, 그는 패배한 라틴 사람들이나 승리한 무슬림 양쪽 모두에 편리한 희생양이었다. 진실이야 어떻든, 전투가 끝나고 겨우 두 달 뒤에 예루살렘은 무슬림들에게 평화적으로 항복했다. 도시 주민들을 살려주는 평화 조건이 합의된 뒤 성문이 활짝 열렸다.[61]

기독교 세계의 반격

예루살렘 함락은 기독교 세계에 굴욕적인 일격이었고, 유럽이 동방과 관계를 유지하는 데 중대한 차질을 빚게 했다. 교황은 이 소식을 듣고 언짢아했다. 우르바누스 3세는 카르네이히틴 전투의 패배 소식을 듣고 그 충격으로 급사했음이 틀림없다.

그의 뒤를 이은 그레고리우스 8세는 자기반성을 했다. 성도 예루살렘은 "그 주민들의 죄" 때문만이 아니고 "우리 자신과 전체 기독교도들의 죄" 때문에 함락되었다고 신도들에게 선언했다. 무슬림 세력이 떠오르고 있으며 그들을 막지 않으면 더 전진할 것이라고 그는 경고했다. 그는 서로 아웅다웅하는 왕들과 군주들, 귀족들과 도시들은 이제 싸움을 그만두고 힘을 합쳐 대응해야 한다고 강조했다. 이는 기사단이 믿음과 경건에서 출발했다는 온갖 미사여구에도 불구하고 실제로는 사리사욕 추구와 지역 간 대립 및 다툼이 만연했다는 사실을 솔직하게 인정한 것이었다. 예루살렘이 함락된 것은 기독교도들이 자기네가 믿는 것을 위해 일어서지 못했기 때문이라고 교황은 말했다. 죄와

악이 그들을 뒤덮고 있었다.[62]

이 자극적이고 귀에 거슬리는 메시지는 즉각적인 효과를 가져왔다. 오래지 않아 서방에서 가장 힘센 세 사람이 복수 원정에 나설 준비를 시작했다. 잉글랜드의 리처드 1세와 프랑스의 필리프 2세, 독일 신성로마제국의 강력한 '바르바로사' 프리드리히 1세가 성도를 수복하겠다고 맹세했다. 예루살렘 재점령뿐만 아니라 서아시아에서 기독교도들이 제 위치를 다시 찾을 가능성도 있는 것으로 보였다.

그러나 1189년부터 1192년까지 기울인 노력은 완전한 실패였다. 프리드리히는 소아시아에서 강을 건너다가 물에 빠져 죽었다. 자신이 맡기로 한 전투 구역을 수 킬로미터 앞둔 곳이었다. 전략적 목표를 둘러싸고 지도부 사이에 격렬한 논쟁이 벌어졌고, 의견이 일치하지 않아 군대는 멈춰 서야 했다. 이는 '사자심왕' 리처드가 원정군을 예루살렘에서 돌려 더 풍요롭고 군침이 도는 전리품인 이집트 점령에 초점을 맞추고자 했던 시도에서 전형적으로 나타났다. 실제로 원정은 항구적인 소득은 별로 없었고, 예루살렘을 압박하는 데도 실패했다. 사실 지도자들이 고국으로 떠나기 전에 레반트 지역의 최대 상업 중심지인 아크레에 시선을 돌린 것은 놀라운 일이었다. 그곳은 성서나 종교적 관점에서는 아무런 가치가 없는 곳이었다.[63]

거의 10년 뒤에 '성지'를 수복하기 위한 또 하나의 시도가 이루어졌다. 이번에는 베네치아가 공격의 주춧돌이 되어서, 병사들을 배에 실어 동쪽으로 수송했다. 처음에는 돕기를 망설이던 베네치아 도제는 결국 계획을 지원하기로 했다. 원정에 필요한 많은 병사들을 수송하는 데 필요한 함대 건조 비용을 참여자들이 대겠다는 약속을 받은 뒤였다. 베네치아인들은 또한 앞으로 원정 방향을 자기네가 정하겠다고 고짐을 부려, 함대가 예루살렘에 물자를 공급하는 항구 쪽이 아니라 이집트 쪽을 향하도록 요구했다. 이 계획에 깊숙이 관여했던 한 사람은 이 결정에 대해 이렇게 말했다.

"[이는] 일반 대중에게는 극비에 부쳐졌다. 우리가 해외로 간다는 사실만 발표되었다."[64]

원정은 하늘이 정한 일이었고, 참여하는 사람에게는 영적인 구원과 많은 보상이 약속되었다. 이집트의 부는 전설적이었다. 그곳 사람들은 "호화로운 생활을 하고" 있고, "해안 지역과 저 멀리 내륙의 양쪽에서 들어오는 세금" 덕분에 엄청나게 부유하다고 이 시대의 한 작가는 썼다. 이것이 "막대한 연간 수입"을 만들어낸다고 그는 탄식하며 이야기했다.[65]

베네치아인들은 무엇이 걸려 있는지를 잘 알고 있었다. 자기네 도시가 전통적으로 이용해오던 동방으로 가는 간선로는 격변을 겪고 불안정해졌기 때문이다. 살라흐 앗딘의 성공 이후의 격변에 따라 동로마가 불안정한 시기로 들어서자 베네치아인들은 알렉산드리아와 나일강 하구의 항구들에 접근하려고 필사적으로 노력했다. 과거에는 주목을 덜 받던 곳들이었다. 1200년 이전에는 아마도 베네치아 무역 가운데 이집트가 차지하는 비중은 겨우 10퍼센트 정도였을 것이다.[66] 베네치아는 전에는 피사와 제노바에 밀리고 있었다. 두 도시는 베네치아에 비해 압도적인 우위를 지키고 있었다. 교역 물량에서나, 그들이 구축해놓은 홍해를 통해 들어오는 (육로를 통해 콘스탄티노플과 예루살렘으로 들어오는 대신) 상품들의 거래처에서나 마찬가지였다.[67] 보상이 그 위험을 감수할 만큼 컸기 때문에 베네치아는 대규모 함대를 건조하는 데 동의했다. 이 일을 하려면 다른 일은 거의 2년 동안 중단해야 했음에도 그런 결정을 내렸다.

그러나 막상 참여를 희망하는 사람은 예상보다 적었다. 베네치아는 손해를 볼 위기에 처했다. 그리고 일은 이제 십자군에게 떨어졌다. 방침은 원정 도중에 즉흥적으로 만들어졌다. 1202년, 함대가 달마티아 해안의 자다르에 도착했다. 오랫동안 베네치아와 헝가리는 이 도시를 두고 분쟁을 벌이고 있었다. 공격이 임박하자 당황한 주민들은 십자가가 그려진 깃발을 성벽 위에 내걸었다. 뭔가 해묵은 오해가 있으며, 기독교도 군대가 아무런 이유 없이 기독교도들의 도시를 공격할 리 없다고 여긴 것이다. 그것도 교황 인노켄티우스 3세가 내린 특별 지시를 어기면서 말이다. 그러나 도시는 공격을 모면할 수 없었다. 베네치아는 기사들로부터 무지막지하게 뜯어냈다.[68]

십자군이 그런 행위를 어떻게 정당화할까 고민하고 다음에 할 일을 논쟁하는 가운데 귀중한 기회가 저절로 굴러들어왔다. 자신이 동로마의 대권을 가져야 한다고 주장하는 어떤 사람이 자신을 도와주면 군대에 넉넉한 보상을 해주겠다고 제안한 것이다. 자신들은 예루살렘으로 가고 있다고 생각했지만 사실은 이집트로 가고 있던 군대는 동로마 수도 성벽 밑에서 어느 쪽을 선택할지를 저울질했다. 도시 내 파벌들이 협상을 질질 끌자 십자군은 도시를 점령해서 이 도시와 제국의 다른 지역들을 나눠 가지는 쪽으로 방향을 틀었다.[69]

콘스탄티노플 약탈

베네치아는 이미 아드리아해와 지중해 지역에서 교묘하게 자신들의 이익을 지키는 방법을 터득하고 있었다. 그들은 자다르를 직접 통제함으로써 그 입지를 강화했다. 이제 무엇보다도 큰 전리품을 손아귀에 넣을 기회가 생겼고, 그렇게 하면 동방과 직접 접촉하는 통로를 확보할 터였다.

1204년 3월 말, 그들은 노바 로마로 불리는 콘스탄티노플을 포위하기 위해 주어진 위치로 이동했다. 4월 둘째 주에 총공격이 개시되었다. 무슬림의 손에 있는 도시들을 공격할 때 사용하려던 사다리, 충차 衝車, 투석기가 세계에서 가장 큰 기독교 도시를 공격하는 데 사용되었다. 이집트와 레반트의 항구들을 봉쇄하기 위해 설계되고 건조된 배들이, 해상에서 도시 동북쪽의 유명한 크리소케라스만으로 접근하는 것을 막기 위해 사용되었다. 하기아소피아 대성당이 훤히 내려다보고 있는 가운데 말이다.

전투 전날 밤 주교들은 전쟁이 "정당한 것이며, 그들은 틀림없이 [동로마를] 공격해야 한다"라고 서유럽 사람들을 안심시켰다. 경제적 이익이 걸려 있을 때마다 내세우는 교리 분쟁을 언급하면서 사제들은 콘스탄티노플 주민들이 공격을 당해 마땅하다고 주장했다. 동로마인들은 "로마의 법은 아무것도 아니다"라고 선언했으며 "그것을 믿는 사람들을 개라고 불렀다"는 게 이유였다. 그들은 동로마인이 유대인보다 나쁘다고 십자군에게 말했다.

"그들은 하느님의 적입니다."[70]

성벽이 돌파되자 혼란스러운 모습이 이어졌다. 서방 사람들이 시내에서 광란을 벌인 것이다. 그들은 자기네가 들은 불쾌한 말들로 인해 종교적 광란에 휩싸여 도시의 교회들을 약탈하고 파괴했다. 하기아소피아의 귀중품 창고를 습격해서 성인들의 유물을 담은 보석 박힌 그릇을 훔치고, 십자가에 달린 예수의 옆구리를 찔렀던 창을 가지고 장난을 쳤다. 성찬식을 영광스럽게 하기 위해 사용하는 은과 귀금속

제품들도 털어갔다. 약탈물을 싣기 위해 끌고 온 말과 당나귀들이 반질반질한 대리석 바닥에 미끄러져 "피와 오물"로 더럽혔다. 상처에 모욕을 더하려는 듯이 목청 큰 매춘부가 총대주교의 자리에 앉아 외설스러운 노래를 불러댔다. 한 동로마인 목격자가 보기에 십자군은 적敵그리스도와 다를 바가 없었다.[71]

수많은 원자료들은 이런 이야기들이 결코 과장된 것이 아님을 밝혀준다. 한 서방 수도원장은 12세기에 황실에서 건립한 판토크라토로스 수도원에 들어가서 사제에게 이렇게 명령했다.

"여기 있는 가장 영검한 성인의 유물들을 내놓아라. 안 내놓으면 바로 죽여버리겠다."

그는 교회의 보물들이 가득 찬 궤짝을 발견하고는 "두 손을 마구 쑤셔 넣었다." 나중에 다른 사람들이 그에게 어디에 갔다 왔는지, 뭐라도 훔친 것이 있는지 묻자 그는 고개를 끄덕이고 미소를 지으며 딱 한마디 했다.

"한몫 잡았지."[72]

그러니 동로마의 한 주민이 도시를 떠날 때 땅바닥에 엎드려 울고는 성벽을 원망했던 것도 놀랄 일이 아니다.

"저것만이 꿈쩍도 하지 않고, 눈물을 흘리거나 무너져 내리지도 않았다. 저것은 여전히 서 있고, 너무도 꼿꼿하다."

성벽은 마치 그를 조롱하는 듯했다. 어떻게 저것이 도시를 지켜주지 않을 수가 있나? 도시의 영혼 자체가 1204년 광란을 벌인 병사들에 의해 찢겨버렸다.[73]

콘스탄티노플의 재물들이 서유럽 전역의 교회로, 성당으로, 수도원으로, 그리고 개인 소장처로 반출되었다. 경마장에 우뚝 서 있던 말

조각상은 배에 실려 베네치아로 옮겨져서, 산마르코 대성당 입구 위에 올려졌다. 무수한 유물들과 귀중품들이 이 도시로 수송되어 아직까지 그곳에 있다. 지금은 전리품이 아니라 훌륭한 기독교 예술품의 사례로 관광객들의 찬탄을 자아내고 있다.[74]

그걸로 끝이 아니라는 듯이, 콘스탄티노플 공격을 보기 위해 베네치아에서 온 늙은 장님 도제 엔리코 단돌로가 이듬해에 죽자 그가 하기아소피아에 묻혀야 한다는 결정이 내려졌다. 그는 이 대성당에 묻힌 사상 최초의 인물이 되었다.[75] 그것은 유럽의 융성에 대해 많은 것을 이야기해주는 상징적인 사건이다. 수백 년 동안 사람들은 재산을 늘리고 야망(영적인 것이든 물질적인 것이든)을 실현하기 위해 동쪽을 바라보았다. 기독교 세계에서 가장 크고 가장 중요한 도시를 약탈하고 점령한 일은 유럽인들이 세계의 부와 권력의 중심지에 더 가까이 가기 위해 스스로 원하는 (그리고 필요한) 일은 어떻게 해서라도 할 것임을 보여주었다.

서방 사람들은 사람처럼 생겼지만 짐승처럼 행동했다고, 한 유명한 그리스인 성직자는 슬픔에 잠겨 썼다. 처녀들이 강간당하고 죄 없는 희생자들이 창칼에 찔리는 등 동로마 사람들이 한없이 잔인하게 다뤄졌다고 덧붙였다. 도시 약탈이 너무도 악랄했기 때문에 현대의 한 학자는 4차 십자군 이후에 '잃어버린 세대'가 생기고 동로마제국 조직이 소아시아의 니케아에서 재편(십자군이 수도를 점령하여 라틴 제국을 세운 뒤 각지에 동로마 계승 국가들이 들어섰는데, 그 가운데 니케아 제국이 가장 대표적인 나라였다 — 옮긴이)되었다고 썼다.[76]

한편 서방 사람들은 제국의 영토 분할에 나섰다. 그들은 동로마의 세금 장부들을 조사해보고 나서 《로마제국 영토의 분할 Partitio terrarum imperii Romaniae》이라는 제목의 새 문서를 만들었다. 누가 어느 곳을 차지하느냐를 정한 것이었다. 그것은 돌발적이거나 마구잡이로 진행되지 않았고, 냉정하고 계산된 분할이었다.[77] 처음부터 보에몽 같은 사람들은 십자군(그들은 기독교 세계를 지키고, 주님의 일을 하며, 십자가를 지는 많은 사람에게 구원을 전해준다고 약속했다)이 다른 목적에 이용될 수 있음을 보여주었다. 콘스탄티노폴 약탈은 스스로를 동방과 연결하고 그 안에 끼워넣고자 하는 유럽의 열망이 최고조에 이르렀음을 보여준 사건이었다.

관심은 다시 이집트로

동로마제국이 해체되면서 피사, 제노바, 베네치아 등 이탈리아 도시국가들을 필두로 한 유럽인들은 전략적·경제적으로 중요한 지역, 도시, 섬들을 점령하는 일에 뛰어들었다. 누군가는 손해를 봐야 하는 일이었다. 서로가 가장 좋은 기지를 얻고 시장에 가장 잘 접근하기 위해 경쟁하면서 함대들이 크레타 섬과 코르푸 섬 앞바다에서 자주 충돌했다.[78] 육상에서도 영토와 지위를 놓고 쟁탈전이 벌어졌다. 특히 동로마제국의 곡창인 비옥한 트라케 평원에서 치열했다.[79]

관심은 다시 이집트 쪽으로 옮겨갔다. 그곳은 1218년에 대규모 원정의 초점이 되었다. 그들의 목표는 나일 강 삼각주에서 이스라엘까지 싸우며 나아가는 것이었다. 아시시의 프란체스코가 부대에 합류하여 배를 타고 남쪽으로 갔다. 술탄 알말리크 알카밀을 설득해서 이슬람교를 버리고 기독교도로 개종시키겠다는 포부를 가지고 있었다. 카리스마 넘치는 프란체스코지만 직접 그렇게 할 기회가 주어진다 하더라도 이룰 수 없는 포부였다.[80]

십자군은 1219년에 다미에타를 점령한 뒤 카이로를 향해 진군하려고 했다. 그것은 개종하지 않은 알카밀을 만나 재앙의 여정으로 끝났고, 결국 원정은 불명예스럽게 중단되고 말았다. 지도자들이 협상 조건에 응하겠다는 제안을 보내는 것을 고려하면서 앞으로 어떤 행동을 취해야 할지 갑론을박하고 있을 때, 거의 기적 같은 소식이 들려왔다.

이집트에 맞서 서방 기사들을 돕기 위해 아시아 내륙에서 대군이 진격해오고 있다는 소식이었다. 그들은 진군하면서 모든 저항을 물리치고 십자군을 구원하러 달려오고 있었다. 구원군의 정체는 곧 분명해졌다. 이들은 사제왕 요한의 군대였다. 요한은 광대하고 놀랄 만큼 부유한 왕국의 지배자였으며, 왕국 주민들은 아마존 부족, 브라만, 이스라엘의 잃어버린 부족들, 그리고 여러 신화적이거나 반半신화적인 사람들이었다. 사제왕 요한은 표면적으로는 기독교 왕국일 뿐만 아니라 거의 지상천국이라 할 수 있는 나라를 지배했다. 12세기부터 나타나기 시작하는 편지들은 그의 기품이나 그가 지배하는 왕국의 영화에 관해 조금도 의문을 품지 않는다.

"나 사제왕 요한은 모든 왕들의 왕이다. 나는 부와 덕성과 권력에서 전 세계 모든 왕들을 능가한다. (······) 우리 땅에는 젖과 꿀이 흘러 넘치며, 독이 아무런 해를 끼치지 않고, 시끄럽게 우는 개구리도 없다. 풀밭에는 전갈도, 뱀도 기어 다니지 않는다."

이 나라에는 에메랄드와 다이아몬드, 자수정과 기타 보석들이 많고, 후추와 영약靈藥도 풍부하여 모든 질병을 치료할 수 있다고 했다.[81] 그가 오고 있다는 소문은 이집트에서 내려지는 결정에 영향을 미치기에 충분했다. 십자군은 평정을 유지할 필요가 있었고, 승리는 확실해

보였다.[82]

이는 유럽인들이 아시아를 경험한 초기 학습이었던 것으로 드러났다. 무엇을 믿어야 할지 잘 알 수 없었던 십자군은 소문에 큰 기대를 걸었다. 그 소문은 1140년대에 중앙아시아에서 셀주크 술탄 아흐메드 센제르Ahmed Sencer가 패퇴한 이후 수십 년 동안 유포되었던 이야기를 떠올리게 했다. 이 사건은 셀주크 제국 너머에 있는 세계에 대해 복잡하고 낙관적인 생각을 만들어냈다. 군대가 바람처럼 진군하고 있다는 소식이 캅카스를 휩쓸었고, 소문은 금세 사실로 드러났다. '사제'들이 십자가와 휴대용 천막을 가지고 서쪽으로 향하고 있다고 했다. 그 천막으로 교회를 세울 수도 있었다. 기독교 세계의 해방은 손에 잡힐 듯했다.[83] 다미에타의 한 고위 성직자는 이를 이렇게 요약했다.

"두 인도의 왕 다윗이 기독교도들을 돕기 위해 길을 재촉하고 있습니다. 그는 하느님을 두려워하지 않는 사라센인들을 짐승처럼 집어삼킬 사나운 군대를 거느리고 있습니다."[84]

이 이야기가 얼마나 터무니없는 것이었는지는 금세 드러난다. 동방에서 들려오는 소문은 사제왕 요한도 아니었고, 그의 아들 '다윗 왕'도 아니었고, 교우들을 도우러 진군해오는 기독교도 부대도 아니었다. 그것은 전혀 다른 존재의 도착을 예고하는 소문이었다. 십자군 쪽을 향한 (그리고 유럽 쪽을 향한) 것은 천국으로 가는 길이 아니었다. 그것은 곧바로 지옥으로 인도하는 것처럼 보이는 길이었다. 그 길을 따라 달려오고 있는 것은 몽골족이었다.[85]

9

지옥으로 가는 길

초원의 지배자

이집트에서 느껴진 작은 진동은 세계의 반대편에서 온 것이었다. 11세기 말에 몽골족은 중국과 스텝 세계의 경계 북쪽 언저리에 살던 여러 종족 가운데 하나였다. 당대의 한 사람은 그들을 이렇게 묘사했다.

"짐승처럼 살고 있고, 이끌어줄 종교나 법도 없으며, 야생 동물들이 풀을 뜯는 것처럼 그저 한 곳에서 또 다른 곳으로 떠돌아다닌다."[1]

또 다른 작가는 이렇게 썼다.

"그들은 약탈과 폭력, 부도덕함과 방탕을 남자다움과 뛰어남의 징표로 생각한다."[2]

그들의 외모 역시 혐오스럽게 생각되었다. 4세기의 훈족과 마찬가지로 그들은 "개와 쥐의 외피"를 쓰고 있었다. 이는 외부 관찰자가 유목민의 행동과 습성에 대해 이야기할 때 자주 등장하는 묘사다.

몽골족은 무질서하고 살벌하고 믿을 수 없는 것처럼 보였지만, 그들이 떠오른 것은 무질서의 결과가 아니라 그 정반대였다. 무자비한 계획과 효율적인 조직, 일련의 전략적 목표들이 역사상 가장 큰 육상 제국을 건설한 핵심 요인이었다. 몽골의 변신을 자극한 사람은 '대장장이'라는 뜻의 이름을 가진 테무진이라는 지도자였다. 오늘날 우리는 그를 '세계의 지배자' 또는 어쩌면 '사나운 지배자'라는 뜻의 칭기즈칸이라고 부른다.[3]

칭기즈칸은 부족 연맹 안의 유력 가문 출신이었고, 태어나는 순간부터 운명이 예언되었다. 그는 "오른손에 손가락 마디뼈 크기의 핏덩이를 움켜쥐고" 있었다. 이는 앞길에 영광이 있으리라는 좋은 징조로 해석되었다.[4] 칭기즈칸은 중세에 무시무시한 평판을 얻었고 그것이 지금까지 이어지고 있지만, 그는 자신의 지위와 권력을 서서히 확립했다. 다른 부족 지도자들과 타협을 하고, 약삭빠르게 동맹자를 선택했다. 그는 또한 적을 잘 골랐고, 무엇보다도 그들과 대결을 벌일 적절한 시점을 잘 포착했다.

그는 자신의 가장 충성스러운 추종자들을 주변에 배치했다. 이들은 개인 경호원이기도 했고, 누케르(맹우)라는 전사들로 구성된 강철 같은 핵심 세력이어서 절대적으로 의지할 수 있었다. 이것은 실적 중심의 시스템이어서, 능력과 충성심이 부족 배경이나 지도자와의 친족 관계보다 더 중요했다. 무조건적인 충성의 대가로 지도자는 그들에게 물건과 전리품과 지위를 주었다. 칭기즈칸의 천재성은 충성심을 보장하기에 충분할 정도로 많은 혜택을 제공할 수 있게 했다. 그리고 이를 기계처럼 정확하게 시행했다.[5]

이런 보상 체계는 거의 쉼 없는 정복 프로그램을 통해 가능했다. 그는 부족들을 차례대로 복속시켰다. 무력을 사용하기도 하고, 위협을 가하기도 했다. 마침내 그는 1206년에 몽골 초원의 지배자가 되었다.

그런 뒤에는 키르기즈, 오이라트, 위구르 등 중국 서쪽 중앙아시아에 있는 민족들에게로 관심을 돌렸고, 이들을 굴복시키고 정식으로 충성 맹세를 받아냈다.

1211년에 위구르를 병합한 것은 특히 중요했다. 그 지배자 바르추크 아르트 테킨이 칭기즈칸의 '다섯 번째 아들'이 될 용의가 있다고 말하자 그에게 자신의 딸을 주었을 정도다.[6] 이는 부분적으로 타림 분지의 위구르인들이 차지하고 있던 지역의 중요성을 반영한 것이기도 했지만, 위구르의 말과 문자, 그리고 현대의 한 학자가 '지식층'이라고 부른 존재들이 몽골에서 점점 중요해지고 있었기 때문이다. 위구르의 높은 문화적 수준은 위구르족 서기와 관료들이 대거 몽골 궁정으로 뽑혀 들어간 이유 중 하나였다. 타타퉁아는 그중 한 사람으로 칭기즈칸의 아들들의 선생이 되었다.[7]

칭기즈칸의 관심은 더 야심찬 목표로 옮겨갔다. 몽골은 1211년 이후 여러 차례 공격에 나서 금金나라가 지배하고 있는 중국으로 밀고 들어갔다. 그들이 수도 중도中都를 약탈하자 중국의 통치자들은 여러 차례 피난을 가고 수도를 남쪽으로 옮겨야 했다. 이 과정에서 침략군은 상당한 약탈물을 확보했다.

팽창은 다른 곳에서는 더욱 인상적이었다. 시점은 더없이 좋았다. 무슬림 세계의 중앙 권력은 12세기가 지나는 동안에 약화되었다. 크기와 힘과 안정성 측면에서 각양각색인 조각 나라들이 일어나서 바그다드의 패권에 도전하면서였다. 공교롭게도 호라즘의 지배자 알라 웃 딘 무함마드 2세는 지역의 적들을 제거하느라 분주했고, 한편으로는 동쪽에 있는 중국으로 세력을 팽창하는 데도 마음을 빼앗기고 있었다. 그가 이렇게 해서 지역을 통합해놓았기 때문에 이제 몽골은 그를 격파하고 카스피해 섬으로 쫓아내기만 하면(곧 그렇게 되어 그 섬에서 죽는다) 중앙아시아로 가는 길이 활짝 열리는 것이었다. 그들 앞의 길이 말끔히 치워진 것이다.[8]

칭기즈칸은 문명 파괴자였나

자료들은 1219년에 시작된 호라즘 공격에 수반된 지독한 야만성을 생생하게 묘사하고 있다. 한 역사가는 이렇게 썼다.

"[침략자들이] 왔다. 그들은 참호를 팠고, 불을 질렀고, 사람들을 죽였고, 약탈을 했고, 그런 뒤에 떠나갔다."[9]

또 다른 작가는 차라리 태어나지 않았으면 그런 끔찍한 경험을 하지 않았을 것이라고 썼다. 그는 이어 적어도 무슬림 적그리스도들은 적을 격파하기만 할 것이라고 말했다. 그러나 몽골인들은 달랐다.

"그들은 아무도 살려두지 않았다. 여자와 남자와 아이들을 죽였고, 임신부의 몸을 베어 열고 태아를 도륙했다."[10]

몽골인들은 그런 공포를 세심하게 조장했다. 사실은 칭기즈칸이 폭력을 선택적이고 계획적으로 사용한 것이었다. 한 도시를 철저하게 약탈하면 다른 도시들이 평화적으로, 그리고 금세 항복할 것이라는 계산이었다. 과장되게 몸서리쳐지는 죽음은 다른 지배자들을 납득시키는 데 이용될 수 있었다. 저항보다 협상이 낫다는 것이다. 네이샤부르는 철저히 유린당한 곳 가운데 하나였다. 여자와 아이들, 노인들에서 각종 가축에 이르기까지 살아 있는 것은 모조리 도륙되었다. 개한 마리, 고양이 한 마리도 살려두지 말라는 명령이 떨어졌기 때문이다. 시체가 여기저기에 쌓여 거대한 피라미드를 이루었다. 몽골인들에 맞서면 이런 최후를 맞을 것이라는 섬뜩한 경고였다. 이는 다른 도시들에 무기를 내려놓고 협상해야 한다는 확신을 주기에 충분했다. 삶과 죽음 둘 가운데 하나를 선택해야 했다.[11]

몽골군의 잔인성에 대한 소식은 빠르게 퍼져나가서 선택을 저울질해야 할 시간이 된 사람들을 향했다. 한 고위 관리가 새로 도착한 몽골 장군에게 불려갔는데 그의 눈과 귀에 녹인 금물을 부었다는 식의 소문이 널리 퍼졌다. 이 살인은 "부끄러운 짓을 하고 야만적인 행동을 한" 사람에게 적합한 처벌이며, "전에 저지른 잔학 행위는 모든 사람으로부터 비판을 받아야 한다"는 발표와 함께 이루어졌다고도 했다.[12] 이는 저항하는 사람들을 향한 경고였다. 평화적으로 항복하면 보상을 받을 것이고, 저항하면 잔인하게 처벌받을 것이라는 얘기였다.

칭기즈칸의 군사력 운용은 기술적으로 진보한 것이었고 전략적으로도 빈틈이 없었다. 요새화된 목표를 대상으로 장기간 포위전을 벌이는 것은 어렵고도 비용이 많이 드는 일이었다. 대규모 기병을 유지해야 하는데 주변의 목초지는 금세 바닥나기 때문이었다. 이 때문에 빠른 승리를 촉진할 수 있는 군사 기술자들이 중시되었다. 1221년 네이샤부르에서는 3000개의 큰 석궁과 3000대의 투석기와 700대의 소이제燒夷劑 분사기가 사용되었다. 나중에 몽골인들은 서유럽인이 개발한 기술에 강한 흥미를 느끼게 되었고, 예루살렘의 십자군을 위해 만든 투석기와 공성기의 디자인을 모방하여 13세기 말 동아시아의 공격 목표를 상대로 사용했다. 실크로드를 장악하면서 그 지배자들은 그대로 복제하기만 하면 수천 킬로미터 밖에 배치할 수 있는 신무기에 관한 정보와 아이디어에 접근할 수 있었다.[13]

그들의 평판을 생각하면 흥미로운 일이지만, 몽골인들이 13세기 초 중국과 중앙아시아 및 그 너머에서 거둔 놀라운 성공에 대한 한 가지 해석은 그들이 항상 압제자로 보이지는 않았다는 것이다. 그리고 상당한 근거가 있었다. 예컨대 호라즘은 지역 주민들에게 1년치 세금을 선납하도록 명령했다. 임박한 몽골의 공격에 대비해서 사마르칸트 주변에 새로운 요새를 건설하고 궁수 부대의 급료를 지불할 자금을 마련하기 위해서였다. 주민들에게 그런 부담을 주고서는 계속 호의를 얻기가 어려웠다.

이와 대조적으로 몽골인들은 자기네가 점령한 일부 도시에서 기반시설에 아낌없이 투자했다. 사마르칸트가 점령된 직후 그곳을 찾은 한 중국인 도사道士는 중국에서 많은 기술자들이 그곳에 와 있고 이전에는 방치되었던 들과 과수원 운영을 돕기 위해 주변 지역과 더 먼 곳에서 많은 사람들이 불려와 있는 것을 보고 깜짝 놀랐다.[14]

이런 양상이 몇 번이고 되풀이되었다. 도시에 돈이 투입되어 건설을 하고 활력을 되찾았으며, 예술·기술과 생산에 대한 지원에 특별한 관심이 기울여졌다. 야만적인 파괴자라는 몽골인의 이미지는 왜곡된 것이었고, 다른 무엇보다도 파괴와 약탈을 강조해 오도하는 후대에 쓰인 역사서들의 유산을 대변하는 것이었다. 이런 편향된 견해는 후대를 생각하는 지도자들에게 중요한 교훈을 제공한다. 자기네 시대의 제국에 대해 동정적으로 쓰는 역사가를 지원하는 것이 얼마나 중요한지를 일깨워주는 것이다. 몽골인들은 특히 이 일에 실패했다.[15]

그러나 몽골 군대가 공격이 임박한 도시의 주민들을 오싹하게 했다는 것은 틀림없는 사실이다. 몽골인들은 서쪽으로 몰려가면서 저항하거나 도망치는 사람들을 추적해서 모두를 공포에 떨게 했다. 1221년, 칭기즈칸의 두 아들이 지휘하는 군대는 아프가니스탄과 페르시아를 번개처럼 가로질러 진군하면서 그들 앞에 있는 모든 것을 유린했다. 네이샤부르, 헤라트, 발흐가 점령되었으며, 메르브는 철저히 파괴되고 모든 주민이 살해되었다고 한 페르시아 역사가는 전했다. 400명의 기능공만이 예외였는데, 이들은 동쪽으로 이송되어 몽골 궁정에서 일했다. 땅바닥은 죽은 사람들의 피로 붉게 물들었다. 소수의 생존자들이 시체를 헤아렸을 것이고, 그 수를 130만 명 이상으로 보았다.[16] 다른 곳에서도 비슷하게 숨이 막힐 듯한 사망자 수가 보고되었다. 현대의 학자들은 확신에 차서 인종청소나 집단 학살, 주민의 90퍼센트 학살 등을 이야기했다.[17]

몽골의 공격으로 인한 사망자 수를 정확하게 알기는 어렵지만, 공격의 파도에 유린된 많은 도시들이 빠르게 복구되었다는 점은 주목할 필요가 있다. 이는 우리가 의존할 수밖에 없는 후대의 페르시아 역사가들이 몽골 공격의 파괴적인 영향을 지나치게 강조하는 데 열중했음을 시사한다. 그리고 그들이 고통을 확대하지는 않았을지라도, 동방으로부터 폭력을 몰고 온 바람은 맹렬한 힘을 동반한 것이었음은 의문의 여지가 없다.

그들은 또한 끈질겼다. 중앙아시아가 몰락하자마자 캅카스가 약탈당했고, 침략자들은 곧 남부 러시아에 나타났다. 그들은 라이벌 종족인 킵차크인(또는 쿠만인)들을 쫓아내고, 그들이 저항했다는 이유로 따끔한 맛을 보여주었다.

칭기즈칸은 1227년에 죽었다. 그러나 그의 계승자들도 똑같이 지략이 뛰어난 것으로 드러났고 엄청난 성공을 거두었다.

칭기즈칸이 죽은 직후 최고 지도자인 카간可汗(대칸이라고도 해서 칸과는 구별되며 중국에서는 이 용어를 황제에 해당하는 것으로 받아들였다―옮긴이)이 된 것은 아들 오고타이였다. 1230년대 말 그가 지휘한 중앙아시아에서의 이례적인 성공 이후 몽골인들은 전쟁사를 통틀어 가장 경탄스러운 전투 중 하나로 꼽히는 공격에 나섰다. 그것은 속도와 규모 면에서 알렉산드로스 대제의 원정조차 능가하는 것이었다. 군대는 이전에 이미 스텝 지대에서 러시아 땅으로 들어간 적이 있었다. 노브고로드의 한 수도사에 따르면 "셀 수 없을 정도로, 메뚜기 떼처럼" 나타났다. 그는 이렇게 썼다.

"우리는 그들이 어디서 왔고 어디로 사라졌는지 알 수 없었다. 오직 하느님만이 알고 계셨다. 그분께서 우리의 죄를 벌하시기 위해 그들을 보내셨기 때문이다."[18]

몽골인들은 돌아오면 으레 공물을 요구했고, 거부하면 몰살시키겠다고 위협했다. 도시들이 차례로 공격당했고, 랴잔, 트베리와 마침내 키예프가 철저하게 약탈당했다. 블라디미르 대공국에서는 군주와 그 가족, 도시의 주교와 다른 고위 인사들이 성모 교회로 피신했다. 몽골인들은 교회에 불을 질러 그 안에 있는 사람들을 산 채로 불태워 죽였다.[19] 교회는 파괴되었다. 후임 주교는 이렇게 썼다.

"성스러운 기물들이 더럽혀지고, 신성한 물건들이 바닥에 내동댕이쳐져 짓밟혔으며, 성직자들이 칼날 아래 희생되었다."[20]

마치 야생 동물을 풀어놓아 강자들의 살점을 뜯고 귀족들의 피를 마시게 한 듯했다. 그것은 사제왕 요한과 동방에서 오는 구원이 아니었고, 몽골인들이 가져온 종말의 대재앙이었다.

정복 후에는 관용을 베풀다

몽골인들이 일으킨 공포는 곧 그들을 부르는 이름에도 반영되었다. 바로 타타르Tatar 다. 그리스 신화에 나오는 고통스러운 지옥 타르타로스를 *끄집어낸* 것이다.[21] 그들의 진군 소식은 멀리 스코틀랜드까지 전해졌고, 한 자료에 따르면 영국 동쪽 해안 항구들에서는 청어를 사러 오는 상인들의 발길이 뚝 끊겼다. 발트해 연안에서 오던 상인들이 고향을 떠나지 않았기 때문이다.[22]

1241년 몽골인들은 유럽의 심장부로 쳐들어갔다. 부대를 둘로 나누어 한 갈래는 폴란드를 공격했고 다른 갈래는 헝가리 평원을 향했다. 공포가 대륙 전체를 휩쓸었다. 특히 폴란드 왕과 실롱스크 공이 이끈 대군이 격파된 이후 더욱 그러했다. 실롱스크 공 헨리크 2세의 머리를 창 끝에 달아 거리를 행진했고, "죽은 자의 귀"를 담은 자루가 아홉 개였다.

몽골군은 이제 서쪽으로 이동했다. 헝가리 왕 벨라 4세가 달마티아로 달아나 트로기르로 피신하자, 성직자들은 미사를 올리며 악으로부터 보호해달라고 기도하고 신의 도움을 간구하는 행진을 이끌었다. 교황 그레고리우스 9세는 헝가리 방어를 돕는 자는 누구든 십자군에 부여한 것과 같은 면죄부를 받게 될 것이라고 선언하기에 이르렀다. 그의 제안에 대한 반응은 뜨뜻미지근했다. 신성로마제국 황제와 베네치아 도제는 자기네가 지는 편을 도우려 하고 결국 그것이 어떤 결과를 불러올지를 잘 알고 있었다. 몽골인들이 이때 계속 서쪽으로 진군하는 쪽을 선택했더라도 "그들이 어떤 결집된 저항을 만났을 것 같지는 않다"[23]라고 현대의 한 학자는 말했다. 유럽에 대한 심판의 날이 온 것이다.

일부 당대 역사가들은 거의 존경스러울 정도로 뻔뻔스럽게도 몽골인들이 용감한 저항에 부딪혀, 심지어 가공의 전투에서 패배해 멈추었다고 말하기 시작했다. 그 가공의 전투는 시간이 지나면서 더욱 사실처럼 느껴졌다. 그러나 실제로 몽골인들은 그저 서유럽에서 얻을 수 있는 것에 흥미를 느끼지 않았을 뿐이었다. 적어도 당장은 말이다. 먼저 해야 할 일은 벨라를 질책하는 일이었다. 그는 쿠만인들에게 피난처를 제공했고, 더 나쁜 일로는 그들을 넘겨달라는 거듭된 요구를 무시했다. 그런 저항은 무슨 수를 쓰더라도 응징해야 했다.[24]

몽골 지도부는 벨라 왕에게 이런 편지를 보냈다.

"나는 당신이 돈 많고 강력한 군주라는 것을 알고 있소. 또한 당신은 휘하에 많은 군사를 거느리고 있고, 혼자서 큰 왕국을 지배하고 있다는 사실도 알고 있소."

편지는 전문적인 공갈단에게 익숙함직한 말을 동원하여 단도직입적으로 사태를 설명했다. 편지는 이렇게 이어진다.

"당신이 자유의지로 내게 복속하기는 어려울 것이오. 그러나 당신의 미래를 생각한다면 그렇게 하는 편이 훨씬 나을 것이오."[25]

스텝 세계에서는 강력한 라이벌을 무시하는 것은 그에게 정면으로 맞서는 것만큼이나 나쁜 일이었다. 벨라에게는 교훈을 줄 필요가 있었다. 그래서 다른 곳에 가능성이 열려 있었지만 달마티아에서 그를 추적하기로 했다. 몽골인들은 지나가면서 모든 것을 쓸어버렸고, 한 도시는 너무도 철저하게 약탈당해서 현지의 한 기록자는 "벽에 오줌 쌀"[26] (과거 기독교 성서에 자주 나오던 표현으로 남자의 씨를 말렸다는 의미다―옮긴이) 사람 하나 남아 있지 않았다고 썼다.

그 순간 벨라는 (그리고 유럽은) 엄청난 행운을 만나 구조되었다. 카간 오고타이가 갑자기 죽은 것이다. 독실한 신자들에게는 그들의 기도가 응답을 받았음이 분명했다. 몽골 고위 인사들에게는 지도자를 선출하는 회의에 참석하는 것이 중요했다. 장자 상속제 같은 것은 없었다. 누가 최고 권력자의 자리에 오를지는 고위 인사들의 비밀 회의에서 누가 자신의 주장을 가장 잘, 그리고 가장 크게 떠드는지에 달려 있었다. 누구를 지지하느냐는 지휘관들의 생명과 이력에 도움이 될 수도 있고 해가 될 수도 있었다. 주군이 최고의 자리에 오르면 보상받을 지분은 지나칠 정도로 컸다. 지금은 발칸 반도에서 말썽쟁이 군주를 쫓아다닐 때가 아니었다. 당장 본국에 가서 돌아가는 상황을 지켜봐야 할 때였다. 그리고 이 때문에 몽골인들은 기독교권 유럽의 목을 누르고 있던 발을 뗐다.

　아시아를 석권하고 그 너머 먼 지역을 공격한 대사업은 칭기즈칸의 이름과 동일시되고 있지만, 이 몽골의 지도자는 중국과 중앙아시아에서 제국 건설이 이루어지던 초기 국면이 끝난 1227년에 죽었다. 이는 러시아와 서아시아에 대한 극적인 공격과 유럽을 무릎 꿇린 침략 이전이었다. 몽골의 영토 범위를 대폭 확대한 팽창을 지휘해서 한반도와 티베트, 북인도, 파키스탄으로 (그리고 서유럽으로도) 뻗어나가는 원정을 통합한 것은 그의 아들 오고타이였다. 몽골이 이룬 성과의 상당 부분은 오고타이의 몫이었고, 마찬가지로 몽골 군대가 잠시 멈추게 된 것도 일정 부분 그의 책임이었다. 1241년에 오고타이의 죽음으로 유럽은 숨 돌릴 틈을 얻은 것이다.

　세계가 잠시 멈춰 서서 누가 대권을 차지하는지를 지켜보는 동안, 유럽과 캅카스에서 잇달아 대표들이 파견되어 아시아를 가로질러 갔다. 이 약탈자들은 누구이고 어디서 왔으며 그들의 풍습은 어떠한지를 알아내고, 그럼으로써 그들을 이해하려 한 것이다. 두 그룹의 사절단이 편지를 가지고 갔다. 신의 이름으로 몽골이 기독교도들을 공격하지 말고 진정한 신앙을 받아들이는 것을 고려해보라는 내용이었다.[27]

교황 인노켄티우스 4세는 1243년에서 1253년 사이에 네 차례나 별도 사절단을 보냈고, 프랑스 왕 루이 9세 또한 플랑드르의 수도사 기욤 드 뤼브룩이 이끄는 사절단을 파견했다.[28]

그들이 쓴 여행 보고서는 9세기와 10세기에 스텝 지대에 갔던 무슬림 여행자들이 쓴 것과 마찬가지로 실감이 나지만 낯설다. 유럽에서 온 방문객은 매혹되기도 하고, 또 그만큼 겁에 질리기도 했다. 이 아시아의 새로운 지배자들은 그지없이 강력하지만 도시에서 살지 않는다고 기욤은 썼다. 수도 카라코룸은 예외였다. 그는 그곳의 거대한 천막에서 카간을 만났는데, 그 천막의 "내부는 금실로 짠 천으로 완전히 뒤덮여"[29] 있었다. 이들은 행동과 습성이 별나고 이해하기 어려운 사람들이었다. 그들은 채소를 먹지 않았고, 발효된 암말 젖을 마셨다. 그리고 옆에 있는 사람을 전혀 의식하지 않고 용변을 보았다. 그것도 남들이 훤히 보는 가운데, "콩 하나 던질 거리"밖에 안 되는 곳에서 말이다.[30]

또 다른 사절 조반니 다 피안 델 카르피네의 기록은 이 시대에 유럽 전역에 널리 알려지게 되었다. 그 역시 비슷하게 불결하고 퇴폐적이며 낯선 모습을 그리고 있다. 그곳은 개, 늑대, 여우, 이蝨가 먹을거리로 간주되는 세계였다. 그는 또한 몽골 땅 너머에 사는 사람들에 관해 들은 소문도 기록했다. 어떤 사람들은 말발굽을 가지고 있고, 또 다른 사람들은 개의 머리를 하고 있다고 했다.[31]

조반니는 귀위크가 카간으로 즉위하면서 조성된 정세에 관한 불길한 정보도 가지고 돌아왔다. 몽골의 패권을 인정한 지역과 종족과 왕국에서 온 고관들의 명부는 놀랄 만큼 넓은 제국의 규모를 알려주었다. 러시아, 조지아, 아르메니아와 스텝 지대, 그리고 중국과 고려에서 온 지도자들이 참석했고, 적어도 열 명 이상의 술탄과 칼리프 왕국에서 온 수천 명의 대표단도 있었다.[32]

카간은 조반니에게 로마로 가지고 갈 편지를 주었다. 거기에는 세계의 모든 나라가 몽골에 정복되었다고 적혀 있었다. 편지는 교황에게 이렇게 요구했다.

"너는 모든 왕공들과 함께 직접 와서 우리를 섬겨야 한다."

만약 그러지 않는다면 "너를 적으로 간주하겠다"라고 카간은 경고했다. 한편으로 몽골 지배자에게 기독교도가 되어달라고 한 교황의 요청에 대해서는 강경한 답변을 했다. 하느님이 누구를 용서하고 누구에게 자비를 베푸는지 네가 어떻게 아느냐고 카간은 화를 냈다. 그는 이어 해 뜨는 곳에서 해 지는 곳까지 모든 땅이 내게 복속되었는데 교황의 하느님이 무에 그리 중요하냐고 말했다. 편지에는 카간의 권력과 "몽케 텡그리(영원한 하늘)"의 권력을 결합한 도장이 찍혀 있었다. 텡그리는 스텝 지대 유목민들의 전통 신앙의 최고신이다. 편지는 전혀 희망적이지 않았다.[33]

그렇다고 그것은 중부 유럽을 공격할 계획이 새로 만들어지고 있다거나 대륙의 북부에 대한 공격을 검토하고 있다고 재확인하는 것도 아니었다.[34] 그러나 몽골인들은 세계를 지배하지 않으면 결코 멈출 줄 모르는 세계관을 가지고 있었다. 유럽 정복은 칭기즈칸의 후예들이 또 다른 땅을 지배한다는 계획에서 당연한 수순일 뿐이었다.[35]

몽골인들에 대한 공포는 이제 유럽에서 종교적인 도미노 게임을 촉발했다. 아르메니아 교회는 앞으로 있을 공격에 대비하여 그리스 정교회 총대주교 측과 동맹을 맺고 보호를 받기 위한 논의에 들어갔다. 아르메니아인들은 또한 로마 가톨릭 측과도 협상 가능성을 열어놓아.

과거에 상당한 마찰을 빚었던 성령의 발현에 대한 교황의 해석에 동의할 용의가 있다는 신호를 보냈다.[36] 동로마인들도 마찬가지였다. 로마에 사절단을 보내 11세기 이래 기독교 교회를 둘로 쪼개놓았던 분열을 끝내자고 제안했다. 그 분열은 십자군의 결과로 치유되기는커녕 더욱 악화된 상태였다.[37] 유럽의 사제와 군주들은 교황과 총대주교를 재결합시키는 데 실패했지만, 몽골인들은 거기에 성공했다. 동방으로부터 공격이 되풀이될 것이라는 위협이 제기되자 교회는 완전한 재통합이라고 할 수 있을 정도로 단합하게 되었다.

몽골의 끝없는 정복 사업

종교적 화합이 확실해진 것으로 보일 무렵, 상황은 급변했다. 귀위크 카간이 1248년에 갑작스럽게 죽은 뒤 몽골 지도부 내에서 승계 분쟁이 일어났고, 이를 해결하는 데 시간이 걸렸다. 이런 일이 생기면서 아르메니아와 동로마의 지도자들은 당장 공격이 시작되지 않을 것이라는 언질을 받았다. 기욤 드 뤼브룩에 따르면, 동로마의 경우 이곳에 파견된 몽골 사절이 뇌물을 잔뜩 받고 개입하여 공격을 막았기 때문이다.[38]

동로마가 몽골인들의 표적이 되지 않기 위해 필사적이었고 공격을 피하기 위해 가능한 일은 모두 했다는 것은 틀림없는 사실일 것이다. 예컨대 1250년대에 카라코룸에서 보낸 사절은 안내자를 따라 소아시아의 험준한 지역을 지나 황제를 만나러 가서 제국 군대가 행진하는 것을 지켜보게 되었다. 동로마 쪽에서 일부러 그렇게 한 것이었다. 이는 제국이 공격할 가치가 없다는 것을 몽골인들에게 설득하기 위한 처절한 노력이었고, 공격할 경우 군대가 맞서 싸울 태세가 되어 있음

을 보여주기 위한 것이었다.[39]

사실 몽골이 공격하지 않기로 결정한 것은 다른 이유에서였다. 아나톨리아와 유럽은 그들에게 관심의 초점이 아니었다. 다른 곳에 더 먹음직스럽고 더 나은 목표가 있었기 때문이다. 원정대는 중국의 미정복 지역으로 파견되었고, 결국 13세기 말에 중국을 완전히 복속시켰다. 이 시점에 몽골 지배 정권은 제국의 국호를 원元으로 바꾸고 옛 도시 중도에 새로운 도시를 건설했다. 이곳이 몽골의 수도가 되었으며, 이 새로운 도시 건설은 태평양과 지중해 사이의 전 지역을 장악한 업적의 대미를 장식하는 것이었다. 새 수도는 이후 줄곧 중요한 위치를 유지해오고 있다. 그곳은 바로 오늘날의 베이징北京이다.

다른 주요 도시들 역시 상당한 주목을 끌었다. 새로 즉위한 몽케 카간은 몽골 군대를 이슬람 세계의 진주와 같은 도시들에 집중시켰다. 공격군이 서쪽으로 밀어닥치면서 도시들이 잇달아 함락되었다. 1258년 몽골군은 바그다드 성벽에 도달했으며, 짧은 포위전 끝에 도시를 폐허로 만들었다. 그들은 "날아가는 비둘기를 공격하는 굶주린 매처럼, 또는 양을 공격하는 사나운 늑대처럼" 도시를 휩쓸었다고, 그리 머지않은 후대의 한 작가는 썼다. 그들은 도시 주민들을 장난감처럼 거리와 골목에서 질질 끌고 다녔다.

"그들은 모두 노리개가 되었다."

칼리프 알무스타심 빌라흐al-Musta'sim bi-Allāh는 사로잡혀 천으로 둘둘 휘감긴 채 말들에 짓밟혀 죽었다.[40] 이는 이 세계에서 누가 진짜 권력을 쥐고 있는지를 보여준 상징적인 순간이었다.

이 정복 과정에서 막대한 전리품과 재물이 들어왔다. 캅카스 지역의 한 몽골 동맹국의 기록은 이러하다.

"[몽골인들은] 금과 은과 보석과 진주, 직물과 값비싼 옷, 금·은으로 만든 접시와 꽃병의 무게에 짓눌렸다. 그들은 오직 금·은 두 가지 금속과 보석·진주, 직물·옷만을 약탈했다."

직물을 약탈한 것은 특히 의미가 있었다. 전성기의 흉노와 마찬가지로 비단과 사치품은 종족 조직 내부에서 지배층을 구별하는 데 중요한 역할을 했고, 그 결과 이런 물품들은 매우 귀하게 여겨졌다. 몽골인들은 때로 금실로 짠 천이나 얇은 자줏빛 천, 값비싼 옷, 비단 같은 형태로 콕 찍어 공물을 요구하기도 했다. 경우에 따라 그런 공물 납부는 가축을 다마스크 비단과 금실 직물, 귀한 보석으로 장식하는 형태로 바치도록 요구되기도 했다. "비단옷과 금과 무명"의 구체적인 양과 품질까지 명시했다. 이 분야의 한 유명 학자는 이를 상세한 쇼핑 목록에 비유했다. "많은 노력을 필요로 하고 또한 사정을 잘 알고 만든"[41] 목록이었다.

바그다드 약탈 소식이 채 퍼지기도 전에 몽골인들은 다시 한 번 유럽에 나타났다. 1259년에 그들은 폴란드로 진격해서 크라쿠프를 약탈했고, 이어 파리로 사절을 보내 프랑스의 항복을 요구했다.[42] 이와 동시에 별도의 부대는 바그다드에서 서쪽으로 방향을 돌려 시리아로 향하고 팔레스타인으로 들어갔다. 이는 동방에 살고 있는 라틴인들을 걷잡을 수 없는 공포 속으로 몰아넣었다. 이 지역에서는 13세기 중반 십자군의 에너지가 새롭게 분출되면서 예루살렘의 기독교도들의 위치가 강화되고 있었다. 신성로마제국의 프리드리히 2세와 이어 프랑스의 루이 9세가 대규모 원정을 감행하여 예루살렘을 일시적으로 기독교도들의 손에 되돌리기는 했지만, 안티오키아, 아크레와 다른 여러 도시들에 대한 장악력이 얼마나 불안정한지에 대해서는 모르는 사람이 거의 없었다.

몽골인들이 나타나기 전까지는 이집트와 그곳에서 권력을 잡고 있던 매우 호전적인 새 정권이 위협 요소가 될 것으로 보였다. 놀랍게도 이집트의 새 지배자들은 몽골인들과 비슷한 혈통의 사람들, 바로 스텝 지대에서 온 유목민이었다. 바그다드의 아바스 왕조가 스텝 지대의 투르크 종족에서 충원한 노예 병사들에 의해 탈취된 것과 마찬가지로, 1250년 카이로의 칼리프 정권에서도 같은 일이 일어났다. 이집트의 경우 새 주인들은 '맘루크'로 알려져 있었다. 대체로 흑해 북쪽의 여러 종족들 가운데서 붙잡힌 뒤 크림 반도와 캅카스 지역의 항구에서 팔려 이집트군에서 복무했던 '맘루크(노예)'들의 후예였기 때문이다. 그들 무리 가운데는 몽골족 사람들도 있었다. 붙잡혀 노예로 팔려왔거나, 스텝 지대에서 일상적으로 일어나는 내부 다툼을 벌이다가 억압적인 지배 파벌로부터 달아나 카이로에서 피난처를 찾아 복무하고 있던 와피디야wāfidīyah('신참자'라는 의미)들이었다.[43]

유럽의 중세는 전통적으로 십자군과 경기병, 그리고 교황권의 점진적인 확대의 시대로 알려졌지만, 이 모든 것은 동쪽에서 일어난 엄청난 싸움에 비하면 막간극에 지나지 않았다. 종족 조직은 몽골인들을 세계 지배의 직전으로까지 이끌어 아시아 대륙 거의 전부를 정복했다. 유럽과 북아프리카의 문도 활짝 열려 있었다. 그런데 몽골 지도부가 유럽이 아니라 북아프리카에 초점을 맞춘 것은 놀라운 일이었다. 간단히 말해서 유럽은 최고의 전리품이 아니었다. 몽골이 나일 강과 이집트의 풍성한 농업 생산물, 그리고 사방으로 뻗은 교역로의 중요한 길목을 장악하는 데 방해가 되는 것은 같은 스텝 지대에서 데려온 사람들이 지휘하는 군대뿐이었다. 그것은 단순한 패권 다툼이 아니었고,

정치·문화·사회 시스템의 승리였다. 중세 세계를 놓고 벌이는 싸움은 중앙아시아와 동아시아에서 온 유목민들 사이에서 벌어지고 있었다.

이집트의 새로운 왕조, 맘루크

예루살렘에 사는 기독교도들은 몽골의 진격 소식을 듣고 혼비백산했다. 우선 십자군이 장악하고 있던 가장 중요한 곳 가운데 하나인 안티오키아는 항복했고, 또 다른 도시 아크레는 몽골인들과 타협을 했다. 두 악마 가운데 그들이 좀 낫다고 생각한 것이다. 잉글랜드와 프랑스의 군주에게 군사 원조를 애걸하는 절박한 호소가 전달되었다. 서방 사람들은 그들의 불구대천의 원수인 이집트 맘루크군의 개입으로 구조되었다. 그들은 팔레스타인으로 밀고 들어오는 적에 맞서기 위해 북쪽으로 이동했다.[44]

거의 60년 동안 자기네 앞에 있던 모든 것을 쓸어버렸던 몽골인들은 처음으로 큰 좌절을 겪었다. 1260년 9월 팔레스타인 북부 아인 잘루트에서 패배한 것이다. 승리한 장수 사이프 앗딘 쿠투즈 술탄이 내부 권력 투쟁에서 암살당했지만, 맘루크군은 신이 나서 밀고 나아갔다. 그들은 밀고 나아가면서 자신들이 해야 할 일이 상당 부분 이루어져 있음을 발견했다. 몽골인들이 지역 주민들의 저항을 깨뜨리고 도시와 지역들을 모두 통합해놓은 것이다. 13세기 초 칭기즈칸이 중앙아시아를 침략하기 전에 그곳이 통합되어 있어 덕을 본 것과 마찬가지였다. 그래서 몽골인들은 의도하지 않았지만 시리아와 알레포, 다마스쿠스 같은 중요한 도시들을 경쟁자에게 선물하고 말았다. 맘루크군은 거의 아무런 저항 없이 그곳에 들어갈 수 있었다.[45]

예루살렘과 유럽의 기독교도들은 공포에 사로잡힌 채 이를 바라보았다. 그들은 다음에 무슨 일이 일어날지, 그 결과로 그들 앞에 무슨 일이 기다리고 있는지 알 수 없었다. 그러나 몽골에 대한 태도가 완전히 바뀌는 데는 그리 오랜 시간이 걸리지 않았다. 유럽의 기독교도들은 흑해 북안을 거쳐 헝가리 평원으로 달려 들어온 무시무시한 기병대 무리와 맞닥뜨리는 충격적인 경험을 했지만, 이 몽골인들이 처음 눈에 띄었을 때 잠깐 착각했던 바대로 구원자가 될 것이라는 생각이 들기 시작했다.

1260년 이후 수십 년 동안 유럽과 예루살렘에서는 맘루크 왕조에 맞서 몽골과 동맹을 맺기 위해 계속 사절단을 파견했다. 반대 방향으로도 사절들이 자주 파견되었다. 아시아의 유력한 몽골 군사 지도자인 훌라구 칸과 그 아들 아바카 칸이 보낸 것이었다. 이들이 협상을 하려 했던 것은 무엇보다도 서방의 해군력을 이집트와 그들이 새로 정복한 영토인 팔레스타인 및 시리아를 상대로 사용하는 데 관심이 있었기 때문이다. 그러나 몽골인들에게 내재하고 있던 마찰의 첫 조짐이 드러나면서 문제는 복잡해졌다.

13세기 말이 되면 몽골 세계는 아주 광대해졌다. 태평양에서 흑해까지, 스텝 지대부터 북인도와 페르시아만 일대까지 뻗어 있었다. 이에 따라 긴장과 균열이 나타나기 시작했다. 제국은 네 개의 큰 덩어리로 나뉘었고, 갈수록 서로 적대하게 되었다. 핵심 줄기는 중국에 자리 잡고 있었다. 중앙아시아에서는 차가타이 칸의 후손들이 지배했다(한 페르시아 작가는 차가타이를 "도살자이자 폭군"이라고 묘사하고, 그가 "잔인하고 피를 좋아하는"[46] 저주받은 자라고 했다. 진짜 악마라는 것이다). 서쪽에서 러시아의 스텝 지대 및 그 너머 중부 유럽까지를 지배한 몽골인들은 킵차크칸국金帳汗國으로 알려지게 되며, 이란을 중심으로 한 지역의 지배

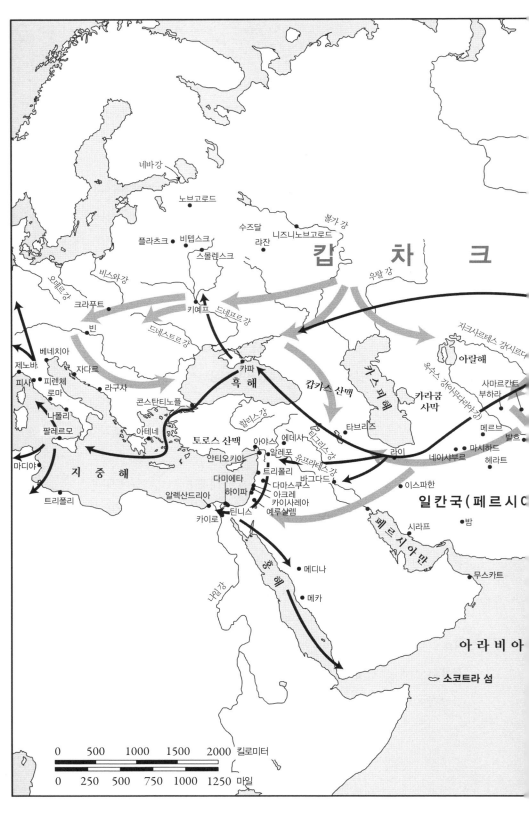

네바강

노브고로드

볼가 강

수즈달
니즈니노브고로드
플라츠크   비텝스크   랴잔
스몰렌스크

우랄 강

캅   차   크

비스와강

크라푸트

빈

오데르강

키예프   드네프르강

드네스트르강

자크사르테스 강(시르다리야강)

아랄해

베네치아
제노바
자다르
피사   피렌체
로마   라구사
나폴리
팔레르모

콘스탄티노플

카파   흑 해

캅카스 산맥

카스피 해

사마르칸트
부하라
우수스 하이무라리야강
카라쿰 사막

메르브
발흐
마시하드
헤라트
네이샤부르

마디아

지 중 해

아테네

토로스 산맥   아야스   에데사
안티오키아   알레포
다미에타   트리폴리
하이파   다마스쿠스
아크레   카이사레아
예루살렘
카이로   틴니스

타브리즈

라이

티그리스강
유프라테스강   바그다드

일 칸 국 (페 르 시 아)

이스파한

시라프   밤

트리폴리

알렉산드리아

나일강

홍 해

메디나

메카

페르시아만

무스카트

아 라 비 아

소코트라 섬

0   500   1000   1500   2000   킬로미터

0   250   500   750   1000   1250   마일

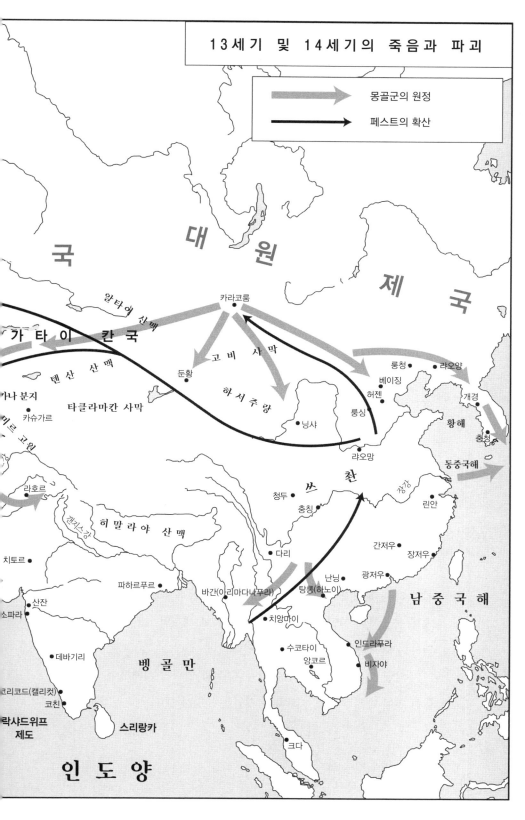

13세기 및 14세기의 죽음과 파괴

몽골군의 원정
페스트의 확산

대 원 제 국

국

알타이 산맥
카라코룸
가 타 이 칸 국
고 비 사 막
텐 산 산 맥
둔황
하 서 주 랑
룽청
라오양
베이징
허젠
개경
나 분지
타클라마칸 사막
카슈가르
닝샤
룽싱
황해
충칭
페 고원
라오망
동중국해
라호르
갠지스강
쓰 촨
청두
충칭
장강
린안
히 말 라 야 산 맥
다리
치토르
간저우
장저우
파하르푸르
바간(아리마다나푸라)
탕룽(하노이)
광저우
남 중 국 해
산잔
난닝
소파라
치앙마이
인드라푸라
데바기리
수코타이
비자야
앙코르
코리코드(캘리컷)
벵 골 만
코친
락샤드위프
제도
스리랑카
크다

인 도 양

자들은 일칸국으로 알려졌다. 그들이 일칸이라는 칭호를 사용한 것은 몽골 지도부의 핵심 줄기에 종속되어 있음을 의미한다.

맘루크는 이제 자기네 적의 종족 내 역학관계를 능수능란하게 조종해서 킵차크칸국의 수장 베르케와 타협을 했다. 그들과 일칸국 간의 경쟁심은 이미 공개적인 갈등으로 번지고 있었다. 이는 유럽 기독교권과 일칸국 사이의 타협 가능성을 높이는 역할을 했다. 그런 계획이 결실을 맺는 데 가장 가까이 다가갔던 것은 1280년대 말이었다. 일칸국 지도자들이 중국 서부 위구르의 주교 라반 바르 사우마가 이끄는 사절단을 파견하여 서유럽의 주요 지도자들을 방문하고 군사동맹 조건을 마무리 짓도록 한 것이다. 라반 바르 사우마를 고른 것은 훌륭한 선택이었다. 그는 품위 있고 지적이며 도움을 줄 수 있는 기독교도였다. 몽골인들은 야만적이기로 유명했지만, 외국인에 대해 파악하는 데는 기민했다.

합동작전 계획을 듣고 가장 들뜬 사람은 잉글랜드 왕 에드워드 1세였다. 열성적인 십자군이었던 에드워드는 1271년에 예루살렘을 방문하고는 자신이 본 것에 대해 두려움을 느꼈다. 그는 기독교도들이 무슬림과 싸우기보다는 서로 논쟁을 벌이는 데 시간을 보낸다고 생각했고, 그것은 매우 좋지 않은 일이라는 결론을 내렸다. 그러나 정말로 그를 경악시킨 것은 베네치아인들이었다. 그들은 이교도들과 그저 거래를 하는 정도가 아니었다. 그들은 이교도들에게 공성기를 만드는 자재를 공급하고 있었고, 그 무기들이 기독교 세계의 도시와 요새를 공격하는 데 사용될 것은 뻔한 일이었다.[47]

그런 까닭에 왕은 동방에서 온 주교를 만나자 기뻐하며, 가장 시급한 일이 예루살렘을 수복하는 것임을 분명히 했다.

"우리는 이 일 빼고는 생각할 문제가 없소."

잉글랜드 왕은 주교에게 이렇게 말한 뒤 왕 자신과 시종들을 위해 성찬식을 베풀어달라고 요청했다. 그는 주교를 명예롭고 정중하게 대하고, 앞으로 대단한 일이 벌어질 것을 축하하며 잔치를 벌인 뒤 그에게 선물과 돈을 넉넉하게 주었다.[48] 협력을 위한 계획이 만들어졌다. 목표는 예루살렘을 영원히 확보하는 것이었다. 기독교의 승리가 임박했다는 기대가 높아지면서 로마에서는 곧 다가올 이슬람의 패배를 경축하기 위해 행진이 벌어지기도 했다. 수십 년 사이에 유럽인들의 마음속에서 몽골인들은 구세주였다가 악마로 바뀌었고, 다시 구세주가 되었다. 세상의 종말이 다가왔다는 생각은 새로운 시작이 임박했다는 믿음에 밀려났다.

그러나 거창한 계획들은 수포로 돌아가고 말았다. 잇달아 출진한 십자군이 장담했던 결과를 내지 못했던 것처럼, 수천 킬로미터의 거리를 극복하며 세계의 종교에 영향을 줄 것이라던 동맹에 관한 그럴듯한 이야기들은 어떤 의미 있는 결과물도 만들어내지 못했다. 에드워드 1세에게는 자기 나라 가까이에 더 중요한 문제가 있음이 드러났다. 잉글랜드 왕은 무슬림 이집트에 맞서 몽골과 거창한 동맹을 맺는 대신 윌리엄 월리스의 반란을 진압하러 스코틀랜드로 가야 했다. 다른 유럽 군주들도 비슷하게 처리할 일이 많아서 기독교도들이 예루살렘으로 가는 계획은 결국 무산되고 말았다. 1차 십자군의 기사들이 예루살렘을 점령한 지 200년 후에 마지막 발판들마저 잃어버렸다. 시돈(사이다), 티로스, 베이루트, 아크레는 1291년에 맘루크에게 항복했다. 선의와 열성만으로는 기독교 신앙의 한가운데에 있는 지역을 지원하고 구하고 붙잡기에 역부족이었다.

얼마 동안은 헛된 기대가 있었다. 1299년 겨울에 몽골인들은 그들이 한 세대 이상 추구해왔던 것을 마침내 이루어냈다. 맘루크군을 박살낸 것이다. 그 승리는 너무도 강렬해서, 동맹군인 몽골과 함께 싸웠던 동방의 기독교도들에 의해 예루살렘이 수복되었다는 소문이 유럽 전역에 퍼졌다. 일칸국의 지배자가 기독교로 개종하여 성지의 새로운 보호자 노릇을 하고 있다는 소문도 돌았다. 더욱 좋은 소식을 흥분해서 떠들어대는 소식통도 있었다. 몽골인들이 맘루크를 시리아와 팔레스타인에서 몰아내는 것에 만족하지 않고 방어망을 뚫고 들어가 서이집트마저 점령했다는 얘기였다.[49] 이는 모두 너무 좋아서 믿기지 않는 이야기였다. 몽골이 전쟁터에서 정말로 큰 승리를 거두기는 했지만, 이런 열광적인 이야기들은 오해나 소문, 아니면 희망적 사고에 불과한 것이었다. 기독교도들의 성지는 아주 사라져버렸다.[50]

십자군은 중세 서유럽 사회를 형성하는 데 결정적인 역할을 했다. 교황이 단순히 권위를 지닌 종교 지도자가 아니라 독자적인 정치적·군사적 능력을 지닌 존재가 됨에 따라 교황권이 변모했다. 지도층의 자질과 행동은 봉사와 헌신, 기사도적인 경건함에 관한 생각들에 의해 규정되었다. 그리고 기독교가 유럽 대륙의 공통분모라는 생각이 뿌리를 내렸다. 그러나 최종적인 분석 결과 예루살렘을 점령해 보유하는 것이 이론상으로는 그럴듯하지만 실제로는 어렵고 비용이 많이 들며 위험한 일이라는 사실이 분명해졌다. 그리고 그런 까닭에 '성지'는 200년 동안 유럽인들의 의식 한가운데에 자리 잡고 있다가 슬그머니 시야에서 사라져버렸다. 19세기 초에 시인 윌리엄 블레이크가 이야기했듯이, 예루살렘을 더 쉽고 더 편리한 곳에 만드는 것이 훨씬 더 나을 터였다. "잉글랜드의 푸르고 쾌적한 땅"[51] 같은 곳에 말이다.

십자군은 결국 실패했다. 기독교 세계에서 가장 중요한 장소를 확보하려는 시도는 제대로 되지 않았다. 그러나 기독교 기사들이 비틀거리던 곳에서 성공을 거둔 이탈리아 도시국가들에 대해서는 그렇게 말할 수 없다. 독실한 기사들은 튕겨 나갔지만, 해양 국가들은 간단하게 다시 적응하고 아시아의 더욱 깊숙한 곳으로 파고들어갔다. 그들은 자신의 위치를 포기할 수 없었다. 오히려 '성지'를 상실한 이후 그들의 관심사는 자기네의 영향권 범위를 줄이는 것이 아니었다. 그들은 그것을 늘리려 하고 있었다.

주

머리말

1 E. Wolf, *Europe and the People without History* (Berkeley, 1982), p. 5.

2 A. Herrman, 'Die älteste türkische Weltkarte (1076 n. Chr)', *Imago Mundi* 1.1 (1935), 21-8, and also Maḥmud al-Kashghari, *Dīwān lughāt al-turk: Compendium of the Turkic Dialects*, ed. and tr. R. Dankhoff and J. Kelly, 3 vols (Cambridge, MA, 1982-5), 1, pp. 82-3. 도시의 위치에 대해서는 V. Goryacheva, *Srednevekoviye gorodskie tsentry i arkhitekturnye ansambli Kirgizii* (Frunze, 1983), 특히 pp. 54-61 참조.

3 중국의 사치품 수요 증가에 관해서는 예컨대 Credit Lyonnais Securities Asia, *Dipped in Gold: Luxury Lifestyles in China* (2011)를, 인도에 관해서는 Ministry of Home Affairs, *Houselisting and Housing Census Data* (New Delhi, 2012)를 보라.

4 예컨대 Transparency International, *Corruption Perception Index 2013* (www.transparency. org); Reporters without Borders, *World Press Freedom Index 2013-2014* (www.rsf.org); Human Rights Watch, *World Report 2014* (www.hrw.org)를 보라.

5 Genesis 2:8-9. 에덴동산의 위치에 대해서는 J. Dulumeau, *History of Paradise: The Garden of Eden in Myth and Tradition* (New York, 1995)를 보라.

6 모헨조다로 등에 대해서는 J. Kenoyer, *Ancient Cities of the Indus Valley* (Oxford, 1998)를 보라.

7 *Records of the Grand Historian by Sima Qian, Han Dynasty*, tr. B. Watson, 2 vols (rev. edn, New York, 1971), 123, 2, pp. 234-5.

8 F. von Richthofen, 'Über die zentralasiatischen Seidenstrassen bis zum 2. Jahrhundert. n. Chr.', *Verhandlungen der Gesellschaft für Erdkunde zu Berlin* 4 (1877), 96-122.

9 E. Said, *Orientalism* (New York, 1978). 또한 극도로 긍정적이고 매우 낭만적인 푸코, 사르트르, 고다르 등 프랑스 사상가들의 동양, 특히 중국에 대한 반응에 주목하라. R. Wolin, *French Intellectuals, the Cultural Revolution and the Legacy of the 1960s: The Wind from the East* (Princeton, 2010).

10 *Bābur-Nāma*, tr. W. Thackston, *Memoirs of Babur, Prince and Emperor* (London, 2006), pp. 173-4.

11 W. Thackston, 'Treatise on Calligraphic Arts: A Disquisition on Paper, Colors, Inks and Pens by Simi of Nishapur', in M. Mazzaoui and V. Moreen (eds), *Intellectual Studies on Islam: Essays Written in Honor of Martin B. Dickinson* (Salt Lake City, 1990), p. 219.

12 Al-Muqaddasī, *Aḥsanu-t-taqāsīm fī maʿrifati-l-aqālīm*, tr. B. Collins, *Best Division of Knowledge* (Reading, 2001), p. 252; Ibn al-Faqīh, *Kitāb al-buldān*, tr. P. Lunde and C. Stone, 'Book of Countries', in *Ibn Fadlan and the Land of Darkness: Arab Travellers in the Far North* (London, 2011), p. 113.

13 N. di Cosmo, *Ancient China and its Enemies: The Rise of Nomadic Power in East Asian*

History (Cambridge, 2002), p. 137에서 재인용.

14 예를 들어 S. Freud, *The Interpretation of Dreams*, ed. J. Strachey (New York, 1965), p. 564; J. Derrida, *Résistances de la psychanalyse* (Paris, 1996), pp. 8–14.

1. 실크로드의 탄생

1 C. Renfrew, 'Inception of Agriculture and Rearing in the Middle East', *C.R. Palevol* 5 (2006), 395–404; G. Algaze, *Ancient Mesopotamia at the Dawn of Civilization: The Evolution of an Urban Landscape* (Chicago, 2008).

2 Herodotus, *Historiai*, 1.135, in *Herodotus: The Histories*, ed. and tr. A. Godley, 4 vols (Cambridge, MA, 1982), 1, pp. 174–6.

3 J. Curtis and St J. Simpson (eds), *The World of Achaemenid Persia: History, Art and Society in Iran and the Ancient Near East* (London, 2010).

4 Herodotus, *Historiai*, 8.98, 4, p. 96; D. Graf, 'The Persian Royal Road System', in H. Sancisi-Weerdenburg, A. Kuhrt and M. Root (eds), *Continuity and Change* (Leiden, 1994), pp. 167–89.

5 H. Rawlinson, 'The Persian Cuneiform Inscription at Behistun, Deciphered and Translated', *Journal of the Royal Asiatic Society* 11 (1849), 1–192.

6 기독교 성서 〈에즈라서〉 1:2. 또한 〈이사야서〉 44:24, 45:3을 보라.

7 R. Kent, *Old Persian Grammar, Texts, Lexicon* (New Haven, 1953), pp. 142–4.

8 Herodotus, *Historiai*, 1.135, 1, pp. 174–6.

9 Ibid., 1.214, 1, p. 268.

10 Aeschylus, *The Persians*. 또한 보다 양면적인 태도도 주목하라. P. Briant, 'History and Ideology: The Greeks and "Persian Decadence"', in T. Harrison (ed.), *Greeks and Barbarians* (New York, 2002), pp. 193–210.

11 Euripides, *Bakhai, in Euripides: Bacchae, Iphigenia at Aulis, Rhesus*, ed. and trans. D. Kovacs (Cambridge, MA, 2003), p. 13.

12 Plutarch, *Bioi Paralleloi: Alexandros*, 32–3, in *Plutarch's Lives*, ed. and tr. B. Perrin, 11 vols (Cambridge, MA, 1914–26), 7, pp. 318–26. 폼페이의 가장 큰 집을 장식한 유명한 모자이크를 보면 그는 행운의 갑옷을 입고 있었다. A. Cohen, *Alexander Mosaic: Stories of Victory and Defeat* (Cambridge, 1996).

13 Quintus Curtius Rufus, *Historiae Alexandri Magni Macedonis*, 5.1, in *Quintus Curtius Rufus: History of Alexander*, ed. and tr. J. Rolfe, 2 vols (Cambridge, MA, 1946), 1, pp. 332–4.

14 M. Beard, 'Was Alexander the Great a Slav?', *Times Literary Supplement*, 3 July 2009.

15 Arrian, *Anabasis*, 6.29, in *Arrian: History of Alexander and Indica*, ed. and tr. P. Brunt, 2 vols (Cambridge, MA, 1976–83), 2, pp. 192–4; 플루타르코스는 또한 알렉산드로스의 평화적이고 관대한 접근의 중요성에 대해 이야기하고 있다. *Alexandros*, 59, 1, p. 392.

16 Arrian, *Anabasis*, 3.22, 1, p. 300.

17 Quintus Curtius Rufus, *Historiae*, 8.8, 2, p. 298.

18 A. Shahbazi, 'Iranians and Alexander', *American Journal of Ancient History* 2.1 (2003), 5–38.

또한 M. Olbryct, *Aleksander Wielki i swiat iranski* (Gdansk, 2004); M. Brosius, 'Alexander and the Persians', in J. Roitman (ed.), *Alexander the Great* (Leiden, 2003), pp. 169-93을 보라.

19 P. Briant, *Darius dans l'ombre d'Alexandre* (Paris, 2003).

20 '화하'에 대해서는 C. Holcombe, *A History of East Asia: From the Origins of Civilization to the Twenty-First Century* (Cambridge, 2010)를, 장성에 대해서는 A. Waldron, 'The Problem of the Great Wall of China', *Harvard Journal of Asiatic Studies* 43.2 (1983), 643-63과 무엇보다도 di Cosmo, *Ancient China and its Enemies*를 보라.

21 가장 최근에 나온 J. Romm, *Ghost on the Throne: The Death of Alexander the Great and the War for Crown and Empire* (New York, 2011)를 보라. 알렉산드로스의 사망 원인은 장티푸스, 말라리아, 백혈병, 알코올 중독(또는 관련 질병), 부상에 따른 감염 등 여러 가지 주장이 있었다. 일부는 그가 살해됐다고 주장했다. A. Bosworth, 'Alexander's Death: The Poisoning Rumors', in J. Romm (ed.), *The Landmark Arrian: The Campaigns of Alexander* (New York, 2010), pp. 407-11.

22 R. Waterfield, *Dividing the Spoils: The War for Alexander the Great's Empire* (Oxford, 2011)를 보라.

23 K. Sheedy, 'Magically Back to Life: Some Thoughts on Ancient Coins and the Study of Hellenistic Royal Portraits', in K. Sheedy (ed.), *Alexander and the Hellenistic Kingdoms: Coins, Image and the Creation of Identity* (Sydney, 2007), pp. 11-16; K. Erickson and N. Wright, 'The "Royal Archer" and Apollo in the East: Greco-Persian Iconography in the Seleukid Empire', in N. Holmes (ed.), *Proceedings of the XIVth International Numismatic Congress* (Glasgow, 2011), pp. 163-8.

24 L. Robert, 'De Delphes à l'Oxus: inscriptions grecques nouvelles de la Bactriane', *Comptes Rendus de l'Académie des Inscriptions* (1968), 416-57. 이 번역은 F. Holt, *Thundering Zeus: The Making of Hellenistic Bactria* (London, 1999), p. 175를 따랐다.

25 J. Jakobsson, 'Who Founded the Indo-Greek Era of 186/5 bce?', *Classical Quarterly* 59.2 (2009), 505-10.

26 D. Sick, 'When Socrates Met the Buddha: Greek and Indian Dialectic in Hellenistic Bactria and India', *Journal of the Royal Asiatic Society* 17.3 (2007), 253-4.

27 J. Derrett, 'Early Buddhist Use of Two Western Themes', *Journal of the Royal Asiatic Society* 12.3 (2002), 343-55.

28 B. Litvinsky, 'Ancient Tajikistan: Studies in History, Archaeology and Culture (1980-1991)', *Ancient Civilisations* 1.3 (1994), 295.

29 S. Nath Sen, *Ancient Indian History and Civilisation* (Delhi, 1988), p. 184. 또한 R. Jairazbhoy, *Foreign Influence in Ancient India* (New York, 1963), pp. 48-109를 보라.

30 Plutarch, *Peri tes Alexandrou tukhes he arête*, 5.4 in *Plutarch: Moralia*, ed. and tr. F. Babitt et al., 15 vols (Cambridge, MA, 1927-76), 4, pp. 392-6; J. Derrett, 'Homer in India: The Birth of the Buddha', *Journal of the Royal Asiatic Society* 2.1 (1992), 47-57.

31 J. Frazer, *The Fasti of Ovid* (London, 1929); J. Lallement, 'Une Source de l'Enéide: le Mahabharata', *Latomus* 18 (1959), 262-87; Jairazbhoy, *Foreign Influence*, p. 99.

32 C. Baumer, *The History of Central Asia: The Age of the Steppe Warriors* (London, 2012), pp. 290-5.

33   V. Hansen, *The Silk Road* (Oxford, 2012), pp. 9 –10.

34   Sima Qian, *Records of the Grand Historian of China*, 123, 2, p. 238.

35   Ibid., 129, 2, p. 440.

36   H. Creel, 'The Role of the Horse in Chinese History', *American Historical Review* 70 (1965), 647–72. 둔황 동굴 벽화에는 천마가 많이 그려져 있다. T. Chang, *Dunhuang Art through the Eyes of Duan Wenjie* (New Delhi, 1994), pp. 27–8.

37   2011년 시안에 있는 한 무제의 능이 발굴되면서 밝혀진 것이다. *Xinhua*, 21 February 2011.

38   桓寬, 《鹽鐵論》. Y. Yu, *Trade and Expansion in Han China: A Study in the Structure of Sino-Barbarian Economic Relations* (Berkeley, 1967), p. 40에서 재인용.

39   예컨대 Sima Qian, *Records of the Grand Historian of China*, 110, 2, pp. 145–6. 흉노의 교육과 풍습, 복식에 대한 약간의 설명은 pp. 129–30에 보인다.

40   Yu, Trade and Expansion in Han China, pp. 48–54.

41   Ibid., p. 47, n. 33; R. McLaughlin, *Rome and the Distant East: Trade Routes to the Ancient Lands of Arabia, India and China* (London, 2010), pp. 83–5.

42   Sima Qian, *Records of the Grand Historian of China*, 110, 2, p. 143.

43   S. Durrant, *The Cloudy Mirror: Tension and Conflict in the Writings of Sima Qian* (Albany, NY, 1995), pp. 8–10.

44   Sima Qian, *Records of the Grand Historian of China*, 123, 2, p. 235.

45   E. Schafer, *The Golden Peaches of Samarkand: A Study of Tang Exotics* (Berkeley, 1963), pp. 13–14.

46   Hansen, *Silk Road*, p. 14.

47   T. Burrow, *A Translation of Kharoshthi Documents from Chinese Turkestan* (London, 1940), p. 95.

48   Hansen, *Silk Road*, p. 17.

49   R. de Crespigny, *Biographical Dictionary of Later Han to the Three Kingdoms (23–220 AD)* (Leiden, 2007).

50   M. R. Shayegan, *Arsacids and Sasanians: Political Ideology in Post-Hellenistic and Late Antique Persia* (Cambridge, 2011).

51   N. Rosenstein, *Imperatores victi: Military Defeat and Aristocratic Competition in the Middle and Late Republic* (Berkeley, 1990). 또한 S. Phang, *Roman Military Service: Ideologies of Discipline in the Late Republic and Early Principate* (Cambridge, 2008)를 보라.

52   P. Heather, *The Fall of the Roman Empire: A New History of Rome and the Barbarians* (Oxford, 2006), p. 6. 결혼 금지에 대해서는 무엇보다도 S. Phang, *Marriage of Roman Soldiers (13 BC–AD 235): Law and Family in the Imperial Army* (Leiden, 2001)를 보라.

53   C. Howgego, 'The Supply and Use of Money in the Roman World 200 b.c. to a.d. 300', *Journal of Roman Studies* 82 (1992), 4–5.

54   A. Bowman, *Life and Letters from the Roman Frontier: Vindolanda and its People* (London, 1994).

55   Diodorus Siculus, *Bibliotheke Historike*, 17.52, in *The Library of History of Diodorus of Sicily*, ed. and tr. C. Oldfather, 12 vols (Cambridge, MA, 1933–67), 7, p. 268. 현대 학자들은 알렉산드리아의 인구가 50만 명에 달했던 것으로 추산한다. R. Bagnall and B. Frier, *The*

Demography of Roman Egypt (Cambridge, 1994), pp. 54, 104.

56 D. Thompson, 'Nile Grain Transport under the Ptolemies', in P. Garnsey, K. Hopkins and C. Whittaker (eds), Trade in the Ancient Economy (Berkeley, 1983), pp. 70-1.

57 Strabo, Geographika, 17.1, in The Geography of Strabo, ed. and tr. H. Jones, 8 vols (Cambridge, MA, 1917-32), 8, p. 42.

58 Cassius Dio, Historia Romana, 51.21, in Dio's Roman History, ed. and tr. E. Cary, 9 vols (Cambridge, MA, 1914-27), 6, p. 60; Suetonius, De Vita Cesarum. Divus Augustus, 41, in Suetonius: Lives of the Caesars, ed. and tr. J. Rolfe, 2 vols (Cambridge, MA, 1997-8), 41, 1, p. 212; R. Duncan-Jones, Money and Government in the Roman Empire (Cambridge, 1994), p. 21; M. Fitzpatrick, 'Provincializing Rome: The Indian Ocean Trade Network and Roman Imperialism', Journal of World History 22.1 (2011), 34.

59 Suetonius, Divus Augustus, 41, 1, pp. 212-14.

60 Ibid., 28, 1, p. 192. 아우구스투스의 주장은 고고학적 증거로 입증된다. P. Zanker, The Power of Images in the Age of Augustus (Ann Arbor, 1989).

61 장거리 교역 상인들에 대한 세금에 관해서는 J. Thorley, 'The Development of Trade between the Roman Empire and the East under Augustus', Greece and Rome 16.2 (1969), 211. Jones, History of Rome, pp. 256-7, 259-60; R. Ritner, 'Egypt under Roman Rule: The Legacy of Ancient Egypt', in Cambridge History of Egypt, 1, p. 10; N. Lewis, Life in Egypt under Roman Rule (Oxford, 1983), p. 180.

62 Lewis, Life in Egypt, pp. 33-4; Ritner, 'Egypt under Roman Rule', in Cambridge History of Egypt, 1, pp. 7-8; A. Bowman, Egypt after the Pharaohs 332 BC–AD 642: From Alexander to the Arab Conquest (Berkeley, 1986) pp. 92-3를 보라.

63 로마 치하 이집트에서의 출생과 사망 등록에 관해서는 R. Ritner, 'Poll Tax on the Dead', Enchoria 15 (1988), 205-7를 보라. 인구 조사 및 그 날짜에 대해서는 J. Rist, 'Luke 2:2: Making Sense of the Date of Jesus' Birth', Journal of Theological Studies 56.2 (2005), 489-91을 보라.

64 Cicero, Pro lege Manilia, 6, in Cicero: The Speeches, ed. and tr. H. Grose Hodge (Cambridge, MA, 1927), p. 26.

65 Sallust, Bellum Catilinae, 11.5-6, in Sallust, ed. and tr. J. Rolfe (Cambridge, MA, 1931), p. 20; A. Dalby, Empire of Pleasures: Luxury and Indulgence in the Roman World (London, 2000), p. 162.

66 F. Hoffman, M. Minas-Nerpel and S. Pfeiffer, Die dreisprachige Stele des C. Cornelius Gallus. Übersetzung und Kommentar (Berlin, 2009), pp. 5ff. G. Bowersock, 'A Report on Arabia Provincia', Journal of Roman Studies 61 (1971), 227.

67 W. Schoff, Parthian Stations of Isidore of Charax: An Account of the Overland Trade between the Levant and India in the First Century BC (Philadelphia, 1914). 이 문서는 종종 무역로와 관련이 있는 것으로 간주되었다. 밀러는 이것이 부정확한 것임을 보여준다. 'Caravan Cities', 119ff. 알렉산드로폴리스가 어디인지에 관해서는 P. Fraser, Cities of Alexander the Great (Oxford, 1996), pp. 132-40을 보라.

68 Strabo, Geographica, 2.5, 1, p. 454; Parker, 'Ex Oriente', pp. 64-6; Fitzpatrick, 'Provincializing Rome', 49-50.

69   Parker, 'Ex Oriente', 64–6; M. Vickers, 'Nabataea, India, Gaul, and Carthage: Reflections on Hellenistic and Roman Gold Vessels and Red-Gloss Pottery', *American Journal of Archaeology* 98 (1994), 242; E. Lo Cascio, 'State and Coinage in the Late Republic and Early Empire', *Journal of Roman Studies* 81 (1981), 82.

70   G. Parker, *The Making of Roman India* (Cambridge, 2008), p. 173에서 재인용.

71   H. Kulke and D. Rothermund, *A History of India* (London, 2004), 107–8에서 재인용.

72   L. Casson (ed.), *The Periplus Maris Erythraei: Text with Introduction, Translation and Commentary* (Princeton, 1989), 48–9, p. 80; 56, p. 84.

73   W. Wendrich, R. Tomber, S. Sidebotham, J. Harrell, R. Cappers and R. Bagnall, 'Berenike Crossroads: The Integration of Information', *Journal of the Economic and Social History of the Orient* 46.1 (2003), 59–62.

74   V. Begley, 'Arikamedu Reconsidered', *American Journal of Archaeology* 87.4 (1983), 461–81; Parker, 'Ex Oriente', 47–8.

75   T. Power, *The Red Sea from Byzantium to the Caliphate, AD 500–1000* (Cairo, 2012).

76   Tacitus, *Annales*, ed. H. Heubner (Stuttgart, 1983), 2.33, p. 63.

77   Petronius, *Satyricon*, ed. K. Müller (Munich, 2003), 30–8, pp. 23–31; 55, p. 49.

78   Martial, *Epigrams*, 5.37, in *Martial: Epigrams*, ed. and tr. D. Shackleton Bailey, 3 vols (Cambridge, MA, 1993), 1, p. 388.

79   *Talmud Bavli*, cited by Dalby, *Empire of Pleasures*, p. 266.

80   Juvenal, *Satire* 3, in *Juvenal and Persius*, ed. and tr. S. Braund (Cambridge, MA, 2004), pp. 172–4.

81   Casson, *Periplus Maris Erythraei*, 49, p. 80; 56, p. 84; 64, p. 90.

82   Seneca, *De Beneficiis*, 7.9, in *Seneca: Moral Essays*, ed. and tr. J. Basore, 3 vols (Cambridge, MA, 1928–35), 3, p. 478.

83   Tacitus, *Annales*, 2.33, p. 63.

84   Pliny the Elder, *Naturalis Historia*, 6.20, in *Pliny: The Natural History*, ed. and tr. H. Rackham, 10 vols (Cambridge, MA, 1947–52), 2, p. 378.

85   Ibid., 6.26, p. 414.

86   Ibid., 12.49, p. 62.

87   H. Harrauer and P. Sijpesteijn, 'Ein neues Dokument zu Roms Indienhandel, P. Vindob. G40822', *Anzeiger der Österreichischen Akademie der Wissenschaften, phil.-hist.Kl.122* (1985), 124–55; also see L. Casson, 'New Light on Maritime Loans: P. Vindob. G 40822', *Zeitschrift für Papyrologie und Epigraphik* 84 (1990), 195–206, and F. Millar, 'Looking East from the Classical World', *International History Review* 20.3 (1998), 507–31.

88   Casson, *Periplus Maris Erythraei*, 39, p. 74.

89   J. Teixidor, *Un Port roman du désert: Palmyre et son commerce d'Auguste à Caracalla* (Paris, 1984); E. Will, *Les Palmyréniens, la Venise des sables (Ier siècle avant–IIIème siècle après J.-C.)* (Paris, 1992).

90   Ammianus Marcellinus, *Rerum Gestarum Libri Qui Supersunt*, 14.3, in *Ammianus Marcellinus*, ed. and tr. J. Rolfe, 3 vols (Cambridge, MA, 1935–40), 1, p. 24.

91   J. Cribb, 'The Heraus Coins: Their Attribution to the Kushan King Kujula Kadphises, c. ad

30 – 80', in M. Price, A. Burnett and R. Bland (eds), *Essays in Honour of Robert Carson and Kenneth Jenkins* (London, 1993), pp. 107 – 34.

92   Casson, *Periplus Maris Erythraei*, 43, pp. 76 – 8; 46, pp. 78 – 80.

93   Ibid., 39, p. 76; 48 – 9, p. 81. 쿠샨에 대해서는 V. Masson, B. Puris, C. Bosworth et al. (eds), *History of Civilizations of Central Asia*, 6 vols (Paris, 1992 –), 2, pp. 247 – 396의 논문 모음을 보라.

94   D. Leslie and K. Gardiner, *The Roman Empire in Chinese Sources* (Rome, 1996), 특히 pp. 131 – 62. 또한 R. Kauz and L. Yingsheng, 'Armenia in Chinese Sources', *Iran and the Caucasus* 12 (2008), 157 – 90을 보라.

95   Sima Qian, *Records of the Grand Historian of China*, 123, 2, p. 241.

96   그리고 B. Laufer, *Sino-Iranica: Chinese Contributions to the History of Civilisation in Ancient Iran* (Chicago, 1919); R. Ghirshman, *Iran: From the Earliest Times to the Islamic Conquest* (Harmondsworth, 1954)를 보라.

97   Power, *Red Sea*, p. 58.

98   Schafer, *Golden Peaches of Samarkand*, p. 1.

99   사절이 거북딱지와 서각(犀角), 그리고 상아를 가지고 왔다는 것은 그들이 중국인들의 취향을 잘 알고 있었음을 시사한다. F. Hirth, *China and the Roman Orient* (Leipzig, 1885), pp. 42, 94. 또한 R. McLaughlin, *Rome and the Distant East: Trade Routes to the Ancient Lands of Arabia, India and China* (London, 2010).

100   Fitzpatrick, 'Provincializing Rome', 36; Horace, Odes, 1.12, in *Horace: Odes and Epodes*, ed. and tr. N. Rudd (Cambridge, MA, 2004), p. 48.

101   B. Isaac, *The Limits of Empire: The Roman Army in the East* (Oxford, 1990), p. 43; S. Mattern, *Rome and the Enemy: Imperial Strategy in the Principate* (Berkeley, 1999), p. 37.

102   Cassius Dio, 68.29, 8, pp. 414 – 16; H. Mattingly (ed.), *A Catalogue of the Coins of the Roman Empire in the British Museum*, 6 vols (London, 1940 – 62), 3, p. 606. 트라야누스의 원정에 관해서는 J. Bennett, *Trajan: Optimus Princeps* (London, 1997), pp. 183 – 204를 보라.

103   Jordanes, Romana, in *Iordanis Romana et Getica*, pp. 34 – 5.

104   Lactantius, *De Mortibus Persecutorum*, ed. and tr. J. Creed (Oxford, 1984), 5, p. 11.

105   A. Invernizzi, 'Arsacid Palaces', in I. Nielsen (ed.), *The Royal Palace Institution in the First Millennium BC* (Athens, 2001), pp. 295 – 312; idem, 'The Culture of Nisa, between Steppe and Empire', in J. Cribb and G. Herrmann (eds), *After Alexander: Central Asia before Islam: Themes in the History and Archaeology of Western Central Asia* (Oxford, 2007), pp. 163 – 77. 오랫동안 잊혔던 니사는 여러 가지 훌륭한 그리스적 예술 양식의 사례들이 나온 곳이다. V. Pilipko, *Rospisi Staroi Nisy* (Tashkent, 1992); P. Bernard and F. Grenet (eds), *Histoire des cultes de l'Asie Centrale préislamique* (Paris, 1991).

106   카라케네에 대해서는 L. Gregoratti, 'A Parthian Port on the Persian Gulf: Characene and its Trade', *Anabasis* 2 (2011), 209 – 29. 도자기에 대해서는 H. Schenk, 'Parthian Glazed Pottery from Sri Lanka and the Indian Ocean Trade', *Zeitschrift für Archäologie Außereuropäischer Kulturen* 2 (2007), 57 – 90을 보라.

107   F. Rahimi-Laridjani, *Die Entwicklung der Bewässerungslandwirtschaft im Iran bis in Sasanidisch-frühislamische Zeit* (Weisbaden, 1988); R. Gyselen, *La Géographie administrative*

de l'empire sasanide: les témoignages sigilographiques (Paris, 1989).

108   A. Taffazoli, 'List of Trades and Crafts in the Sassanian Period', *Archaeologische Mitteilungen aus Iran* 7 (1974), 192–6.

109   T. Daryaee, *Šahrestānīhā-ī Ērānšahr: A Middle Persian Text on Late Antique Geography, Epic, and History* (Costa Mesa, CA, 2002).

110   M. Morony, 'Land Use and Settlement Patterns in Late Sasanian and Early Islamic Iraq', in A. Cameron, G. King and J. Haldon (eds), *The Byzantine and Early Islamic Near East*, 3 vols (Princeton, 1992–6), 2, pp. 221–9.

111   R. Frye, 'Sasanian Seal Inscriptions', in R. Stiehl and H. Stier (eds), *Beiträge zur alten Geschichte und deren Nachleben*, 2 vols (Berlin, 1969–70), 1, pp. 77–84; J. Choksy, 'Loan and Sales Contracts in Ancient and Early Medieval Iran', *Indo-Iranian Journal* 31 (1988), 120.

112   T. Daryaee, 'The Persian Gulf Trade in Late Antiquity', *Journal of World History* 14.1 (2003), 1–16.

113   Lactantius, *De Mortibus Persecutorum*, 7, p. 11.

114   Ibid., 23, p. 36.

115   보드룸 수중고고학박물관. 내가 알기로, 2011년에 발견된 그 새김글은 아직 출판되지 않았다.

116   Pseudo-Aurelius Victor, *Epitome de Caesaribus*, ed. M. Festy, *Pseudo-Aurelius Victor. Abrégé de Césars* (Paris, 1999), 39, p. 41.

117   Suetonius, *Divus Julius*, 79, in *Lives of the Caesars*, 1, p. 132.

118   Libanius, *Antioch as a Centre of Hellenic Culture as Observed by Libanius*, tr. A. Norman (Liverpool, 2001), pp. 145–67.

119   '제국 이전(移轉) 신화'를 단호하게 부인한 것으로는 L. Grig and G. Kelly (eds), *Two Romes: Rome and Constantinople in Late Antiquity* (Cambridge, 2012)를 보라.

2. 신앙의 길

1   H. Falk, *Asókan Sites and Artefacts: A Source-book with Bibliography* (Mainz, 2006), p. 13; E. Seldeslachts, 'Greece, the Final Frontier?—The Westward Spread of Buddhism', in A. Heirman and S. Bumbacher (eds), *The Spread of Buddhism* (Leiden, 2007), esp. pp. 158–60.

2   Sick, 'When Socrates Met the Buddha', 271; 당대 팔리어 문헌에 관해서는 T. Hinüber, *A Handbook of Pali Literature* (Berlin, 1996).

3   G. Fussman, 'The Mat *Devakula*: A New Approach to its Understanding', in D. Srivasan (ed.), *Mathurā: The Cultural Heritage* (New Delhi, 1989), pp. 193–9.

4   예를 들어 P. Rao Bandela, *Coin Splendour: A Journey into the Past* (New Delhi, 2003), pp. 32–5.

5   D. MacDowall, 'Soter Megas, the King of Kings, the Kushana', *Journal of the Numismatic Society of India* (1968), 28–48.

6   예컨대 〈시편〉에서 "모든 신들의 하느님 [⋯] 모든 주인들의 주님"(136장 2~3절)이라고 표현한 것에 주목하라. "신 가운데 신이시며 주 가운데 주"(《신명기》 10장 17절). 〈요한 묵시

록〉은 짐승이 어떻게 격퇴될 것인지를 말하고 있다. 양은 "모든 군주의 군주이시며 모든 왕의 왕"(《요한 묵시록》 17장 14절)이기 때문이다.

7   *The Lotus of the Wonderful Law or The Lotus Gospel: Saddharma Pundarīka Sūtra Miao-Fa Lin Hua Chung*, tr. W. Soothill (London, 1987), p. 77.

8   X. Liu, *Ancient India and Ancient China: Trade and Religious Exchanges AD 1–600* (Oxford, 1988), p. 102.

9   *Sukhāvatī-vyūha: Description of Sukhāvatī, the Land of Bliss*, tr. F. Müller (Oxford, 1883), pp. 33 –4; *Lotus of the Wonderful Law*, pp. 107, 114.

10 D. Schlumberger, M. Le Berre and G. Fussman (eds), *Surkh Kotal en Bactriane*, vol. 1: *Les Temples: architecture, sculpture, inscriptions* (Paris, 1983); V. Gaibov, 'Ancient Tajikistan Studies in History, Archaeology and Culture (1980 –1991)', *Ancient Civilizations from Scythia to Siberia* 1.3 (1995), 289 –304.

11 R. Salomon, *Ancient Buddhist Scrolls from Gandhara* (Seattle, 1999).

12 J. Harle, *The Art and Architecture of the Indian Subcontinent* (New Haven, 1994), pp. 43 –57.

13 무엇보다도 E. de la Vaissière, *Sogdian Traders: A History* (Leiden, 2005)를 보라.

14 K. Jettmar, 'Sogdians in the Indus Valley', in P. Bertrand and F. Grenet (eds), *Histoire des cultes de l'Asie centrale préislamique* (Paris, 1991), pp. 251 –3.

15 C. Huart, *Le Livre de Gerchāsp, poème persan d'Asadī junior de Toūs*, 2 vols (Paris, 1926 –9), 2, p. 111.

16 R. Giès, G. Feugère and A. Coutin (eds), *Painted Buddhas of Xinjiang: Hidden Treasures from the Silk Road* (London, 2002); T. Higuchi and G. Barnes, 'Bamiyan: Buddhist Cave Temples in Afghanistan', *World Archaeology* 27.2 (1995), 282ff.

17 M. Rhie, *Early Buddhist Art of China and Central Asia*, vol. 1 (Leiden, 1999); R. Wei, *Ancient Chinese Architecture: Buddhist Buildings* (Vienna, 2000).

18 G. Koshelenko, 'The Beginnings of Buddhism in Margiana', *Acta Antiqua Academiae Scientiarum Hungaricae* 14 (1966), 175 –83; R. Foltz, *Religions of the Silk Road: Premodern Patterns of Globalization* (2nd edn, Basingstoke, 2010), pp. 47 –8; idem, 'Buddhism in the Iranian World', *Muslim World* 100.2 –3 (2010), 204 –14.

19 N. Sims-Williams, 'Indian Elements in Parthian and Sogdian', in R. Röhrborn and W. Veenker (eds), *Sprachen des Buddhismus in Zentralasien* (Wiesbaden, 1983), pp. 132 –41; W. Sundermann, 'Die Bedeutung des Parthischen für die Verbreitung buddhistischer Wörter indischer Herkunft', *Altorientalische Forschungen* 9 (1982), 99 –113.

20 W. Ball, 'How Far Did Buddhism Spread West?', *Al-Rāfidān* 10 (1989), 1 –11.

21 T. Daryaee, Sasanian Persia: *The Rise and Fall of an Empire* (London, 2009), pp. 2 –5.

22 많은 학자들이 연속성과 변화의 문제에 대해 썼다. 여기서는 M. Canepa, *The Two Eyes of the Earth: Art and Ritual of Kingship between Rome and Sasanian Iran* (Berkeley, 2009)를 보라.

23 M. Canepa, 'Technologies of Memory in Early Sasanian Iran: Achaemenid Sites and Sasanian Identity', *American Journal of Archaeology* 114.4 (2010), 563 –96; U. Weber, 'Wahram II: König der Könige von Eran und Aneran', *Iranica Antiqua* 44 (2009), 559 –643.

24 사산제국의 화폐제도 전반에 관해서는 R. Göbl, *Sasanian Numismatics* (Brunswick, 1971).

25   M. Boyce, *Zoroastrians: Their Religious Beliefs and Practices* (London, 1979).

26   R. Foltz, 'Zoroastrian Attitudes toward Animals', *Society and Animals* 18 (2010), 367–78.

27   *The Book of the Counsel of Zartusht*, 2–8, in R. Zaehner, *The Teachings of the Magi: A Compendium of Zoroastrian Beliefs* (New York, 1956), pp. 21–2. 또한 M. Boyce, *Textual Sources for the Study of Zoroastrianism* (Manchester, 1984)을 보라.

28   예를 들어 M. Boyce, *Textual Sources for the Study of Zoroastrianism* (Manchester, 1984), pp. 104–6을 보라.

29   M. Boyce and F. Grenet, *A History of Zoroastrianism* (Leiden, 1991), pp. 30–3. 기도문과 교리 등 조로아스터교 신앙에 관해서는 Boyce, *Textual Sources*, pp. 53–61을, 의례와 관습에 관해서는 pp. 61–70을 보라.

30   J. Harmatta, 'Late Bactrian Inscriptions', *Acta Antiqua Hungaricae* 17 (1969), 386–8.

31   M. Back, 'Die sassanidischen Staatsinschriften', *Acta Iranica* 18 (1978), 287–8.

32   S. Shaked, 'Administrative Functions of Priests in the Sasanian Period', in G. Gnoli and A. Panaino (eds), *Proceedings of the First European Conference of Iranian Studies*, 2 vols (Rome, 1991), 1, pp. 261–73; T. Daryaee, 'Memory and History: The Construction of the Past in Late Antiquity', *Name-ye Iran-e Bastan* 1.2 (2001–2), 1–14.

33   Back, 'Sassanidischen Staatsinschriften', 384. 전체 새김글에 관해서는 M.-L. Chaumont, 'L'Inscription de Kartir à la Ka'bah de Zoroastre: text, traduction et commentaire', *Journal Asiatique* 248 (1960), 339–80.

34   M.-L. Chaumont, *La Christianisation de l'empire iranien, des origines aux grandes persécutions du IV siècle* (Louvain, 1988), p. 111; G. Fowden, *Empire to Commonwealth: Consequences of Monotheism in Late Antiquity* (Princeton, 1993), pp. 28–9.

35   R. Merkelbach, *Mani und sein Religionssystem* (Opladen, 1986); J. Russell, 'Kartir and Mani: A Shamanistic Model of their Conflict', *Iranica Varia: Papers in Honor of Professor Ehsan Yarshater* (Leiden, 1990), pp. 180–93; S. Lieu, *History of Manicheanism in the Later Roman Empire and Medieval China: A Historical Survey* (Manchester, 1985). 샤푸르와 마니에 관해서는 M. Hutter, 'Manichaeism in the early Sasanian Empire', *Numen* 40 (1993), 2–15를 보라.

36   P. Gigoux (ed. and tr.), *Les Quatre Inscriptions du mage Kirdir, textes et concordances* (Paris, 1991). 또한 C. Jullien and F. Jullien, 'Aux frontières de l'iranité: "nasraye" et "kristyone" des inscriptions du mobad Kirdir: enquête littéraire et historique', *Numen* 49.3 (2002), 282–335; F. de Blois, 'Naṣrānī (Ναζωραῖος) and ḥanīf (ἐθνικός): Studies on the Religious Vocabulary of Christianity and of Islam', *Bulletin of the School of Oriental and African Studies* 65 (2002), 7–8.

37   S. Lieu, 'Captives, Refugees and Exiles: A Study of Cross-Frontier Civilian Movements and Contacts between Rome and Persia from Valerian to Jovian', in P. Freeman and D. Kennedy (eds), *The Defence of the Roman and Byzantine East* (Oxford, 1986), pp. 475–505.

38   A. Kitchen, C. Ehret, S. Assefa and C. Mulligan, 'Bayesian Phylogenetic Analysis of Semitic Languages Identifies an Early Bronze Age Origin of Semitic in the Near East', *Proceedings of the Royal Society B*, 276.1668 (2009), 2702–10. 일부 학자들은 셈계 언어가 북아프리카에서 기원했다고 주장한다. D. McCall, 'The Afroasiatic Language Phylum: African in Origin, or Asian?', *Current Anthropology* 39.1 (1998), 139–44.

39   R. Stark, *The Rise of Christianity: A Sociologist Reconsiders History* (Princeton, 1996), 그리고

같은 저자의 *Cities of God: The Real Story of How Christianity Became an Urban Movement and Conquered Rome* (San Francisco, 2006). 스타크의 관점과 방법론은 논란을 일으켰다. *Journal of Early Christian Studies* 6.2 (1998)를 보라.

40   Pliny the Younger, Letter 96, ed. and tr. B. Radice, *Letters and Panegyricus*, 2 vols (Cambridge, MA, 1969), 2, pp. 284–6.

41   Ibid., Letter 97, 2, pp. 290–2.

42   J. Helgeland, R. Daly and P. Patout Burns (eds), *Christians and the Military: The Early Experience* (Philadelphia, 1985).

43   M. Roberts, *Poetry and the Cult of the Martyrs* (Ann Arbor, 1993); G. de Ste Croix, *Christian Persecution, Martyrdom and Orthodoxy* (Oxford, 2006).

44   Tertullian, *Apologia ad Nationes, 42, in Tertullian: Apology: De Spectaculis*, ed. and tr. T. Glover (London, 1931), p. 190; G. Stoumsa, *Barbarian Philosophy: The Religious Revolution of Early Christianity* (Tübingen, 1999), pp. 69–70.

45   Tertullian, *Apologia*, 8, p. 44.

46   W. Baum and D. Winkler, *Die Apostolische Kirche des Ostens* (Klagenfurt, 2000), pp. 13–17.

47   S. Rose, *Roman Edessa: Politics and Culture on the Eastern Fringes of the Roman Empire, 114–242 CE* (London, 2001).

48   T. Mgaloblishvili and I. Gagoshidze, 'The Jewish Diaspora and Early Christianity in Georgia', in T. Mgaloblishvili (ed.), *Ancient Christianity in the Caucasus* (London, 1998), pp. 39–48.

49   J. Bowman, 'The Sassanian Church in the Kharg Island', *Acta Iranica* 1 (1974), 217–20.

50   *The Book of the Laws of the Countries: Dialogue on the Fate of Bardaisan of Edessa*, tr. H. Drijvers (Assen, 1965), p. 61.

51   J. Asmussen, 'Christians in Iran', in *The Cambridge History of Iran: The Seleucid, Parthian and Sasanian Periods* (Cambridge, 1983), 3.2, pp. 929–30.

52   S. Brock, 'A Martyr at the Sasanid Court under Vahran II: Candida', *Analecta Bollandiana* 96.2 (1978), 167–81.

53   Eusebius, *Evaggelike Proparaskeus*, ed. K. Mras, *Eusebius Werke: Die Praeparatio Evangelica* (Berlin, 1954), 1.4, p. 16; A. Johnson, 'Eusebius' *Praeparatio Evangelica* as Literary Experiment', in S. Johnson (ed.), *Greek Literature in Late Antiquity: Dynamism, Didacticism, Classicism* (Aldershot, 2006), p. 85.

54   P. Brown, *The Body and Society: Men, Women and Sexual Renunciation in Early Christianity* (London, 1988); C. Wickham, *The Inheritance of Rome: A History of Europe from 400 to 1000* (London, 2009), pp. 55–6.

55   B. Dignas and E. Winter, *Rome and Persia in Late Antiquity* (Cambridge, 2007), pp. 210–32.

56   A. Sterk, 'Mission from Below: Captive Women and Conversion on the East Roman Frontiers', *Church History* 79.1 (2010), 1–39.

57   개종에 관해서는 R. Thomson (ed. and tr.), *The Lives of St Gregory: The Armenian, Greek, Arabic and Syriac Versions of the History Attributed to Agathangelos* (Ann Arbor, 2010). 논란이 많은 날짜에 관해서는 W. Seibt, *Die Christianisierung des Kaukasus: The Christianisation of Caucasus (Armenia, Georgia, Albania)* (Vienna, 2002), and M.-L. Chaumont, *Recherches sur l'histoire d'Arménie, de l'avènement des Sassanides à la conversion du royaume* (Paris, 1969),

pp. 131 – 46.

58   Eusebius of Caesarea, *Bios tou megalou Konstantinou*, ed. F. Winkelmann, *Über das Leben des
      Kaisers Konstantin* (Berlin, 1992), 1.28 – 30, pp. 29 – 30. 콘스탄티누스의 개종과 전체적인
      사항에 관해서는 N. Lenski (ed.), *The Cambridge Companion to the Age of Constantine* (rev.
      edn, Cambridge, 2012)에 있는 에세이들을 보라.

59   Sozomen, *Ekklesiastike Historia*, ed. J. Bidez, *Sozomenus: Kirchengeschichte* (Berlin, 1995), 2.3,
      p. 52.

60   Eusebius, *Bios tou megalou Konstantinou*, 2.44, p. 66.

61   A. Lee, 'Traditional Religions', in Lenski, *Age of Constantine*, pp. 159 – 80.

62   Codex Theodosianus, tr. C. Pharr, *The Theodosian Code and Novels and the Simondian
      Constitutions* (Princeton, 1952), 15.12, p. 436.

63   Eusebius, *Bios tou megalou Konstantinou*, 3.27 – 8, p. 96.

64   Ibid., 3.31 – 2, p. 99.

65   P. Sarris, *Empires of Faith* (Oxford, 2012), pp. 22 – 3.

66   Eusebius, *Vita Constantini*, 4.13, p. 125; translation in Dodgeon and Lieu (eds), *The Roman
      Eastern Frontier and the Persian Wars A. D. 226–363: A Documentary History* (London,
      1991), p. 152. 날짜에 관해서는 G. Fowden, *Empire to Commonwealth: Consequences of
      Monotheism in Late Antiquity* (Princeton, 1993), pp. 94 – 9.

67   J. Eadie, 'The Transformation of the Eastern Frontier 260 – 305', in R. Mathisen and H.
      Sivan (eds), *Shifting Frontiers in Late Antiquity* (Aldershot, 1996), pp. 72 – 82; M. Konrad,
      'Research on the Roman and Early Byzantine Frontier in North Syria', *Journal of Roman
      Archaeology* 12 (1999), 392 – 410.

68   Sterk, 'Mission from Below', 10 – 11.

69   Eusebius, *Vita Constantini*, 5.56, p. 143; 5.62, pp. 145 – 6.

70   T. Barnes, 'Constantine and the Christians of Persia', *Journal of Roman Studies* 75 (1985), 132.

71   Aphrahat, *Demonstrations*, M.-J. Pierre, *Aphraate le sage person: les exposés* (Paris, 1988 – 9),
      no. 5.

72   J. Walker, *The Legend of Mar Qardagh: Narrative and Christian Heroism in Late Antique Iraq*
      (Berkeley, 2006), 6, p. 22.

73   전체적으로 J. Rist, 'Die Verfolgung der Christen im spätkirchen Sasanidenreich: Ursachen,
      Verlauf, und Folgen', *Oriens Christianus* 80 (1996), 17 – 42를 보라. 이 증거는 해석의 문제
      가 없는 것은 아니다. S. Brock, 'Saints in Syriac: A Little-Tapped Resource', *Journal of East
      Christian Studies* 16.2 (2008), 특히 184 – 6.

74   J. Wiesehöfer, *Ancient Persia, 500 BC to 650 AD* (London, 2001), p. 202.

3. 기독교도의 동방으로 가는 길

1   O. Knottnerus, 'Malaria in den Nordseemarschen: Gedanken über Mensch und Umwelt',
      in M. Jakubowski-Tiessen and J. Lorenzen-Schmidt, *Dünger und Dynamit: Beiträge zur
      Umweltgeschichte Schleswig-Holsteins und Dänemarks* (Neumünster, 1999), pp. 25 – 39;

P. Sorrel et al., 'Climate Variability in the Aral Sea Basin (Central Asia) during the Late Holocene Based on Vegetation Changes', *Quaternary Research* 67.3 (2007), 357−70; H. Oberhänsli et al., 'Variability in Precipitation, Temperature and River Runoff in W. Central Asia during the Past~2000 Yrs', *Global and Planetary Change* 76 (2011), 95−104; O. Savoskul and O. Solomina, 'Late−Holocene Glacier Variations in the Frontal and Inner Ranges of the Tian Shan, Central Asia', *Holocene* 6.1 (1996), 25−35.

2 N. Sims−Williams, 'Sogdian Ancient Letter II', in A. Juliano and J. Lerner (eds), *Monks and Merchants: Silk Road Treasures from Northern China: Gansu and Ningxia 4th–7th Century* (New York, 2001), pp. 47−9. 또한 F. Grenet and N. Sims−Williams, 'The Historical Context of the Sogdian Ancient Letters', *Transition Periods in Iranian History, Studia Iranica* 5 (1987), 101−22; N. Sims−Williams, 'Towards a New Edition of the Sogdian Letters', in E. Trembert and E. de la Vaissière (eds), *Les Sogdiens en Chine* (Paris, 2005), pp. 181−93을 보라.

3 E. de la Vaissière, 'Huns et Xiongnu', *Central Asiatic Journal* 49.1 (2005), 3−26.

4 P. Heather, Empires and Barbarians (London, 2009), pp. 151−88; A. Poulter, 'Cataclysm on the Lower Danube: The Destruction of a Complex Roman Landscape', in N. Christie (ed.), *Landscapes of Change: Rural Evolutions in Late Antiquity and the Early Middle Ages* (Aldershot, 2004), pp. 223−54.

5 F. Grenet, 'Crise et sortie de crise en Bactriane−Sogdiane aux IVe−Ve s de n.è.: de l'héritage antique à l'adoption de modèles sassanides', in *La Persia e l'Asia Centrale da Alessandro al X secolo. Atti dei Convegni Lincei* 127 (Rome, 1996), pp. 367−90; de la Vaissière, *Sogdian Traders*, pp. 97−103.

6 G. Greatrex and S. Lieu, *The Roman Eastern Frontier and the Persian Wars, Part II, AD 363–630* (London, 2002), pp. 17−19; O. Maenchen−Helfen, *The World of the Huns* (Los Angeles, 1973), p. 58.

7 학자들이 오랫동안 그 건설 연대를 두고 논쟁을 벌여왔지만, 최근 방사성 탄소 측정법과 광여기 루미네선스(OSL) 측정법이 발전하면서 이제 이 거대한 방어 시설이 이 시기에 건설됐다고 확실하게 말할 수 있다. J. Nokandeh et al., 'Linear Barriers of Northern Iran: The Great Wall of Gorgan and the Wall of Tammishe', *Iran* 44 (2006), 121−73.

8 J. Howard−Johnston, 'The Two Great Powers in Late Antiquity: A Comparison', in A. Cameron, G. King and J. Haldon (eds), *The Byzantine and Early Islamic Near East*, 3 vols (Princeton, 1992−6), 3, pp. 190−7.

9 R. Blockley, 'Subsidies and Diplomacy: Rome and Persia in Late Antiquity', *Phoenix* 39 (1985), 66−7.

10 Greatrex and Lieu, *Roman Eastern Frontier*, pp. 32−3.

11 Heather, *Fall of the Roman Empire*, pp. 191−250.

12 St Jerome, 'Ad Principiam', *Select Letters of St Jerome*, ed. and tr. F. Wright (Cambridge, MA, 1933), 127, p. 462.

13 Jordanes, *Getica*, 30, in *Iordanis Romana et Getica*, ed. T. Mommsen (Berlin, 1882), pp. 98−9.

14 J. Hill, *Through the Jade Gate to Rome: A Study of the Silk Routes during the Late Han Dynasty, 1st to 2nd Centuries CE: An Annotated Translation of the Chronicle of the 'Western Regions' from the Hou Hanshu* (Charleston, NC, 2009).

15 Sarris, *Empires of Faith*, pp. 41–3.

16 4세기 초의 한 기록은 로마제국으로 쏟아져 들어온 종족들을 나열하고 있다. A. Riese (ed.), *Geographi latini minores* (Hildesheim, 1964), pp. 1280–9. 또 다른 사례에 관해서는 Sidonius Apollinaris, 'Panegyric on Avitus', in *Sidonius Apollinaris: Poems and Letters*, ed. and tr. W. Anderson, 2 vols (Cambridge, MA, 1935–56), 1, p. 146.

17 Ammianus Marcellinus, *Rerum Gestarum Libri XXX*, 31.2, 3, p. 382.

18 Priscus, *Testimonia*, fragment 49, ed. and tr. R. Blockley, *The Fragmentary Classicising Historians of the Later Roman Empire: Eunapius, Olympiodorus, Priscus, and Malchus*, 2 vols (Liverpool, 1981–3), 2, p. 356.

19 Ammianus Marcellinus, *Rerum Gestarum Libri XXX*, 31.2, 3, p. 380.

20 D. Pany and K. Wiltschke-Schrotta, 'Artificial Cranial Deformation in a Migration Period Burial of Schwarzenbach, Central Austria', *VIAVIAS* 2 (2008), 18–23.

21 Priscus, *Testimonia*, fragment 24, 2, pp. 316–17. 훈족의 성공에 관해서는 Heather, *Fall of the Roman Empire*, pp. 300–48.

22 B. Ward-Perkins, *The Fall of Rome and the End of Civilization* (Oxford, 2005), pp. 91ff.

23 Salvian, *Œuvres*, ed. and tr. C. Lagarrigue, 2 vols (Paris, 1971–5), 2, 4.12. Translation from E. Sanford (tr.), *The Government of God* (New York, 1930), p. 118.

24 Zosimus, *Historias Neas*, ed. and tr. F. Paschoud, *Zosime, Histoire nouvelle*, 3 vols (Paris, 2000) 2.7, 1, pp. 77–9.

25 Asmussen, 'Christians in Iran', pp. 929–30.

26 S. Brock, 'The Church of the East in the Sasanian Empire up to the Sixth Century and its Absence from the Councils in the Roman Empire', *Syriac Dialogue: First Non-Official Consultation on Dialogue within the Syriac Tradition* (Vienna, 1994), 71.

27 A. Cameron and R. Hoyland (eds), *Doctrine and Debate in the East Christian World 300–1500* (Farnham, 2011), p. xi.

28 W. Barnstone, *The Restored New Testament: A New Translation with Commentary, Including the Gnostic Gospels of Thomas, Mary and Judas* (New York, 2009).

29 N. Tanner, *The Decrees of the Ecumenical Councils*, 2 vols (Washington, DC, 1990), 1; A. Cameron, *The Later Roman Empire, AD 284–430* (London, 1993), pp. 59–70.

30 P. Wood, *The Chronicle of Seert. Christian Historical Imagination in Late Antique Iraq* (Oxford, 2013), pp. 23–4.

31 S. Brock, 'The Christology of the Church of the East in the Synods of the Fifth to Early Seventh Centuries: Preliminary Considerations and Materials', in G. Dagras (ed.), *A Festschrift for Archbishop Methodios of Thyateira and Great Britain* (Athens, 1985), pp. 125–42.

32 Baum and Winkler, *Apostolische Kirche*, pp. 19–25.

33 Synod of Dadjesus, *Synodicon orientale, ou Recueil de synods nestoriens*, ed. J. Chabot (Paris, 1902), pp. 285–98; Brock, 'Christology of the Church of the East', pp. 125–42; Brock, 'Church of the East', 73–4.

34 Wood, *Chronicle of Seert*, pp. 32–7.

35 Gregory of Nazianzus, *De Vita Sua*, in D. Meehan (tr.), *Saint Gregory of Nazianzus: Three Poems* (Washington, DC, 1987), pp. 133–5.

36 St Cyril of Alexandria, Letter to Paul the Prefect, in J. McEnerney (tr.), *Letters of St Cyril of Alexandria*, 2 vols (Washington, DC, 1985–7), 2, 96, pp. 151–3.

37 S. Brock, 'From Antagonism to Assimilation: Syriac Attitudes to Greek Learning', in N. Garsoian, T. Mathews and T. Thomson (eds), *East of Byzantium: Syria and Armenia in the Formative Period* (Washington, DC, 1982), pp. 17–34. 또한 같은 책의 'Christology of the Church of the East', pp. 165–73.

38 R. Norris, *The Christological Controversy* (Philadelphia, 1980), pp. 156–7.

39 Brock, 'Christology of the Church of the East', pp. 125–42. 또한 Baum and Winkler, *Apostolische Kirche*, pp. 31–4를 보라.

40 F.-C. Andreas, 'Bruchstücke einer Pehlevi-Übersetzung der Psalmen aus der Sassanidenzeit', *Sitzungsberichte der Berliner Akademie der Wissenschaften* (1910), 869–72; J. Asmussen, 'The Sogdian and Uighur-Turkish Christian Literature in Central Asia before the Real Rise of Islam: A Survey', in L. Hercus, F. Kuiper, T. Rajapatirana and E. Skrzypczak (eds), *Indological and Buddhist Studies: Volume in Honour of Professor J. W. de Jong on his Sixtieth Birthday* (Canberra, 1982), pp. 11–29.

41 Sarris, *Empires of Faith*, p. 153.

42 553년의 회의에 관해서는 R. Price, *The Acts of the Council of Constantinople of 553: Edited with an introduction and notes*, 2 vols (Liverpool, 2009). 시리아어 성서와 번역에 관해서는 S. Brock, 'The Conversations with the Syrian Orthodox under Justinian (532)', *Orientalia Christiana Periodica* 47 (1981), 87–121, 그리고 같은 책의 'Some New Letters of the Patriarch Severus', *Studia Patristica* 12 (1975), 17–24.

43 Evagrius Scholasticus, *Ekklesiastike historia*, 5.1, *Ecclesiastical History of Evagrius Scholasticus*, tr. M. Whitby (Liverpool, 2005), p. 254.

44 성서의 편집과 그 시기에 대해서는 R. Lim, *Public Disputation: Power and Social Order in Late Antiquity* (Berkeley, 1991), p. 227을 보라.

45 Sterk, 'Mission from Below', 10–12.

46 나지란(Najran)의 300명의 순교자에 관해서는 I. Shahid, 'The Martyrdom of Early Arab Christians: Sixth Century Najran', in G. Corey, P. Gillquist, M. Mackoul et al. (eds), *The First One Hundred Years: A Centennial Anthology Celebrating Antiochian Orthodoxy in North America* (Englewood, NJ, 1996), pp. 177–80을, 코스마스 인디코플레우스테스의 여행에 관해서는 S. Faller, *Taprobane im Wandel der Zeit* (Stuttgart, 2000); H. Schneider, 'Kosmas Indikopleustes, Christliche Topographie: Probleme der Überlieferung und Editionsgeschichte', *Byzantinische Zeitschrift* 99.2 (2006), 605–14를 보라.

47 *The History of Theophylact Simocatta: An English Translation with Introduction and Notes*, ed. and tr. M. Whitby and M. Whitby (Oxford, 1986), 5.10, p. 147.

48 Wood, *Chronicle of Seert*, p. 23.

49 B. Spuler, *Iran in früh-Islamischer Zeit* (Wiesbaden, 1952), pp. 210–13; P. Jenkins, *The Lost History of Christianity* (Oxford, 2008), pp. 14, 53. 또한 S. Moffett, *A History of Christianity in Asia*, 2 vols (San Francisco, 1998); J. Asmussen, 'Christians in Iran', pp. 924–48을 보라.

50 A. Atiya, *A History of Eastern Christianity* (London, 1968), p. 239ff.

51 Agathias, *Historion*, 2.28, *Agathias: Histories*, tr. J. Frendo (Berlin, 1975), p. 77.

52   기도문에 대해서는 Brock, 'Church of the East', 76. 선출에 대해서는 Synod of Mar Gregory I, *Synodicon orientale*, p. 471.

53   T. Daryaee (ed. and tr.), *Šahrestānīhā-ī Ērānšahr: A Middle Persian Text on Late Antique Geography, Epic and History* (Costa Mesa, CA, 2002).

54   M. Morony, 'Land Use and Settlement Patterns in Late Sasanian and Early Islamic Iraq', in Cameron, King and Haldon, *The Byzantine and Early Islamic Near East*, 2, pp. 221–9; F. Rahimi-Laridjani, *Die Entwicklung der Bewässerungslandwirtschaft im Iran bis Sasanidisch-frühislamische zeit* (Weisbaden, 1988); R. Gyselen, *La géographie administrative de l'empire sasanide: les témoignages sigilographiques* (Paris, 1989).

55   P. Pourshariati, *Decline and Fall of the Sasanian Empire: The Sasanian–Parthian Confederacy and the Arab Conquest of Iran* (London, 2009), pp. 33–60. 또한 Z. Rubin, 'The Reforms of Khusro Anushirwān', in Cameron, *Islamic Near East*, 3, pp. 225–97을 보라.

56   A. Taffazoli, 'List of Trades and Crafts in the Sassanian Period', *Archaeologische Mitteilungen aus Iran* 7 (1974), 192–6.

57   R. Frye, 'Sasanian Seal Inscriptions', in R. Stiehl and H. Stier, *Beiträge zur alten Gesichte und deren Nachleben*, 2 vols (Berlin, 1969–70), 1, pp. 79–84; J. Choksy, 'Loan and Sales Contracts in Ancient and Early Medieval Iran', *Indo-Iranian Journal* 31 (1988), 120.

58   Daryaee, 'Persian Gulf Trade', 1–16.

59   E. de la Vaissière, *Histoire des marchands sogdiens* (Paris, 2002), pp. 155–61, 179–231. N. Sims-Williams, 'The Sogdian Merchants in China and India', in A. Cadonna and L. Lanciotti (eds), *Cina e Iran: da Alessandro Magno alla dinastia Tang* (Florence, 1996), pp. 45–67; J. Rose, 'The Sogdians: Prime Movers between Boundaries', *Comparative Studies of South Asia, Africa and the Middle East* 30.3 (2010), 410–19.

60   F. Thierry and C. Morrisson, 'Sur les monnaies Byzantines trouvés en Chine', *Revue numismatique* 36 (1994), 109–45; L. Yin, 'Western Turks and Byzantine Gold Coins Found in China', *Transoxiana* 6 (2003); B. Marshak and W. Anazawa, 'Some Notes on the Tomb of Li Xian and his Wife under the Northern Zhou Dynasty at Guyuan, Ningxia and its Gold-Gilt Silver Ewer with Greek Mythological Scenes Unearthed There', *Cultura Antiqua* 41.4 (1989), 54–7.

61   D. Shepherd, 'Sasanian Art', in *Cambridge History of Iran*, 3.2, pp. 1085–6.

62   부활절에 관해서는 Eusebius, *Vita Constantini*, 3.18, p. 90. 근친혼 금지의 사례에 관해서는 *Codex Theodosianus*, 16.7, p. 466; 16.8, pp. 467–8.

63   L. Feldman, 'Proselytism by Jews in the Third, Fourth and Fifth Centuries', *Journal for the Study of Judaism* 24.1 (1993), 9–10.

64   Ibid., 46.

65   P. Schäfer, *Jesus in the Talmud* (Princeton, 2007); P. Schäfer, M. Meerson and Y. Deutsch (eds), *Toledot Yeshu ('The Life Story of Jesus') Revisited* (Tübingen, 2011).

66   G. Bowersock, 'The New Greek Inscription from South Yemen', in A. Sedov and J.-F. Salles (eds), *Qāni': le port antique du Ḥaḍramawt entre la Méditerranée, l'Afrique et l'Inde: fouilles russes 1972, 1985–89, 1991, 1993–94* (Turnhout, 2013), pp. 393–6.

67   J. Beaucamp, F. Briquel-Chatonnet and C. Robin (eds), *Juifs et chrétiens en Arabie aux Ve et*

VIe siècles: regards croisés sur les sources (Paris, 2010); C. Robin, 'Joseph, dernier roi de Himyar (de 522 à 525, ou une des années suivantes)', *Jerusalem Studies in Arabic and Islam* 34 (2008), 1–124.

68 G. Bowersock, *The Throne of Adulis: Red Sea Wars on the Eve of Islam* (Oxford, 2013), pp. 78–91.

69 Brock, 'Church of the East', 73.

70 Walker, *The Legend of Mar Qardagh*; text, pp. 19–69.

71 Y. Saeki, *The Nestorian Documents and Relics in China* (2nd edn, Tokyo, 1951), pp. 126–7; D. Scott, 'Christian Responses to Buddhism in Pre-Medieval Times', *Numen* 32.1 (1985), 91–2.

72 E. Pagels, *The Gnostic Gospels* (New York, 1979); H.-J. Klimkeit, *Gnosis on the Silk Road: Gnostic Texts from Central Asia* (San Francisco, 1993); K. King, *What is Gnosticism?* (Cambridge, MA, 2003)을 보라.

73 P. Crone, 'Zoroastrian Communism', *Comparative Studies in Society and History* 364 (1994), 447–62; G. Gnoli, 'Nuovi studi sul Mazdakismo', in *Convegno internazionale: la Persia e Bisanzio* (Rome, 2004), pp. 439–56.

74 Hui Li, *Life of Hiuen-tsang*(慧立,《大唐大慈恩寺三藏法師傳》), tr. Samuel Beal (Westport, CT, 1973), p. 45.

75 Ibid., p. 46; R. Foltz, 'When was Central Asia Zoroastrian?', *Mankind Quarterly* (1988), 189–200.

76 S. Beal, *Buddhist Records of the Western World* (New Delhi, 1969), pp. 44–6.

77 G. Mitchell and S. Johar, 'The Maratha Complex at Ellora', *Modern Asian Studies* 28.1 (2012), 69–88.

78 1970년대에 일본과 아프가니스탄의 합동 발굴단에 의해 발굴과 조사가 이루어졌다. T. Higuchi(樋口隆康), *Japan–Afghanistan Joint Archaeological Survey 1974, 1976, 1978* (Kyoto, 1976–80).

79 바미얀 동굴군의 조성 시기를 600년 무렵으로 보는 견해에 대해서는 D. Klimburg-Salter, 'Buddhist Painting in the Hindu Kush *c*. VIIth to Xth Centuries: Reflections of the Co-existence of Pre-Islamic and Islamic Artistic Cultures during the Early Centuries of the Islamic Era', in E. de la Vaissière, *Islamisation de l'Asie Centrale: processus locaux d'acculturation du VIIe au XIe siècle* (Paris, 2008), pp. 140–2를 보라. 또한 F. Flood, 'Between Cult and Culture: Bamiyan, Islamic Iconoclasm, and the Museum', *Art Bulletin* 844 (2002), 641ff를 보라. 또한 L. Morgan, *The Buddhas of Bamiyan* (London, 2012)를 보라.

80 Power, *Red Sea*, p. 58에서 재인용.

81 I. Gillman and H.-J. Klimkeit, *Christians in Asia before 1500* (Ann Arbor, 1999), pp. 265–305.

82 G. Stroumsa, *Barbarian Philosophy: The Religious Revolution of Early Christianity* (Tübingen, 1999), pp. 80, 274–81.

83 J. Choksy, 'Hagiography and Monotheism in History: Doctrinal Encounters between Zoroastrianism, Judaism and Christianity', *Islam and Christian– Muslim Relations* 144 (2010), 407–21.

4. 혁명으로 가는 길

1   Pseudo-Dionysius of Tel Mahre, *Chronicle (Known Also as the Chronicle of Zuqnin), Part III*, tr. W. Witaksowski (Liverpool, 1996), p. 77.

2   Procopius, *Hyper ton polemon*, 2.22-3, in *History of the Wars, Secret History, Buildings*, ed. and tr. H. Dewing, 7 vols (Cambridge, MA), 1, pp. 450-72.

3   M. Morony, "For Whom Does the Writer Write?": The First Bubonic Plague Pandemic According to Syriac Sources', in K. Lester (ed.), *Plague and the End of Antiquity: The Pandemic of 541–750* (Cambridge, 2007), p. 64; D. Twitchett, 'Population and Pestilence in T'ang China', in W. Bauer (ed.), *Studia Sino-Mongolica* (Wiesbaden, 1979), 42, 62.

4   P. Sarris, *Economy and Society in the Age of Justinian* (Cambridge, 2006); idem, 'Plague in Byzantium: The Evidence of Non-Literary Sources', in Lester, *Plague and the End of Antiquity*, pp. 119-34; A. Cameron, *The Mediterranean World in Late Antiquity: AD 395-700* (London, 1993), pp. 113ff.; D. Stathakopoulos, *Famine and Pestilence in the Late Roman and Early Byzantine Empire: A Systematic Survey of Subsistence Crises and Epidemics* (Birmingham, 2004), pp. 110-65.

5   Sarris, *Empires of Faith*, pp. 145ff.

6   Procopius, *The Secret History*, tr. P. Sarris (London, 2007), p. 80.

7   John of Ephesus, *Ecclesiastical History*, 6.24, tr. R. P. Smith (1860), p. 429.

8   M.-T. Liu, *Die chinesischen Nachrichten zur Geschichte der Ost-Türken (T'u-küe)*, 2 vols (Wiesbaden, 2009), 1, p. 87. 또한 J. Banaji, 'Precious-Metal Coinages and Monetary Expansion in Late Antiquity', in F. De Romanis and S. Sorda (eds), *Dal denarius al dinar: l'oriente e la moneta romana* (Rome, 2006), pp. 265-303.

9   *The History of Menander the Guardsman*, tr. R. Blockley (Liverpool, 1985), pp. 121-3.

10 Ibid., pp. 110-7.

11 Sarris, *Empires of Faith*, pp. 230-1.

12 *Menander the Guardsman*, pp. 173-5.

13 이 부분의 자료에 관해서는 Greatrex and Lieu, *Roman Eastern Frontier, Part II*, pp. 153-8.

14 R. Thomson, *The Armenian History Attributed to Sebeos. Part I: Translation and Notes* (Liverpool, 1999), 8, p. 9.

15 Agathias, *Historion*, 2.24, p. 72.

16 G. Fisher, 'From Mavia to al-Mundhir: Arab Christians and Arab Tribes in the Late Antique Roman East', in I. Toral-Niehoff and K. Dimitriev (eds), *Religious Culture in Late Antique Arabia* (Leiden, 2012), p. x; M. Maas, "Delivered from their Ancient Customs": Christianity and the Question of Cultural Change in Early Byzantine Ethnography', in K. Mills and A. Grafton (eds), *Conversion in Late Antiquity and the Early Middle Ages* (Rochester, NY, 2003), pp. 152-88.

17 R. Hoyland, 'Arab Kings, Arab Tribes and the Beginnings of Arab Historical Memory in Late Roman Epigraphy', in H. Cotton, R. Hoyland, J. Price and D. Wasserstein (eds), *From Hellenism to Islam: Cultural and Linguistic Change in the Roman Near East* (Cambridge, 2009), pp. 374-400.

18 M. Whittow, 'Rome and the Jafnids: Writing the History of a Sixth-Century Tribal Dynasty', in J. Humphrey (ed.), *The Roman and Byzantine Near East: Some Recent Archaeological Research* (Ann Arbor, 1999), pp. 215–33.

19 K. Atahmina, 'The Tribal Kings in Pre-Islamic Arabia: A Study of the Epithet *malik* or *dhū al-tāj* in Early Arabic Traditions', *al-Qanṭara* 19 (1998), 35; M. Morony, 'The Late Sasanian Economic Impact on the Arabian Peninsula', *Nāme-ye Irān-e Bāstān* 1.2 (201/2), 35–6; I. Shahid, *Byzantium and the Arabs in the Sixth Century*, 2 vols (Washington, DC, 1995–2009), 2.2, pp. 53–4.

20 Sarris, *Empires of Faith*, pp. 234–6.

21 Procopius, *Buildings*, 3.3, 7, pp. 192–4.

22 J. Howard-Johnston, *Witnesses to a World Crisis: Historians and Histories of the Middle East in the Seventh Century* (Oxford, 2010), pp. 438–9.

23 Synod of Mar Gregory I, *Synodicon orientale*, p. 471. 또한 Walker, *Mar Qardagh*, pp. 87–9를 보라.

24 F. Conybeare, 'Antiochos Strategos' Account of the Sack of Jerusalem in ad 614', *English Historical Review* 25 (1910), 506–8, 그러나 Howard-Johnston, *Witnesses to a World Crisis*, pp. 164–5를 보라. 선전에 관해서는 J. Howard-Johnston, 'Heraclius' Persian Campaigns and the Revival of the Roman Empire', *War in History* 6 (1999), 36–9.

25 Chronicon Paschale, tr. M. Whitby and M. Whitby (Liverpool, 1989), pp. 161–2; Howard-Johnston, 'Heraclius' Persian Campaigns', 3; Sarris, *Empires of Faith*, p. 248.

26 *Chronicon Paschale*, pp. 158, 164.

27 Howard-Johnston, 'Heraclius' Persian Campaigns', 37.

28 정확한 날짜에 관해서는 논란이 있다. R. Altheim-Stiehl, 'Würde Alexandreia im Juni 619 n. Chr. durch die Perser Erobert?', *Tyche* 6 (1991), 3–16.

29 J. Howard-Johnston, 'The Siege of Constantinople in 626', in C. Mango and G. Dagron (eds), *Constantinople and its Hinterland* (Aldershot, 1995), pp. 131–42.

30 Howard-Johnston, 'Heraclius' Persian Campaigns', 23–4; C. Zuckerman, 'La Petite Augusta et le Turc: Epiphania-Eudocie sur les monnaies d'Héraclius', *Revue Numismatique* 150 (1995), 113–26.

31 N. Oikonomides, 'Correspondence between Heraclius and Kavadh-Siroe in the *Paschal Chronicle (628)*', *Byzantion* 41 (1971), 269–81.

32 Sebeos, *Armenian History*, 40, pp. 86–7; Theophanes, *The Chronicle of Theophanes Confessor: Byzantine and Near Eastern History, AD 284–813*, tr. C. Mango and R. Scott (Oxford, 1997), pp. 455–6.

33 *Chronicon Paschale*, pp. 166–7; Sebeos, *Armenian History*, 38, pp. 79–81.

34 G. Dagron and V. Déroche, 'Juifs et chrétiens en Orient byzantin', *Travaux et Mémoires* 11 (1994), 28ff.

35 Cameron and Hoyland, *Doctrine and Debate*, pp. xxi–xxii.

36 페르시아 주교들의 편지. *Synodicon orientale*, pp. 584–5.

37 Theophanes, *Chronicle*, p. 459; Mango, 'Deux études sur Byzance et la Perse sassanide', *Travaux et Mémoires* 9 (1985), 117.

38 B. Dols, 'Plague in Early Islamic History', *Journal of the American Oriental Society* 94.3 (1974), 376; P. Sarris, 'The Justinianic Plague: Origins and Effects', *Continuity and Change* 17.2 (2002), 171.

39 Bowersock, *Throne of Adulis*, pp. 106–33. 또한 G. Lüling, *Die Wiederentdeckung des Propheten Muhammad: eine Kritik am 'christlichen' Abendland* (Erlangen, 1981).

40 C. Robin, 'Arabia and Ethiopia', in S. Johnson (ed.), *Oxford Handbook of Late Antiquity* (Oxford, 2012), p. 302.

41 *Qurʾān*, 96.1, ed. and tr. N. Dawood, *The Koran: With a Parallel Translation of the Arabic Text* (London, 2014).

42 Ibn Hisham, *Sīrat rasūl Allāh*, tr. A. Guillaume, *The Life of Muhammad: A Translation of Isḥāq's Sīrat rasūl Allāh* (Oxford, 1955), p. 106; *Qurʾān*, 81.23, p. 586.

43 H. Motzki, 'The Collection of the *Qurʾān*: A Reconsideration of Western Views in Light of Recent Methodological Developments', *Der Islam* 78 (2001), 1–34와 또한 A. Neuwirth, N. Sinai and M. Marx (eds), *The Qurʾān in Context: Historical and Literary Investigations into the Qurʾānic Milieu* (Leiden, 2010)를 보라.

44 *Qurʾān*, 18.56, p. 299.

45 *Qurʾān*, 16.98–9, p. 277.

46 예를 들어 *Qurʾān*, 2.165; 2.197; 2.211.

47 F. Donner, *Narratives of Islamic Origins: The Beginnings of Islamic Historical Writing* (Princeton, 1998)를 보라. 또한 예컨대 T. Holland, *In the Shadow of the Sword: The Battle for Global Empire and the End of the Ancient World* (London, 2012).

48 E. El Badawi, *The Qurʾān and the Aramaic Gospel Traditions* (London, 2013).

49 P. Crone, *Meccan Trade and the Rise of Islam* (Princeton, 1977). 또한 R. Serjeant, 'Meccan Trade and the Rise of Islam: Misconceptions and Flawed Polemics', *Journal of the American Oriental Society* 110.3 (1990), 472–3.

50 C. Robinson, 'The Rise of Islam', in M. Cook et al. (eds), *The New Cambridge History of Islam*, 6 vols (Cambridge, 2010), pp. 180–1; M. Kister, 'The Struggle against Musaylima and the Conquest of Yamāma', *Jerusalem Studies in Arabic and Islam* 27 (2002), 1–56.

51 G. Heck, "Arabia without Spices": An Alternative Hypothesis: The Issue of "Makkan Trade and the Rise of Islam"', *Journal of the American Oriental Society* 123.3 (2003), 547–76; J. Schiettecatte and C. Robin, *L'Arabie à la veille de l'Islam: un bilan clinique* (Paris, 2009).

52 P. Crone, 'Quraysh and the Roman Army: Making Sense of the Meccan Leather Trade', *Bulletin of the School of Oriental and African Studies* 70.1 (2007), 63–88.

53 Ibn al-Kalbī, *Kitāb al-aṣnām*, tr. N. Faris, *The Book of Idols Being a Translation from the Arabic of the Kitāb al-aṣnām* (Princeton, 1952), pp. 23–4.

54 *Qurʾān*, 36.33–6, p. 441; G. Reinink, 'Heraclius, the New Alexander: Apocalyptic Prophecies during the Reign of Heraclius', pp. 81–94; W. E. Kaegi Jr, 'New Evidence on the Early Reign of Heraclius', *Byzantinische Zeitschrift* 66 (1973), 308–30.

55 *Qurʾān*, 47.15, p. 507.

56 *Qurʾān*, 5.33, p. 112.

57 *Qurʾān*, 4.56, p. 86. 또한 W. Shepard, *Sayyid Qutb and Islamic Activism: A Translation and*

    Critical Analysis of Social Justice in Islam (Leiden, 2010). 또한 초기 이슬람교의 젠더와 사회 정의에 관한 중요한 관찰에 주목하라. A. Wahud, *Qurʾān and Woman: Rereading the Sacred Text from a Woman's Perspective* (Oxford, 1999).

58   *Qurʾān*, 47.15, p. 507.

59   P. Crone, 'The Religion of the Qurʾānic Pagans: God and the Lesser Deities', *Arabica* 57 (2010), 151–200.

60   R. Hoyland, 'New Documentary Texts and the Early Islamic State', *Bulletin of the School of Oriental and African Studies* 69.3 (2006), 395–416. 무함마드가 도피한 시기에 관해서는 A. Noth, *The Early Arabic Historical Tradition: A Source Critical Study* (Princeton, 1994), p. 40; M. Cook and P. Crone, *Hagarism: The Making of the Islamic World* (Cambridge, 1977), pp. 24, 157.

61   Nikephoros of Constantinople, *Chronographikon syntomon*, ed. and tr. C. Mango, *Short History* (Washington, DC, 1990), pp. 68–9; Theophylact Simokatta, *History*, 3.17. 이슬람교 등장 이전의 아랍의 '정체성'에 관해서는 A. Al-Azmeh, *The Emergence of Islam in Late Antiquity* (Oxford, 2014), p. 147; W. Kaegi, 'Reconceptualizing Byzantium's Eastern Frontiers', in Mathisen and Sivan, *Shifting Frontiers*, p. 88을 보라.

62   *Qurʾān*, 43.3, p. 488.

63   C. Robinson, 'Rise of Islam', p. 181.

64   말리크는 두 가지의 비슷한 변종을 기록하고 있는데, 아마도 그 말이 전해 온 내력이 다르기 때문인 듯하다. Mālik ibn Anas, *al-Muwaṭṭa*, 45.5, tr. A. ʿAbdarahman and Y. Johnson (Norwich, 1982), p. 429.

65   *Qurʾān*, 2.143–4, p. 21. 또한 al-Azmeh, *Emergence of Islam*, p. 419.

66   *Qurʾān*, 22.27–9, pp. 334–5.

67   R. Frye, 'The Political History of Iran under the Sasanians', in *Cambridge History of Iran*, 3.1, p. 178; Tabarī, *The Battle of al-Qādisiyyah and the Conquest of Syria and Palestine*, tr. Y. Friedmann (Albany, NY, 1992), pp. 45–6.

68   H. Kennedy, *The Great Arab Conquests* (London, 2007), pp. 103–5.

69   Tabarī, *Battle of al-Qādisiyyah*, p. 63.

70   Ibid.

71   *Qurʾān*, 29.1–5, p. 395.

72   Crone, *Meccan Trade*, p. 245.

73   C. Robinson, *The First Islamic Empire*, in J. Arnason and K. Raaflaub (eds), *The Roman Empire in Context: Historical and Comparative Perspectives* (Oxford, 2010), p. 239; G.-R. Puin, *Der Dīwān von ʿUmar Ibn al-Ḥattab* (Bonn, 1970); F. Donner, *The Early Islamic Conquests* (Princeton, 1981), pp. 231–2, 261–3.

74   Pourshariati, *Decline and Fall of the Sasanian Empire*, pp. 161ff. 또한 Donner, *Early Islamic Conquests*, pp. 176–90; Kennedy, *Arab Conquests*, pp. 105–7.

75   예루살렘 정복 날짜에 대해서는 P. Booth, *Crisis of Empire: Doctrine and Dissent at the End of Late Antiquity* (Berkeley, 2014), p. 243.

76   Sebeos, *Armenian History*, 42, p. 98.

77   Howard-Johnston, *Witnesses to a World Crisis*, pp. 373–5.

5. 화합으로 가는 길

1   F. Donner, *Muhammad and the Believers: At the Origins of Islam* (Cambridge, MA, 2010), pp. 228–32; M. Lecker, *The 'Constitution of Medina': Muhammad's First Legal Document* (Princeton, 2004).

2   M. Goodman, G. van Kooten and J. van Ruiten, *Abraham, the Nations and the Hagarites: Jewish, Christian and Islamic Perspectives on Kinship with Abraham* (Leiden, 2010)의 중요한 에세이 모음을 보라.

3   *Doctrina Iacobi* in Dagron and Déroche, 'Juifs et chrétiens', 209. 이 부분의 번역은 R. Hoyland, *Seeing Islam as Others Saw It: A Survey and Evaluation of Christian, Jewish and Zoroastrian Writings on Early Islam* (Princeton, 1997), p. 57을 따랐다.

4   그러므로 W. van Bekkum, 'Jewish Messianic Expectations in the Age of Heraclius', in G. Reinink and H. Stolte (eds), *The Reign of Heraclius (610–641): Crisis and Confrontation* (Leuven, 2002), pp. 95–112를 주목하라.

5   Dagron and Déroche, 'Juifs et chrétiens', 240–7. 이 문서에 있는 정보의 상당 부분의 신뢰 성에 관해서는 Howard-Johnston, *Witnesses to a World Crisis*, pp. 155–7을, 이 문서의 예 상 독자와 목적에 관해서는 D. Olster, *Roman Defeat, Christian Response and the Literary Construction of the Jew* (Philadelphia, 1994). 무엇보다도 Hoyland, *Seeing Islam as Others Saw It.*

6   J. Reeves, *Trajectories in Near Eastern Apocalyptic: A Postrabbinic Jewish Apocalypse Reader* (Leiden, 2006), pp. 78–89; B. Lewis, 'An Apocalyptic Vision of Islamic History', *Bulletin of the School of Oriental and African Studies* 13 (1950), 321–30. 또한 S. Shoemaker, *The Death of a Prophet: The End of Muhammad's Life and the Beginnings of Islam* (Philadelphia, 2012), pp. 28–33을 보라.

7   *Canonici Hebronensis Tractatus de invention sanctorum patriarchum Abraham, Ysaac et Yacob*, in *Recueil des Historiens des Croisades: Historiens Occidentaux* 1, p. 309. 번역은 N. Still man, *The Jews of Arab Lands: A History and Source Book* (Philadelphia, 1979), p. 152를 따랐다.

8   M. Conterno, "'L'abominio della desolazione nel luogo santo": l'ingresso di ʿUmar I a Gerusalemme nella *Cronografi* a de Teofane Confessore e in tre cronache siriache', in *Quaderni di storia religiosa* 17 (2010), pp. 9–24.

9   J. Binns, *Ascetics and Ambassadors of Christ: The Monasteries of Palestine 314–631* (Oxford, 1994); B. Horn, *Asceticism and Christological Controversy in Fifth-Century Palestine: The Career of Peter the Iberian* (Oxford, 2006); Cameron and Hoyland, *Doctrine and Debate*, p. xxix.

10 S. Brock, 'North Mesopotamia in the Late Seventh Century: Book XV of John Bar Penkaye's Rish Melle', *Jerusalem Studies in Arabic and Islam* 9 (1987), 65.

11 *Corpus Scriptorum Christianorum Orientalium*, Series 3, 64, pp. 248–51; Donner, *Muhammad and the Believers*, p. 114.

12 *Qurān*, 2,87, p. 12.

13 *Qurān*, 3,3, p. 49.

14 *Qurān*, 2,42–3, p. 54.

15   Cameron and Hoyland, *Doctrine and Debate*, p. xxxii.

16   *Qur'ān*, 3,65, p. 57

17   *Qur'ān*, 3,103; 105, p. 62.

18   *Qur'ān*, 2,62, p. 9, 5,69, p. 118.

19   R. Hoyland, *In God's Path: The Arab Conquests and the Creation of an Islamic Empire* (Oxford, 2015), pp. 224–9.

20   Robinson, 'The Rise of Islam', p. 186.

21   C. Luxenburg, *The Syro-Aramaic Reading of the Koran: A Contribution to the Decoding of the Language of the Koran* (Berlin, 2007); see here D. King, 'A C· hristian Qur'ān? A Study in the Syriac background to the language of the Qur ān as presented in the work of Christoph Luxenberg', *Journal for Late Antique Religion and Culture* 3 (2009), 44–71.

22   *Qur'ān*, 30,2–4, p. 403.

23   *Qur'ān*, 30,6, p. 404.

24   T. Sizgorich, *Violence and Belief in Late Antiquity: Militant Devotion in Christianity and Islam* (Philadelphia, 2009), pp. 160–1.

25   R. Finn, *Asceticism in the Graeco-Roman World* (Cambridge, 2009).

26   *Qur'ān*, 3,84, p. 60.

27   *Qur'ān*, 10,19, p. 209.

28   Shoemaker, *Death of a Prophet*, pp. 18–72. 또한 R. Hoyland, 'The Earliest Christian Writings on Muhammad: An Appraisal', in H. Motzki (ed.), *The Biography of Muhammad: The Issue of the Sources* (Leiden, 2000), 특히 pp. 277–81; Cook, 'Muhammad', 75–6.

29   Sophronius of Jerusalem, 'Logos eis to hagion baptisma', in A. Papadopoulos-Kermeus, 'Tou en hagiois patros hemon Sophroniou archiepiskopou Hierosolymon logos eis to hagion baptisma', *Analekta Hierosolymitikes Stakhiologias* 5 (St Petersburg, 1898), 166–7.

30   G. Anvil, *The Byzantine–Islamic Transition in Palestine: An Archaeological Approach* (Oxford, 2014); R. Schick, *The Christian Communities of Palestine from Byzantine to Islamic Rule* (Princeton, 1995).

31   Al-Balādhurī, *Kitâb futûh al-buldân*, tr. P. Hitti, *The Origins of the Islamic State* (New York, 1916), 8, p. 187.

32   John of Nikiu, *Khronike*, tr. R. Charles, *The Chronicle of John of Nikiu* (London, 1916), 120,17–28, pp. 193–4.

33   G. Garitte, '"Histoires édifiantes" géorgiennes', *Byzantion* 36 (1966), 414–16; Holyand, *Seeing Islam*, p. 63.

34   Robinson, *First Islamic Empire*, pp. 239ff.

35   W. Kubiak, *Al-Fustiat, Its Foundation and Early Urban Development* (Cairo, 1987); N. Luz, 'The Construction of an Islamic City in Palestine: The Case of Umayyad al-Ramla', *Journal of the Royal Asiatic Society* 7.1 (1997), 27–54; H. Djaït, *Al-Kūfa: naissance de la ville islamique* (Paris, 1986); D. Whitcomb, 'The Misr of Ayla: New Evidence for the Early Islamic City', in G. Bisheh (ed.), *Studies in the History and Archaeology of Jordan* (Amman, 1995), pp. 277–88.

36   J. Conant, *Staying Roman: Conquest and Identity in Africa and the Mediterranean, 439–700* (Cambridge, 2012), pp. 362–70. 또한 P. Grossman, D. Brooks-Hedstrom and M. Abdal-

Rassul, 'The Excavation in the Monastery of Apa Shnute (Dayr Anba Shinuda) at Suhag', *Dumbarton Oaks Papers* 58 (2004), 371–82; E. Bolman, S. Davis and G. Pyke, 'Shenoute and a Recently Discovered Tomb Chapel at the White Monastery', *Journal of Early Christian Studies* 18.3 (2010), 453–62. 팔레스타인에 관해서는 L. di Segni, 'Greek Inscriptions in Transition from the Byzantine to the Early Islamic Period', in Hoyland, *Hellenism to Islam*, pp. 352–73.

37 N. Green, 'The Survival of Zoroastrianism in Yazd', *Iran* 28 (2000), 115–22.

38 A. Tritton, *The Caliphs and their Non-Muslim Subjects: A Critical Study of the Covenant of Umar* (London, 1970); Hoyland, *God's Path*, esp. pp. 207–31.

39 N. Khairy and A.-J. 'Amr, 'Early Islamic Inscribed Pottery Lamps from Jordan', *Levant* 18 (1986), 152.

40 G. Bardy, 'Les Trophées de Damas: controverse judéo-chrétienne du VIIe siècle', *Patrologia Orientalis* 15 (1921), 222.

41 J. Johns, 'Archaeology and the History of Early Islam: The First Seventy Years', *Journal of the Economic and Social History of the Orient* 46.4 (2003), 411–36; A. Oddy, 'The Christian Coinage of Early Muslim Syria', *ARAM* 15 (2003), 185–96.

42 E. Whelan, 'Forgotten Witnesses: Evidence for the Early Codification of the Qur'an', *Journal of the American Oriental Society* 118.1 (1998), 1–14; W. Graham and N. Kermani, 'Recitation and Aesthetic Reception', in J. McAuliffe (ed.), *The Cambridge Companion to the Qur'ān* (Cambridge, 2005), pp. 115–43, S. Blair, 'Transcribing God's Word: Qur'an Codices in Context', *Journal of Qur'anic Studies* 10.1 (2008), 72–97.

43 R. Hoyland, 'Jacob of Edessa on Islam', in G. Reinink and A. Cornelis Klugkist (eds), *After Bardasian: Studies on Continuity and Change in Syriac Christianity* (Leuven, 1999), pp. 158–9.

44 M. Whittow, *The Making of Orthodox Byzantium, 600–1025* (London, 1996), pp. 141–2.

45 R. Hoyland, 'Writing the Biography of the Prophet Muhammad: Problems and Sources', *History Compass* 5.2 (2007), 593–6. 또한 I. and W. Schulze, 'The Standing Caliph Coins of al-Jazira: Some Problems and Suggestions', *Numismatic Chronicle* 170 (2010), 331–53; S. Heidemann, 'The Evolving Representation of the Early Islamic Empire and its Religion on Coin Imagery', in A. Neuwirth, N. Sinai and M. Marx (eds), *The Qur'ān in Context: Historical and Literary Investigations into the Qur'ānic Milieu* (Leiden, 2010), pp. 149–95를 보라.

46 B. Flood, *The Great Mosque of Damascus: Studies on the Makings of an Umayyad Visual Culture* (Leiden, 2001).

47 Johns, 'Archaeology and History of Early Islam', 424–5. 또한 Hoyland, *Seeing Islam*, 특히 pp. 550–3, 694–5를 보라. 그리고 전반적으로 P. Crone and M. Hinds, *God's Caliph: Religious Authority in the First Centuries of Islam* (Cambridge, 1986).

48 O. Grabar, *The Dome of the Rock* (Cambridge, MA, 2006), pp. 91–2.

49 John of Damascus, *On Heresies, tr. F. Chase, The Fathers of the Church* (Washington, DC, 1958), 101, p. 153; Sarris, *Empires of Faith*, p. 266.

50 예컨대 M. Bennett, *Fighting Techniques of the Medieval World AD 500–AD 1500: Equipment, Combat Skills and Tactics* (Staplehurst, 2005).

51 P. Reynolds, *Trade in the Western Mediterranean, AD 400–700: The Ceramic Evidence* (Oxford, 1995); S. Kinsley, 'Mapping Trade by Shipwrecks', in M. Mundell Mango (ed.), *Byzantine Trade, 4th–12th Centuries* (Farnham, 2009), pp. 31–6. 또한 M. McCormick, *Origins of the European Economy: Communications and Commerce, AD 300–900* (Cambridge, 2001); Wickham, *Inheritance of Rome*, 특히 pp. 255ff를 보라.

52 de la Vaissière, *Sogdian Traders*, pp. 279–86.

53 al-Yaʿqūbi and al-Balādhurī cited by J. Banaji, 'Islam, the Mediterranean and the Rise of Capitalism', *Historical Materialism* 15 (2007), 47–74, esp. 59–60.

54 이 당시 소그드 세계의 느슨한 구조에 대해서는 de la Vaissière, *Marchands sogdiens*, pp. 144–76.

55 F. Grenet and E. de la Vaissière, 'The Last Days of Panjikent', *Silk Road Art and Archaeology* 8 (2002), 155–96.

56 여기서 J. Karam Skaff, *Sui-Tang China and Its Turko-Mongol Neighbours: Culture, Power, and Connections, 580–800* (Oxford, 2012)을 보라.

57 D. Graff, 'Strategy and Contingency in the Tang Defeat of the Eastern Turks, 629–30', in N. di Cosmo (ed.), *Warfare in Inner Asian History, 500–1800* (Leiden, 2002), pp. 33–72.

58 de la Vaissière, *Sogdian Traders*, pp. 217–20.

59 C. Mackerras, *The Uighur Empire According to the T'ang Dynastic Histories* (Canberra, 1972); T. Allsen, *Commodity and Exchange in the Mongol Empire: A Cultural History of Islamic Textiles* (Cambridge, 1997), p. 65.

60 C. Beckwith, 'The Impact of Horse and Silk Trade on the Economics of T'ang China and the Uighur Empire: On the Importance of International Commerce in the Early Middle Ages', *Journal of the Economic and Social History of the Orient* 34 (1991), 183–98.

61 J. Kolbas, 'Khukh Ordung: A Uighur Palace Complex of the Seventh Century', *Journal of the Royal Asiatic Society* 15.3 (2005), 303–27.

62 L. Albaum, *Balalyk-Tepe: k istorii material'noĭ kul'tury i iskusstva Tokharistana* (Tashkent, 1960); F. Starr, *Lost Enlightenment: Central Asia's Golden Age from the Arab Conquest to Tamerlane* (Princeton, 2014), p. 104.

63 A. Walmsley and K. Damgaard, 'The Umayyad Congregational Mosque of Jerash in Jordan and its Relationship to Early Mosques', *Antiquity* 79 (2005), 362–78; I. Roll and E. Ayalon, 'The Market Street at Apollonia—Arsuf', *BASOR* 267 (1987), 61–76; K. al-Asʿad and Stepniowski, 'The Umayyad suq in Palmyra', *Damazener Mitteilungen* 4 (1989), 205–23; R. Hillenbrand, 'Anjar and Early Islamic Urbanism', in G.-P. Brogiolo and B. Ward-Perkins (eds), *The Idea and Ideal of the Town between Late Antiquity and the Early Middle Ages* (Leiden, 1999), pp. 59–98.

64 Hilāl al-Ṣābiʾ, *Rusūm dār al-khilāfah*, in *The Rules and Regulations of the Abbasid Court*, tr. E. Salem (Beirut, 1977), pp. 21–2.

65 Ibn al-Zubayr, *Kitāb al-hadāyā wa al-tuḥaf*, in *Book of Gifts and Rarities: Selections Compiled in the Fifteenth Century from an Eleventh-Century Manuscript on Gifts and Treasures*, tr. G. al-Qaddūmī (Cambridge, MA, 1996), pp. 121–2.

66 B. Lewis, *Islam: From the Prophet Muhammad to the Capture of Constantinople* (New York,

1987), pp. 140–1.

67 Muqaddasī, *Best Divisions for Knowledge*, p. 60.

68 Ibid., pp. 107, 117, 263.

69 J. Bloom, *Paper before Print: The History and Impact of Paper in the Islamic World* (New Haven, 2001).

70 Muqaddasī, *Best Divisions for Knowledge*, pp. 6, 133–4, 141.

71 *Two Arabic travel books: Accounts of China and India*, ed. and trans. T. Mackintosh-Smith and J. Montgomery (New York, 2014), p. 37.

72 Ibid., pp. 59, 63.

73 J. Stargardt, 'Indian Ocean Trade in the Ninth and Tenth Centuries: Demand, Distance, and Profit', *South Asian Studies* 30.1 (2014), 35–55.

74 A. Northedge, 'Thoughts on the Introduction of Polychrome Glazed Pottery in the Middle East', in E. Villeneuve and P. Watson (eds), *La Céramique byzantine et proto-islamique en Syrie-Jordanie (IVe–VIIIe siècles apr. J.-C.)* (Beirut, 2001), pp. 207–14; R. Mason, *Shine Like the Sun: Lustre-Painted and Associated Pottery from the Medieval Middle East* (Toronto, 2004); M. Milwright, *An Introduction to Islamic Archaeology* (Edinburgh, 2010), pp. 48–9.

75 H. Khalileh, *Admiralty and Maritime Laws in the Mediterranean Sea (ca. 800–1050): The Kitāb Akriyat al Sufun vis-à-vis the Nomos Rhodion Nautikos* (Leiden, 2006), pp. 212–14.

76 Muqaddasī, *Best Divisions for Knowledge*, p. 347.

77 Daryaee, 'Persian Gulf Trade', 1–16; Banaji, 'Islam, the Mediterranean and the Rise of Capitalism', 61–2.

78 E. Grube, *Cobalt and Lustre: The First Centuries of Islamic Pottery* (London, 1994); O. Watson, *Ceramics from Islamic Lands* (London, 2004).

79 杜環,《經行記》. X. Liu, *The Silk Road in World History* (Oxford, 2010), p. 101에서 재인용.

80 *Kitāb al-Tāj (fi akhlāq al-mulūk)* in *Le Livre de la couronne: ouvrage attribute à Ğahiz*, tr. C. Pellat (Paris, 1954), p. 101.

81 사산제국의 이상형에서 빌려온 것에 대해서는 Walker, *Qardagh*, p. 139. 테헤란 인근 여러 저택의 사냥 장면에 대해서는 D. Thompson, *Stucco from Chal-Tarkhan-Eshqabad near Rayy* (Warminster, 1976), pp. 9–24.

82 D. Gutas, *Greek Thought, Arabic Culture: The Graeco-Arabic Translation Movement in Baghdad and Early 'Abbasid Society (2nd–4th/8th–10th Centuries* (London, 1998); R. Hoyland, 'Theonmestus of Magnesia, Hunayn ibn Ishaq and the Beginnings of Islamic Veterinary Science', in R. Hoyland and P. Kennedy (eds), *Islamic Reflections, Arabic Musings* (Oxford, 2004), pp. 150–69; A. McCabe, *A Byzantine Encyclopedia of Horse Medicine* (Oxford, 2007), pp. 182–4.

83 V. van Bladel, 'The Bactrian Background of the Barmakids', in A. Akasoy, C. Burnett and R. Yoeli-Tialim, *Islam and Tibet: Interactions along the Musk Route* (Farnham, 2011), pp. 82–3; Gutas, *Greek Thought, Arabic Culture*, p. 13.

84 P. Pormann and E. Savage-Smith, *Medieval Islamic Medicine* (Edinburgh, 2007); Y. Tabbaa, 'The Functional Aspects of Medieval Islamic Hospitals', in M. Boner, M. Ener and A. Singer (eds), *Poverty and Charity in Middle Eastern Contexts* (Albany, NY, 2003), pp. 97–8.

85 Pormann and Savage-Smith, *Medieval Islamic Medicine*, p. 55.

86 E. Lev and L. Chipman, 'A Fragment of a Judaeo-Arabic Manuscript of Sābūr b. Sahl's Al-Aqrābādhīn al-aghīr Found in the Taylor-Schechter Cairo Genizah Collection', *Medieval Encounters* 13 (2007), 347-62.

87 Ibn al-Haytham, *The Optics of Ibn al-Haytham, Books I–III: On Direct Vision*, tr. A. Sabra, 2 vols (London, 1989).

88 W. Gohlman, *The Life of Ibn Sina: A Critical Edition and Annotated Translation* (New York, 1974), p. 35.

89 al-Jāḥiẓ, *Kitāb al-Ḥayawān*. Pormann and Savage-Smith, *Medieval Islamic Medicine*, p. 23에서 재인용.

90 Mahsatī, *Mahsati Ganjavi: la luna e le perle*, tr. R. Bargigli (Milan, 1999). 또한 F. Bagherzadeh, 'Mahsati Ganjavi et les potiers de Rey', in *Varia Turcica* 19 (1992), 161-76.

91 Augustine, *The Confessions of St Augustine*, tr. F. Sheed (New York, 1942), p. 247.

92 al-Masʿūdī. Gutas, *Greek Thought, Arabic Culture*, p. 89에서 재인용.

93 Muqaddasī, *Best Divisions for Knowledge*, p. 8.

94 M. Barrucand and A. Bednorz, *Moorish Architecture in Andalusia* (Cologne, 1999), p. 40.

95 예를 들어 M. Dickens, 'Patriarch Timothy II and the Metropolitan of the Turks', *Journal of the Royal Asiatic Society* 20.2 (2010), 117-39를 보라.

96 Conant, *Staying Roman*, pp. 362-70.

97 Narshakhī, *The History of Bukhara: Translated from a Persian Abridgement of the Arabic Original by Narshakhī*, tr. N Frye (Cambridge, MA, 1954), pp. 48-9.

98 A. Watson, *Agricultural Innovation in the Early Islamic World* (Cambridge, 1983); T. Glick, 'Hydraulic Technology in al-Andalus', in M. Morony (ed.), *Production and the Exploitation of Resources* (Aldershot, 2002), pp. 327-39.

6. 모피의 길

1 W. Davis, *Readings in Ancient History: Illustrative Extracts from the Sources*, 2 vols (Boston, 1912-13), 2, pp. 365-7.

2 Ibn Khurradādhbih, *Kitāb al-masālik wa-l-mamālik*, tr. Lunde and Stone, 'Book of Roads and Kingdoms', in *Ibn Fadlan and the Land of Darkness*, pp. 99-104.

3 E. van Donzel and A. Schmidt, *Gog and Magog in Early Christian and Islamic Sources: Sallam's Quest for Alexander's Wall* (Leiden, 2010). 또한 F. Sezgin, *Anthropogeographie* (Frankfurt, 2010), pp. 95-7; I. Krachovskii, *Arabskaya geographitcheskaya literatura* (Moscow, 2004), 특히 pp. 138-41을 주목하라.

4 A. Gow, 'Gog and Magog on *Mappaemundi* and Early Printed World Maps: Orientalizing Ethnography in the Apocalyptic Tradition', *Journal of Early Modern History* 2.1 (1998), 61-2.

5 Ibn Faḍlān, *Book of Ahmad ibn Faḍlān*, tr. Lunde and Stone, *Land of Darkness*, p. 12.

6 Ibid., pp. 23-4.

7 Ibid., p. 12. 텡그리에 관해서는 U. Harva, *Die Religiösen Vorstellungen der altaischen Völker*

(Helsinki, 1938), pp. 140–53을 보라.

8   R. Mason, 'The Religious Beliefs of the Khazars', *Ukrainian Quarterly* 51.4 (1995), 383–415.

9   한편으로 수피즘과 유목민 세계를 분리시키는 최근의 반대 주장에 주목하라. J. Paul, 'Islamizing Sufis in Pre-Mongol Central Asia', in de la Vaissière, *Islamisation de l'Asie Centrale*, pp. 297–317.

10 Abū Hāmid al-Gharnātī, *Tuḥfat al-albāb wa-nukhbat al-iʿjāb wa-Riḥlah ilá Ūrubbah wa-Āsiyah*, tr. Lunde and Stone, 'The Travels', in *Land of Darkness*, p. 68.

11 A. Khazanov, 'The Spread of World Religions in Medieval Nomadic Societies of the Eurasian Steppes', in M. Gervers and W. Schlepp (eds), *Nomadic Diplomacy, Destruction and Religion from the Pacific to the Adriatic* (Toronto, 1994), pp. 11–34.

12 E. Seldeslachts, 'Greece, the Final Frontier? The Westward Spread of Buddhism', in A. Heirman and S. Bumbacher (eds), *The Spread of Buddhism* (Leiden, 2007); R. Bulliet, 'Naw Bahar and the Survival of Iranian Buddhism', *Iran* 14 (1976), 144–5; Narshakhī, *History of Bukhara*, p. 49.

13 Constantine Porphyrogenitus, *De Administrando Imperio*, ed. G. Moravcsik, tr. R. Jenkins (Washington, DC, 1967), 37, pp. 166–70.

14 Ibn Faḍlān, 'Book of Ahmad ibn Faḍlān', p. 22. 일부 학자들은 스텝 지대에서의 유목의 중요성을 평가절하한다. 예컨대 B. Zakhoder, *Kaspiiskii svod svedenii o Vostochnoi Evrope*, 2 vols (Moscow, 1962), 1, pp. 139–40.

15 D. Dunlop, *The History of the Jewish Khazars* (Princeton, 1954), p. 83; L. Baranov, *Tavrika v epokhu rannego srednevekov'ia (saltovo-maiatskaia kul'tura)* (Kiev, 1990), pp. 76–9.

16 A. Martinez, 'Gardīzī's Two Chapters on the Turks', *Archivum Eurasiae Medii Aevi* 2 (1982), 155; T. Noonan, 'Some Observations on the Economy of the Khazar Khaganate', in P. Golden, H. Ben-Shammai and A. Róna-Tas (eds), *The World of the Khazars* (Leiden, 2007), pp. 214–15.

17 Baranov, *Tavrika*, pp. 72–6.

18 Al-Muqaddasī, in *Land of Darkness*, pp. 169–70.

19 Abū Hāmid, 'Travels', p. 67.

20 McCormick, *Origins of the European Economy*, pp. 369–84.

21 J. Howard-Johnston, 'Trading in Fur, from Classical Antiquity to the Early Middle Ages', in E. Cameron (ed.), *Leather and Fur: Aspects of Early edieval Trade and Technology* (London, 1998), pp. 65–79.

22 Masʿūdī, *Kitāb al-tanbīh wa-al-ishrāf*, tr. Lunde and Stone, 'The Meadows of Gold and Mines of Precious Gems', *Land of Darkness*, p. 161.

23 Muqaddasī, *Aḥsanu-t-taqāsīm fī maʿrifati-l-aqālīm*, tr. Lunde and Stone, 'Best Divisions for the Knowledge of the Provinces', *Land of Darkness*, p. 169.

24 Abū Hāmid, 'Travels', p. 75.

25 R. Kovalev, 'The Infrastructure of the Northern Part of the "Fur Road" between the Middle Volga and the East during the Middle Ages', *Archivum Eurasiae Medii Aevi* 11 (2000–1), 25–64.

26 Muqaddasī, *Best Division of Knowledge*, p. 252.

27 Ibn al-Faqīh, *Land of Darkness*, p. 113.

28 al-Muqaddasī, *Best Division of Knowledge*, p. 245.

29 이를 개괄한 최근의 연구로는 G. Mako, 'The Possible Reasons for the Arab-Khazar Wars', *Archivum Eurasiae Medii Aevi* 17 (2010), 45-57.

30 R.-J. Lilie, *Die byzantinische Reaktion auf die Ausbreitung der Araber. Studien zur Strukturwandlung des byzantinischen Staates im 7. und 8. Jahrhundert* (Munich, 1976), pp. 157-60; J. Howard-Johnston, 'Byzantine Sources for Khazar History', in Golden, Ben-Shammai and Róna-Tas, *World of the Khazars*, pp. 163-94.

31 7세기 초 페르시아와의 대결이 정점에 이르렀을 때 헤라클레이오스 황제의 딸이 튀르크 카간과 결혼한 것이 유일한 예외였다. C. Zuckermann, 'La Petite Augusta et le Turc: Epiphania-Eudocie sur les monnaies d'Héraclius', *Revue numismatique* 150 (1995), 113-26.

32 Ibn Faḍlān, 'Book of Ahmad ibn Faḍlān', p. 56.

33 Dunlop, *History of the Jewish Khazars*, p. 141.

34 P. Golden, 'The Peoples of the South Russian Steppes', in *The Cambridge History of Early Inner Asia* (Cambridge, 1990), pp. 256-84; A. Novosel'tsev, *Khazarskoye gosudarstvo i ego rol' v istorii Vostochnoy Evropy i Kavkaza* (Moscow, 1990).

35 P. Golden, 'Irano-Turcica: The Khazar Sacral Kingship', *Acta Orientalia* 60.2 (2007), 161-94. 일부 학자들은 카간의 역할이 본질적으로 변한 것은 이 기간 동안에 종교적 믿음과 의례가 변한 결과라고 본다. 예를 들어 J. Olsson, 'Coup d'état, Coronation and Conversion: Some Reflections on the Adoption of Judaism by the Khazar Khaganate', *Journal of the Royal Asiatic Society* 23.4 (2013), 495-526을 보라.

36 R. Kovalev, 'Commerce and Caravan Routes along the Northern Silk Road (Sixth-Ninth Centuries). Part I: The Western Sector', *Archivum Eurasiae Medii Aevi* 14 (2005), 55-105.

37 Mas'ūdī, 'Meadows of Gold', pp. 131, 133; Noonan, 'Economy of the Khazar Khaganate', p. 211.

38 Istakhrī, *Kitāb suwar al-aqalīm*, tr. Lunde and Stone, 'Book of Roads and Kingdoms', in *Land of Darkness*, pp. 153-5.

39 J. Darrouzès, *Notitiae Episcopatuum Ecclesiae Constantinopolitanae* (Paris, 1981), pp. 31-2, 241-2, 245.

40 Istakhrī, 'Book of Roads and Kingdoms', pp. 154-5.

41 Mason, 'The Religious Beliefs of the Khazars', 411.

42 C. Zuckerman, 'On the Date of the Khazars' Conversion to Judaism and the Chronology of the Kings of the Rus' Oleg and Igor: A Study of the Anonymous Khazar Letter from the Genizah of Cairo', *Revue des Etudes Byzantines* 53 (1995), 245.

43 Ibid., 243-4. 콘스탄티누스의 글을 인용한 것으로는 P. Meyvaert and P. Devos, 'Trois énigmes cyrillo-méthodiennes de la "Légende Italique" résolues grâce à un document inédit', *Analecta Bollandiana* 75 (1955), 433-40.

44 P. Lavrov (ed.), *Materialy po istorii vozniknoveniya drevnishei slavyanskoi pis'mennosti* (Leningrad, 1930), p. 21; F. Butler, 'The Representation of Oral Culture in the *Vita Constantini*', *Slavic and East European Review* 39.3 (1995), 372.

45 'The Letter of Rabbi Hasdai', in J. Rader Marcus (ed.), *The Jew in the Medieval World*

(Cincinnati, 1999), pp. 227–8. 또한 N. Golb and O. Pritsak (eds), *Khazarian Hebrew Documents of the Tenth Century* (London, 1982)를 보라.

46 'The Letter of Joseph the King', in J. Rader Marcus (ed.), *The Jew in the Medieval World*, p. 300. 그 시기와 맥락에 관한 논의는 P. Golden, 'The Conversion of the Khazars to Judaism', in Golden, Ben-Shammai and Róna-Tas, *World of the Khazars*, pp. 123–62.

47 R. Kovalev, 'Creating "Khazar Identity" through Coins—the "Special Issue" Dirhams of 837/8', in F. Curta (ed.), *East Central and Eastern Europe in the Early Middle Ages* (Ann Arbor, 2005), pp. 220–53. 장례 풍습의 변화에 관해서는 V. Petrukhin, 'The Decline and Legacy of Khazaria', in P. Urbanczyk (ed.), *Europe around the Year 1000* (Warsaw, 2001), pp. 109–22.

48 *Qur'ān*, 2.285, p. 48; 3.84, p. 60.

49 Zuckerman, 'On the Date of the Khazars' Conversion', 241. 또한 Golb and Pritsak, *Khazarian Hebrew Documents*, p. 130.

50 Mas'ūdī, 'Meadows of Gold', p. 132. 지배층의 유대교에 관해서는 Mason, 'The Religious Beliefs of the Khazars', 383–415.

51 Pritsak and Golb, *Khazarian Hebrew Documents*; Mas'ūdī, 'Meadows of Gold', p. 133; Istakhrī, 'Book of Roads and Kingdoms', p. 154.

52 Ibn Khurradādhbih, 'Book of Roads and Kingdoms', p. 110.

53 Ibid., pp. 111–12.

54 Ibid., p. 112.

55 Ibn al-Faqīh, 'Book of Countries', p. 114.

56 10세기에 콘스탄티노플을 방문했던 크레모나의 리우트프란드(Liudprand of Cremona)는 '루시'라는 이름이 그리스어 rousios('붉은'의 뜻)에서 온 것이라고 생각했다. 그들의 붉은 머리칼 때문이었다. *The Complete Works of Liudprand of Cremona*, tr. P. Squatriti (Washington, DC, 2007), 5.15, p. 179. 사실은 이 말은 스칸디나비아어 단어 'rotrsmenn'과 'rodr'에서 왔다. '배를 젓다'의 의미다. S. Ekbo, 'Finnish Ruotsi and Swedish Roslagen—What Sort of Connection?', *Medieval Scandinavia* 13 (2000), 64–9; W. Duczko, *Viking Rus: Studies on the Presence of Scandinavians in Eastern Europe* (Leiden, 2004), pp. 22–3.

57 S. Franklin and J. Shepard, *The Emergence of Rus' 750–1200* (London, 1996).

58 Constantine Porphyrogenitus, *De Administrando Imperio*, 9, pp. 58–62.

59 *De Administrando Imperio*, 9, p. 60.

60 Ibn Rusta, *Kitāb al-a'lāq an-nafīsa*, tr. Lunde and Stone, 'Book of Precious Gems', in *Land of Darkness*, p. 127.

61 Ibn Faḍlān, 'Book of Ahmad ibn Faḍlān', p. 45.

62 Ibn Rusta, 'Book of Precious Gems', p. 127.

63 Ibn Faḍlān, 'Book of Ahmad ibn Faḍlān', pp. 46–9.

64 A. Winroth, *The Conversion of Scandinavia* (New Haven, 2012), pp. 78–9.

65 M. Bogucki, 'The Beginning of the Dirham Import to the Baltic Sea and the Question of the Early Emporia', in A. Bitner-Wróblewska and U. Lund-Hansen (eds), *Worlds Apart? Contacts across the Baltic Sea in the Iron Age: Network Denmark–Poland 2005–2008* (Copenhagen, 2010), pp. 351–61. 스웨덴에 관해서는 I. Hammarberg, *Byzantine Coin Finds in Sweden* (1989); C. von Heijne, *Särpräglat. Vikingatida och tidigmedeltida myntfynd från Danmark*,

Skåne, Blekinge och Halland (ca. 800 –1130) (Stockholm, 2004).

66　T. Noonan, 'Why Dirhams First Reached Russia: The Role of Arab –Khazar Relations in the Development of the Earliest Islamic Trade with Eastern Europe', *Archivum Eurasiae Medii Aevi* 4 (1984), 151–82. 그리고 무엇보다 같은 저자의 'Dirham Exports to the Baltic in the Viking Age', in K. Jonsson and B. Malmer (eds), *Sigtuna Papers: Proceedings of the Sigtuna Symposium on Viking-Age Coinage 1–4 June 1989* (Stockholm, 1990), pp. 251–7.

7. 노예의 길

1　Ibn Rusta, 'Book of Precious Gems', pp. 126 –7.

2　Ibid.

3　*De Adm inistrando Imperio*, 9, p. 60.

4　Ibn Faḍlān, 'Book of Ahmad Faḍlān', p. 47.

5　D. Wyatt, *Slaves and Warriors in Medieval Britain and Ireland, 800–1200* (Leiden, 2009).

6　L. Delisle (ed.), *Littérature latine et histoire du moyen âge* (Paris, 1890), p. 17.

7　J. Henning, 'Strong Rulers—Weak Economy? Rome, the Carolingians and the Archaeology of Slavery in the First Millennium ad', in J. Davis and M. McCormick (eds), *The Long Morning of Medieval Europe: New Directions in Early Medieval Studies* (Aldershot, 2008), pp. 33 –53. 노브고로드에 관해서는 H. Birnbaum, 'Medieval Novgorod: Political, Social and Cultural Life in an Old Russian Urban Community', *California Slavic Studies* (1992), 14, p. 11.

8　Adam of Bremen, *History of the Archbishops of Hamburg Bremen*, ed. and tr. F. Tschan (New York, 1959), 4.6, p. 190.

9　B. Hudson, *Viking Pirates and Christian Princes: Dynasty, Religion and Empire in the North Atlantic* (Oxford, 2005), p. 41. 전반적으로 S. Brink, *Vikingarnas slavar: den nordiska trältomen under yngre järnålder och äldsta medeltid* (Stockholm, 2012)도 보라.

10　T. Noonan, 'Early Abbasid Mint Output', *Journal of Economic and Social History* 29 (1986), 113 –75; R. Kovalev, 'Dirham Mint Output of Samanid Samarqand and its Connection to the Beginnings of Trade with Northern Europe (10th Century)', *Histoire & Mesure* 17.3 –4 (2002), 197 –216; T. Noonan and R. Kovalev, 'The Dirham Output and Monetary Circulation of a Secondary Samanid Mint: A Case Study of Balkh,' in R. Kiernowski (ed.), *Moneta Mediævalis: Studia numiz-matyczne i historyczne ofiarowane Profesorowi Stanisławowi Suchodolskiemu w 65. rocznicę urodzin* (Warsaw, 2002), pp. 163 –74.

11　R. Segal, *Islam's Black Slaves: The Other Black Diaspora* (New York, 2001), p. 121.

12　Ibn Ḥawqal, *Kitāb ṣūrat al-ard*. D. Ayalon, 'The Mamluks of the Seljuks: Islam's Military Might at the Crossroads', *Journal of the Royal Asiatic Society* 6.3 (1996), p. 312에서 재인용. 이후 나는 '튀르크(Türk)'에서 '투르크(Turk)'로 바꿨다. 스텝 지대 사람들과 현대 터키의 조상들을 구분하기 위해서다.

13　W. Scheidel, 'The Roman Slave Supply', in K. Bradley, P. Cartledge, D. Eltis and S. Engerman (eds), *The Cambridge World History of Slavery*, 3 vols (Cambridge, 2011 –), 1, pp. 287 –310.

14　F. Caswell, *The Slave Girls of Baghdad. The Qiyan in the Early Abbasid Era* (London, 2011), p.

13.

15 Tacitus, *Annals*, 15.69, p. 384.

16 Ibn Buṭlān, *Taqwīm al-ṣiḥḥa*. G. Vantini, *Oriental Sources concerning Nubia* (Heidelberg, 1975), pp. 238–9에서 재인용.

17 Kaykāvūs ibn Iskandar ibn Qābūs, ed. and tr. R. Levy, *Naṣīḥat-nāma known as Qābūs-nāma* (London, 1951), p. 102.

18 Ibid.

19 D. Abulafia, 'Asia, Africa and the Trade of Medieval Europe', in M. Postan, E. Miller and C. Postan (eds), *Cambridge Economic History of Europe: Trade and Industry in the Middle Ages* (2nd edn, Cambridge, 1987), p. 417. 또한 D. Mishin, 'The Saqaliba Slaves in the Aghlabid State', in M. Sebök (ed.), *Annual of Medieval Studies at CEU 1996/1997* (Budapest, 1998), pp. 236–44를 보라.

20 Ibrāhīm ibn Yaʿqūb, tr. Lunde and Stone, in *Land of Darkness*, pp. 164–5. 노예 교역 중심지로서의 프라하의 역할에 관해서는 D. Třeštík, '"Eine große Stadt der Slawen namens Prag": Staaten und Sklaven in Mitteleuropa im 10. Jahrhundert', in P. Sommer (ed.), *Boleslav II: der tschechische Staat um das Jahr 1000* (Prague 2001), pp. 93–138.

21 Ibn al-Zubayr, *Book of Gifts and Rarities*, pp. 91–2. See A. Christys, 'The Queen of the Franks Offers Gifts to the Caliph Al-Muktafi', in W. Davies and P. Fouracre (eds), *The Languages of Gift in the Early Middle Ages* (Cambridge, 2010), pp. 140–71.

22 Ibrāhīm ibn Yaʿqūb, pp. 162–3.

23 R. Naismith, 'Islamic Coins from Early Medieval England', *Numismatic Chronicle* 165 (2005), 193–222; idem, 'The Coinage of Offa Revisited', *British Numismatic Journal* 80 (2010), 76–106.

24 M. McCormick, 'New Light on the "Dark Ages": How the Slave Trade Fuelled the Carolingian Economy', *Past & Present* 177 (2002), 17–54. 또한 J. Henning, 'Slavery or Freedom? The Causes of Early Medieval Europe's Economic Advancement', *Early Medieval Europe* 12.3 (2003), 269–77.

25 Ibn Khurradādhbih, 'Book of Roads and Kingdoms', p. 111.

26 Ibn Ḥawqal, *Kitāb ṣūrat al-ard*, tr. Lunde and Stone, 'Book of the Configuration of the Earth', in *Land of Darkness*, p. 173.

27 Ibid. 또한 Al-Muqaddasī, *Land of Darkness*, p. 170.

28 al-Jāḥiẓ, *Kitāb al-Ḥayawān*. C. Verlinden, *L'Esclavage dans l'Europe mediévale*, 2 vols (Bruges, 1955–77), 1, p. 213에서 재인용.

29 Ibid.

30 Verlinden, *Esclavage*, 2, pp. 218–30, 731–2; W. Phillips, *Slavery from Roman Times to the Early Transatlantic Trade* (Manchester, 1985), p. 62.

31 H. Loyn and R. Percival (eds), *The Reign of Charlemagne: Documents on Carolingian Government and Administration* (London, 1975), p. 129.

32 독일에서도 같은 방식이 일반적이어서 '노예'를 뜻하는 라틴어에서 온 '제르부스(Servus)!'가 보통의 인사말이다.

33 Adam of Bremen, *Gesta Hammaburgensis ecclesiae pontificum*, tr. T. Reuter, *History of the*

Archbishops of Hamburg-Bremen (New York, 2002), I.39 −41.

34   *Pactum Hlotharii I*, in McCormick, 'Carolingian Economy', 47.

35   G. Luzzato, *An Economic History of Italy from the Fall of the Roman Empire to the Sixteenth Century*, tr. P. Jones (London, 1961), pp. 35, 51 −3; Phillips, *Slavery*, p. 63.

36   McCormick, 'Carolingian Economy', 48 −9.

37   *Hudūd al-ʿĀlam*, in *The Regions of the World: A Persian Geography 372 AH–982 AD*, tr. V. Minorsky, ed. C. Bosworth (London, 1970), pp. 161 −2.

38   Ibn Faḍlān, 'Book of Ahmad ibn Faḍlān', p. 44; Ibn Khurradādhbih, 'Book of Roads and Kingdoms', p. 12; Martinez, 'Gardīzī's Two Chapters on the Turks', pp. 153 −4.

39   *Russian Primary Chronicle*, tr. S. Cross and O. Sherbowitz-Wetzor (Cambridge, MA, 1953), p. 61.

40   *Annales Bertiniani*, ed. G. Waitz (Hanover, Ḥ1885), p. 35.

41   Masʿūdī, 'Meadows of Gold', pp. 145 −6; Ibn Ḥawqal, 'Book of the Confi guration of the Earth', p. 175.

42   Ibn Ḥawqal, 'Book of the Configuration of the Earth', p. 178.

43   R. Kovalev, 'Mint Output in Tenth Century Bukhara: A Case Study of Dirham Production with Monetary Circulation in Northern Europe', *Russian History/ Histoire Russe* 28 (2001), 250 −9.

44   *Russian Primary Chronicle*, p. 86.

45   Ibid., p. 90.

46   H. Halm, *Das Reich des Mahdi. Der Aufstieg der Fatimiden (875–973)* (Munich, 1991); F. Akbar, 'The Secular Roots of Religious Dissidence in Early Islam: The Case of the Qaramita of Sawad Al-Kufa', *Journal of the Institute of Muslim Minority Affairs* 12.2 (1991), 376 −90. 이 시기의 칼리프 정권의 붕괴에 대해서는 M. van Berkel, N. El Cheikh, H. Kennedy and L. Osti, *Crisis and Continuity at the Abbasid Court: Formal and Informal Politics in the Caliphate of al-Muqtadir* (Leiden, 2013)를 보라.

47   Bar Hebraeus, *Ktābā d-maktbānūt zabnē*, E. Budge (ed. and tr.), *The Chronography of Gregory Abul Faraj*, 2 vols (Oxford, 1932), 1, p. 164.

48   Matthew of Edessa, *The Chronicle of Matthew of Edessa*, tr. A. Dostourian (Lanham, 1993), I.1, p. 19; M. Canard, 'Baghdad au IVe siècle de l'Hégire (Xe siècle de l'ère chrétienne)', *Arabica* 9 (1962), 282 −3. 또한 R. Bulliet, *Cotton, Climate, and Camels in Early Islamic Iran: A Moment in World History* (New York, 2009), pp. 79 −81; R. Ellenblum, *The Collapse of the Eastern Mediterranean: Climate Change and the Decline of the East, 950–1072* (Cambridge, 2012), pp. 32 −6을 보라.

49   Ellenblum, *Collapse of the Eastern Mediterranean*, pp. 41 −3.

50   C. Mango, *The Homilies of Photius Patriarch of Constantinople* (Cambridge, MA, 1958), pp. 88 −9.

51   *Russian Primary Chronicle*, pp. 74 −5.

52   Shepard, 'The Viking Rus' and Byzantium', in S. Brink and N. Price (eds), *The Viking World* (Abingdon, 2008), pp. 498 −501.

53   예를 들어 A. Poppe, 'The Building of the Church of St Sophia in Kiev', *Journal of Medieval*

History 7.1 (1981), 15–66을 보라.

54 Shepard, 'Viking Rus'', p. 510.

55 T. Noonan and R. Kovalev, 'Prayer, Illumination and Good Times: The Export of Byzantine Wine and Oil to the North of Russia in Pre-Mongol Times', *Byzantium and the North. Acta Fennica* 8 (1997), 73–96; M. Roslund, 'Brosamen vom Tisch der Reichen. Byzantinische Funde aus Lund und Sigtuna (ca. 980–1250)', in M. Müller-Wille (ed.), *Rom und Byzanz im Nordern. Mission und Glaubensweschel im Ostseeraum während des 8–14 Jahrhunderts* (Stuttgart, 1997), 2, pp. 325–85.

56 L. Golombek, 'The Draped Universe of Islam', in P. Parsons Soucek (ed.), *Content and Context of Visual Arts in the Islamic World: Papers from a Colloquium in Memory of Richard Ettinghausen* (University Park, PA, 1988), pp. 97–114. 1098년 이후 안티오키아의 직물 생산에 관해서는 T. Vorderstrasse, 'Trade and Textiles from Medieval Antioch', *Al-Masāq* 22.2 (2010), 151–71을 보라.

57 D. Jacoby, 'Byzantine Trade with Egypt from the Mid-Tenth Century to the Fourth Crusade', *Thesaurismata* 30 (2000), 36.

58 V. Piacentini, 'Merchant Families in the Gulf: A Mercantile and Cosmopolitan Dimension: The Written Evidence', *ARAM* 11–12 (1999–2000), 145–8.

59 D. Goitein, *A Mediterranean Society: The Jewish Communities of the Arab World as Portrayed in the Documents of the Cairo Geniza*, 6 vols (Berkeley, 1967–93), 4, p. 168; Jacoby, 'Byzantine Trade with Egypt', 41–3.

60 Nāṣir-i Khusraw, *Safarnāma*, tr. W. Thackston, *Nāṣer-e Khosraw's Book of Travels* (Albany, NY, 1986), pp. 39–40.

61 Jacoby, 'Byzantine Trade with Egypt', 42; S. Simonsohn, *The Jews of Sicily 383–1300* (Leiden, 1997), pp. 314–16.

62 M. Vedeler, *Silk for the Vikings* (Oxford, 2014).

63 E. Brate and E. Wessén, *Sveriges Runinskrifter: Södermanlands Runinskrifter* (Stockholm, 1924–36), p. 154.

64 S. Jansson, *Västmanlands runinskrifter* (Stockholm, 1964), pp. 6–9.

65 G. Isitt, 'Vikings in the Persian Gulf', *Journal of the Royal Asiatic Society* 17.4 (2007), 389–406.

66 P. Frankopan, 'Levels of Contact between West and East: Pilgrims and Visitors to Constantinople and Jerusalem in the 9th–12th Centuries', in S. Searight and M. Wagstaff (eds), *Travellers in the Levant: Voyagers and Visionaries* (Durham, 2001), pp. 87–108.

67 J. Wortley, *Studies on the Cult of Relics in Byzantium up to 1204* (Farnham, 2009).

68 S. Blöndal, *The Varangians of Byzantium*, tr. B. Benedikz (Cambridge, 1978); J. Shepard, 'The Uses of the Franks in 11th-Century Byzantium', *Anglo-Norman Studies* 15 (1992), 275–305.

69 P. Frankopan, *The First Crusade: The Call from the East* (London, 2012), pp. 87–8.

70 H. Hoffmann, 'Die Anfänge der Normannen in Süditalien', *Quellen und Forschungen aus Italienischen Archiven und Bibiliotheken* 47 (1967), 95–144; G. Loud, *The Age of Robert Guiscard: Southern Italy and the Norman Conquest* (Singapore, 2000).

71 Al-'Utbī, *Kitāb-i Yamīnī*, tr. J. Reynolds, *Historical memoirs of the amír Sabaktagín, and the sultán Mahmúd of Ghazna* (London, 1868), p. 140. 전반적으로 C. Bosworth, *The*

Ghaznavids, 994–1040 (Cambridge, 1963)을 보라.

72   A. Shapur Shahbāzī, *Ferdowsī: A Critical Biography* (Costa Mesa, CA, 1991), pp. 91–3. 또한 G. Dabiri, 'The Shahnama: Between the Samanids and the Ghaznavids', *Iranian Studies* 43.1 (2010), 13–28.

73   Y. Bregel, 'Turko-Mongol Influences in Central Asia', in R. Canfield (ed.), *Turko-Persia in Historical Perspective* (Cambridge, 1991), pp. 53ff.

74   Herrman, "Die älteste türkische Weltkarte', 21–8.

75   Yūsuf Khāṣṣ Ḥājib, *Kutadgu Bilig*, tr. R. Dankoff, *Wisdom of Royal Glory (Kutadgu Bilig): A Turko-Islamic Mirror for Princes* (Chicago, 1983), p. 192.

76   셀주크의 등장에 대해서는 C. Lange and S. Mecit (eds), *The Seljuqs: Politics, Society and Culture* (Edinburgh, 2011)를 보라.

77   자료의 일부 모순에 대한 논의는 O. Safi, *Politics of Knowledge in Pre-Modern Islam: Negotiating Ideology and Religious Inquiry* (Chapel Hill, NC, 2006), pp. 35–6을 보라.

78   Dunlop, *History of the Jewish Khazars*, p. 260; A. Peacock, *Early Seljuq History: A New Interpretation* (Abingdon, 2010), pp. 33–4; Dickens, 'Patriarch Timothy', 117–39.

79   Aristakes of Lastivert, *Patmut'iwn Aristakeay Vardapeti Lastivertts'woy*, tr. R. Bedrosian, *Aristakēs Lastivertc'i's History* (New York, 1985), p. 64.

80   마나즈케르트 전투 자료 모음으로는 C. Hillenbrand, *Turkish Myth and Muslim Symbol* (Edinburgh, 2007), pp. 26ff를 보라.

81   Frankopan, *First Crusade*, pp. 57–86.

82   Ibid., pp. 13–25.

83   Bernold of Constance, *Die Chroniken Bertholds von Reichenau und Bernolds von Konstanz*, ed. I. Robinson (Hanover, 2003), p. 520.

84   Frankopan, *First Crusade*, pp. 1–3, 101–13.

85   Ibid., passim. 세상의 종말에 대한 두려움에 관해서는 J. Rubenstein, *Armies of Heaven: The First Crusade and the Quest for Apocalypse* (New York, 2011).

8. 천국으로 가는 길

1   Albert of Aachen, *Historia Iherosolimitana*, ed. and tr. S. Edgington (Oxford, 2007), 5.45, p. 402; Frankopan, *First Crusade*, p. 173.

2   Raymond of Aguilers, *Historia Francorum qui ceperunt Jerusalem*, tr. J. Hill and L. Hill, *Le 'Liber' de Raymond d'Aguilers* (Paris, 1969), 14, p. 127. 원정과 십자군 일반에 관해서는 C. Tyerman, *God's War: A New History of the Crusades* (London, 2006).

3   Fulcher of Chartres, *Gesta Francorum Iherusalem Peregrinantium*, tr. F. Ryan, *A History of the Expedition to Jerusalem 1095–1127* (Knoxville, 1969), I.27, p. 122. 정신건강과 전투 중 극단적인 폭력 사이의 관계에 관한 최근의 연구에서 많은 것을 알 수 있다. 예를 들어 R. Ursano et al., 'Posttraumatic Stress Disorder and Traumatic Stress: From Bench to Bedside, from War to Disaster', *Annals of the New York Academy of Sciences* 1208 (2010), 72–81.

4   Anna Komnene, *Alexias*, tr. P. Frankopan, *Alexiad* (London, 2009), 13.11, pp. 383–4. 보에

몽의 유럽 귀환에 대해서는 L. Russo, 'Il viaggio di Boemundo d'Altavilla in Francia', *Archivio storico italiano* 603 (2005), pp. 3–42; Frankopan, *First Crusade*, pp. 188–9.

5   R. Chazan, "'Let Not a Remnant or a Residue Escape'": Millenarian Enthusiasm in the First Crusade', *Speculum* 84 (2009), 289–313.

6   al-Harawī, *Kitāb al-ishārāt ilā ma'rifat al-ziyārāt* in A. Maalouf, *The Crusade through Arab Eyes* (London, 1984), p. xiii. 또한 Ibn al-Jawzī', *al-Muntaẓam fī tārīkh al-mulūk wa-al-umam*, in C. Hillenbrand, *The Crusades: Islamic Perspectives* (Edinburgh, 1999), p. 78에 주목하라. 전반적으로 P. Cobb, *The Race for Paradise: An Islamic History of the Crusades* (Oxford, 2014)를 보라.

7   고난의 기록에 관해서는 S. Eidelberg (tr.), *The Jews and the Crusaders* (Madison, 1977). 또한 M. Gabriele, 'Against the Enemies of Christ: The Role of Count Emicho in the Anti-Jewish Violence of the First Crusade', in M. Frassetto (ed.), *Christian Attitudes towards the Jews in the Middle Ages: A Casebook* (Abingdon, 2007), pp. 61–82를 보라.

8   Frankopan, *First Crusade*, pp. 133–5, 167–71; J. Pryor, 'The Oath of the Leaders of the Crusade to the Emperor Alexius Comnenus: Fealty, Homage', *Parergon*, New Series 2 (1984), 111–41.

9   Raymond of Aguilers, *Le 'Liber'*, 10, pp. 74–5.

10 Frankopan, *First Crusade*, esp. pp. 186ff.

11 Ibn al-Athīr, *al-Kāmil fī l-ta'rīkh*, tr. D. Richards, *The Chronicle of Ibn al-Athir for the Crusading Period from al-Kāmil fī' l-ta'rīkh* (Aldershot, 2006), p. 13.

12 Jacoby, 'Byzantine Trade with Egypt', 44–5.

13 S. Goitein, *A Mediterranean Society*, 1, p. 45.

14 A. Greif, 'Reputation and Coalitions in Medieval Trade: Evidence on the Maghribi Traders', *Journal of Economic History* 494 (1989), 861.

15 Ibn Khaldūn, *Dīwān al-mubtada'*, tr. V. Monteil, *Discours sur l'histoire universelle (al-Muqaddima)*, (Paris, 1978), p. 522.

16 Frankopan, *First Crusade*, pp. 29–30.

17 E. Occhipinti, *Italia dei communi. Secoli XI–XIII* (2000), pp. 20–1.

18 J. Riley-Smith, *The First Crusaders, 1095–1131* (Cambridge, 1997), p. 17.

19 The Monk of the Lido, *Monachi Anonymi Littorensis Historia de Translatio Sanctorum Magni Nicolai*, in *Recueil des Historiens des Croisades: Historiens Occidentaux* 5, pp. 272–5; J. Prawer, *The Crusaders' Kingdom: European Colonialism in the Middle Ages* (London, 2001), p. 489.

20 *Codice diplomatico della repubblica di Genova*, 3 vols (Rome, 1859–1940), 1, p. 20.

21 B. Kedar, 'Genoa's Golden Inscription in the Church of the Holy Sepulchre: A Case for the Defence', in G. Airaldi and B. Kedar (eds), *I comuni italiani nel regno crociato di Gerusalemme* (Genoa, 1986), pp. 317–35. 또한 M.-L. Favreau-Lilie, *Die Italiener im Heiligen Land vom ersten Kreuzzug bis zum Tode Heinrichs von Champagne (1098–1197)* (Amsterdam, 1989), p. 328을 보라. 그는 이 문서가 나중에 손을 탔을 것이라고 주장한다.

22 Dandolo, *Chronica per extensum descripta, Rerum Italicarum Scriptores*, 25 vols (Bologna, 1938–58), 12, p. 221. 또한 Monk of the Lido, *Monachi Anonymi*, pp. 258–9를 보라.

23 M. Pozza and G. Ravegnani, *I Trattati con Bisanzio 992–1198* (Venice, 1993), pp. 38–45. 오

랫동안 1080년대라고 주장되어왔던 특혜를 준 시기에 대해서는 P. Frankopan, 'Byzantine Trade Privileges to Venice in the Eleventh Century: The Chrysobull of 1092', *Journal of Medieval History* 30 (2004), 135-60.

24   Monk of the Lido, *Monachi Anonymi*, pp. 258-9; Dandolo, *Chronica*, p. 221. 또한 D. Queller and I. Katele, 'Venice and the Conquest of the Latin Kingdom of Jerusalem', *Studi Veneziani* 21 (1986), p. 21을 보라.

25   F. Miklosich and J. Müller, *Acta et Diplomata graeca medii aevi sacra et profana*, 6 vols (Venice, 1860-90), 3, pp. 9-13.

26   R.-J. Lilie, *Byzantium and the Crusader States, 1096-1204*, tr. J. Morris and J. Ridings (Oxford, 1993), pp. 87-94; 'Noch einmal zu den Thema "Byzanz und die Kreuzfahrerstaaten"', *Poikila Byzantina* 4 (1984), 121-74. Treaty of Devol, *Alexiad*, XII.24, pp. 385-96.

27   S. Epstein, *Genoa and the Genoese: 958-1528* (Chapel Hill, NC, 1996), pp. 40-1; D. Abulafia, 'Southern Italy, Sicily and Sardinia in the Medieval Mediterranean Economy', in idem, *Commerce and Conquest in the Mediterranean* (Aldershot, 1993), 1, pp. 24-7.

28   T. Asbridge, 'The Significance and Causes of the Battle of the Field of Blood', *Journal of Medieval History* 23.4 (1997), 301-16.

29   Fulcher of Chartres, Gesta Francorum, p. 238.

30   G. Tafel and G. Thomas, *Urkunden zur älteren handels und Staatsgeschichte der Republik Venedig*, 3 vols (Vienna, 1857), 1, p. 78; Queller and Katele, 'Venice and the Conquest', 29-30.

31   Tafel and Thomas, *Urkunden*, 1, pp. 95-8; Lilie, *Byzantium and the Crusader States*, pp. 96-100; T. Devaney, '"Like an Ember Buried in Ashes": The Byzantine-Venetian Conflict of 1119-1126', in T. Madden, J. Naus and V. Ryan (eds), *Crusades—Medieval Worlds in Conflict* (Farnham, 2010), pp. 127-47.

32   Tafel and Thomas, *Urkunden*, 1, pp. 84-9. 또한 J. Prawer, 'The Italians in the Latin Kingdom' in idem, *Crusader Institutions* (Oxford, 1980), p. 224; M. Barber, *The Crusader States* (London, 2012), pp. 139-42; J. Riley-Smith, 'The Venetian Crusade of 1122-1124', in Airaldi and Kedar, *I Comuni Italiani*, pp. 339-50을 보라.

33   G. Bresc-Bautier, *Le Cartulaire du chapitre du Saint-Sépulcre de Jérusalem* (Paris, 1984), pp. 51-2.

34   Bernard of Clairvaux, *The Letters of St Bernard of Clairvaux*, ed. and tr. B. James and B. Kienzle (Stroud, 1998), p. 391.

35   *Annali Genovesi de Caffaro e dei suoi Continutatori, 1099-1240*, 5 vols (Genoa, 1890-1929) 1, p. 48.

36   D. Abulafia, *The Great Sea: A Human History of the Mediterranean* (London, 2011), p. 298. 또한 같은 저자의 'Christian Merchants in the Almohad Cities', *Journal of Medieval Iberian Studies* 2 (2010), 251-7; O. Constable, *Housing the Stranger in the Mediterranean World: Lodging, Trade and Travel in Late Antiquity and the Middle Ages* (Cambridge, 2003), p. 278을 보라.

37   P. Jones, *The Italian City State: From Commune to Signoria* (Oxford, 1997). 또한 M. Ginatempo and L. Sandri, *L'Italia delle città: il popolamento urbano tra Medioevo e Rinascimento*

(secoli XIII-XVI) (Florence, 1990).

38 Usāma b. Munqidh, *Kitāb al-i'tibār*, tr. P. Cobb, *The Book of Contemplation: Islam and the Crusades* (London, 2008), p. 153.

39 V. Lagardère, *Histoire et société en Occident musulman: analyse du Mi'yar d'al-Wansharisi* (Madrid, 1995), p. 128; D. Valérian, 'Ifrīqiyan Muslim Merchants in the Mediterranean at the End of the Middle Ages', *Mediterranean Historical Review* 14.2 (2008), 50.

40 *Gesta Francorum et aliorum Hierosolimitanorum*, ed. and tr. R. Hill (London, 1962), 3, p. 21.

41 C. Burnett (ed.), *Adelard of Bath: An English Scientist and Arabist of the Early Twelfth Century* (London, 1987); L. Cochrane, *Adelard of Bath: The First English Scientist* (London, 1994).

42 Adelard of Bath, *Adelard of Bath, Conversations with his Nephew: On the Same and the Different, Questions on Natural Science and on Birds*, ed. and tr. C. Burnett (Cambridge, 1998), p. 83.

43 A. Pym, *Negotiating the Frontier: Translators and Intercultures in Hispanic History* (Manchester, 2000), p. 41.

44 T. Burman, *Reading the Qur'ān in Latin Christendom, 1140–1560* (Philadelphia, 2007).

45 P. Frankopan, 'The Literary, Cultural and Political Context for the Twelfth-Century Commentary on the *Nicomachean Ethics*', in C. Barber (ed.), *Medieval Greek Commentaries on the Nicomachean Ethics* (Leiden, 2009), pp. 45–62.

46 Abulafia, *Great Sea*, p. 298.

47 A. Shalem, *Islam Christianised: Islamic Portable Objects in the Medieval Church Treasuries of the Latin West* (Frankfurt-am-Main, 1998).

48 Vorderstrasse, 'Trade and Textiles from Medieval Antioch', 168–71; M. Meuwese, 'Antioch and the Crusaders in Western Art', in *East and West in the Medieval Mediterranean* (Leuven, 2006), pp. 337–55.

49 R. Falkner, 'Taxes of the Kingdom of Jerusalem', in *Statistical Documents of the Middle Ages: Translations and Reprints from the Original Sources of European History* 3:2 (Philadelphia, 1907), 19–23.

50 C. Cahen, *Makhzumiyyat: études sur l'histoire économique et financière de l'Egypte médiévale* (Leiden, 1977); Abulafia, 'Africa, Asia and the Trade of Medieval Europe', pp. 402–73.

51 S. Stern, 'Ramisht of Siraf: A Merchant Millionaire of the Twelfth Century', *Journal of the Royal Asiatic Society of Great Britain and Ireland* 1.2 (1967), 10–14.

52 T. Madden, 'Venice and Constantinople in 1171 and 1172: Enrico Dandolo's Attitudes towards Byzantium', *Mediterranean Historical Review* 8.2 (1993), 166–85.

53 D. Nicol, *Byzantium and Venice: A Study in Diplomatic and Cultural Relations* (Cambridge, 1988), p. 107.

54 P. Magdalino, 'Isaac II, Saladin and Venice', in J. Shepard (ed.), *The Expansion of Orthodox Europe: Byzantium, the Balkans and Russia* (Aldershot, 2007), pp. 93–106.

55 Ibn Shaddād, *Life of Saladin by Baha ad-Din* (London, 1897), pp. 121–2; G. Anderson, 'Islamic Spaces and Diplomacy in Constantinople (Tenth to Thirteenth Centuries c.e.)', *Medieval Encounters* 15 (2009), 104–5.

56 Anna Komnene, *Alexiad*, X.5, p. 277.

57 Ibn Jubayr, *Riḥlat Ibn Jubayr*, tr. R. Broadhurst, *The Travels of Ibn Jubayr* (London, 1952), p. 315.

58 Ibid. 또한 C. Chism, 'Memory, Wonder and Desire in the Travels of Ibn Jubayr and Ibn Battuta', in N. Paul and S. Yeager (eds), *Remembering the Crusades: Myth, Image and Identity* (Cambridge, 2012), pp. 35–6.

59 Ibn al-Athīr, *Chronicle*, pp. 289–90; Barber, *Crusader States*, p. 284.

60 Barber, *Crusader States*, pp. 296–7; Imādal-Dīn, *al-Fatḥal-qussīfil-fatḥal-qudsī*, tr. H. Massé, *Conquête de la Syrie et de la Palestine par Saladin* (Paris, 1972), pp. 27–8.

61 Barber, *Crusader States*, pp. 305–13; T. Asbridge, *The Crusades: The War for the Holy Land* (London, 2010), pp. 342–64.

62 J. Riley-Smith, *The Crusades: A History* (London, 1987), p. 137.

63 J. Phillips, *The Crusades 1095–1197* (London, 2002), pp. 146–50; J. Phillips, *Holy Warriors: A Modern History of the Crusades* (London, 2009), pp. 136–65.

64 Geoffrey of Villehardouin, 'The Conquest of Constantinople', in *Chronicles of the Crusades*, tr. M. Shaw (London, 1963), p. 35.

65 William of Tyre, *Chronicon*, ed. R. Huygens, 2 vols (Turnhout, 1986), 2, p. 408; J. Phillips, *The Fourth Crusade and the Sack of Constantinople* (London, 2004), pp. 67–8.

66 D. Queller and T. Madden, 'Some Further Arguments in Defence of the Venetians on the Fourth Crusade', *Byzantion* 62 (1992), 438.

67 T. Madden, 'Venice, the Papacy and the Crusades before 1204', in S. Ridyard (ed.), *The Medieval Crusade* (Woodbridge, 2004), pp. 85–95.

68 D. Queller and T. Madden, *The Fourth Crusade: The Conquest of Constantinople* (Philadelphia, 1997), pp. 55ff.

69 Tafel and Thomas, *Urkunden*, 1, pp. 444–52.

70 Robert of Clari, *La Conquête de Constantinople*, ed. P. Lauer (Paris, 1924), 72–3, pp. 71–2.

71 Niketas Khoniates, *Khronike diegesis*, ed. J. van Dieten, *Nicetae Choniatae Historia* (New York, 1975), pp. 568–77.

72 P. Riant, *Exuviae sacrae constantinopolitanae*, 2 vols (Geneva, 1876), 1, pp. 104–5.

73 Khoniates, *Khronike*, p. 591. 도시가 입은 손실을 재평가한 중요한 글로는 T. Madden, 'The Fires of the Fourth Crusade in Constantinople, 1203–1204: A Damage Assessment', *Byzantinische Zeitschrift* 84/85 (1992), 72–93.

74 M. Angold, *The Fourth Crusade* (2003), pp. 219–67. 또한 D. Perry, 'The *Translatio Symonensis* and the Seven Thieves: Venetian Fourth Crusade *Furta Sacra* Narrative and the Looting of Constantinople', in T. Madden (ed.), *The Fourth Crusade: Event, Aftermath and Perceptions* (Aldershot, 2008), pp. 89–112.

75 R. Gallo, 'La tomba di Enrico Dandolo in Santa Sofia a Constantinople', *Rivista Mensile della Città di Venezia* 6 (1927), 270–83; T. Madden, *Enrico Dandolo and the Rise of Venice* (Baltimore, 2003), pp. 193–4.

76 Michael Khoniates, *Michaelis Choniatae Epistulae*, ed. F. Kolovou (Berlin, 2001), Letters 145, 165, 100; T. Shawcross, 'The Lost Generation (c. 1204–c. 1222): Political Allegiance and Local Interests under the Impact of the Fourth Crusade', in J. Herrin and G. Saint-Guillain

(eds), *Identities and Allegiances in the Eastern Mediterranean after 1204* (Farnham, 2011), pp. 9–45.

77   Tafel and Thomas, *Urkunden*, 1, pp. 464–88; N. Oikonomides, 'La Decomposition de l'Empire byzantin à la veille de 1204 et les origines de l'Empire de Nicée: à propos de la "Partitio Romaniae"', in *XV Congrès international d'études byzantines* (Athens, 1976), 1, pp. 3–22.

78   C. Otten-Froux, 'Identities and Allegiances: The Perspective of Genoa and Pisa', in Herrin and Saint-Guillan, *Identities and Allegiances*, pp. 265ff. 또한 G. Jehei, 'The Struggle for Hegemony in the Eastern Mediterranean: An Episode in the Relations between Venice and Genoa According to the Chronicles of Ogerio Pane', *Mediterranean Historical Review* 11.2 (1996), 196–207.

79   F. Van Tricht, *The Latin Renovatio of Byzantium: The Empire of Constantinople (1204–1228)* (Leiden, 2011), esp. pp. 157ff.

80   S. McMichael, 'Francis and the Encounter with the Sultan [1219]', in *The Cambridge Companion to Francis of Assisi*, ed. M. Robson (Cambridge, 2012), pp. 127–42; J. Tolan, *Saint Francis and the Sultan: The Curious History of a Christian–Muslim Encounter* (Oxford, 2009).

81   Dulumeau, *History of Paradise*, pp. 71–96.

82   M. Gosman, 'La Légende du Prêtre Jean et la propagande auprès des croisés devant Damiette (1228–1221)', in D. Buschinger (ed.), *La Croisade: réalités et fictions. Actes du colloque d'Amiens 18–22 mars 1987* (Göppinger, 1989), pp. 133–42; J. Valtrovà, 'Beyond the Horizons of Legends: Traditional Imagery and Direct Experience in Medieval Accounts of Asia', *Numen* 57 (2010), 166–7.

83   C. Beckingham, 'The Achievements of Prester John', in C. Beckingham and B. Hamilton (eds), *Prester John, the Mongols and the Ten Lost Tribes* (Aldershot, 1996), pp. 1–22; P. Jackson, *The Mongols and the West* (London, 2005), pp. 20–1.

84   F. Zarncke, 'Der Priester Johannes II', *Abhandlungen der Königlich Sächsischen Gesellschaft der Wissenschaften, Phil.-hist. Kl.* 8 (1876), 9.

85   Jackson, *Mongols and the West*, pp. 48–9.

9. 지옥으로 가는 길

1   Het'um, *Patmich' T'at'arats, La flor des estoires de la terre d'Orient, in Recueil des Historiens des Croisades: Historiens Arméniens* 1, p. x.

2   'Ata-Malik Juvaynī, *Ta'rīx-i Jahān-Gušā*, tr. J. Boyle, *Genghis Khan: The History of the World-Conqueror*, 2 vols (Cambridge, MA, 1958), 1, 1, pp. 21–2.

3   칭호인 '칭기스'의 의미에 대해서는 I. de Rachewiltz, 'The Title Činggis Qan/Qayan Re-examined', in W. Hessig and K. Sangster (eds), *Gedanke und Wirkung* (Wiesbaden, 1989), pp. 282–8; T. Allsen, 'The Rise of the Mongolian Empire and Mongolian Rule in North China', in *The Cambridge History of China*, 15 vols (Cambridge, 1978–), 6, pp. 321ff를 보라.

4   *The Secret History of the Mongols*, tr. I. de Rachewiltz, 2 vols (Leiden, 2004), 1, p. 13.

5   Allsen, 'Rise of the Mongolian Empire', pp. 321ff.; G. Németh, 'Wanderungen des

mongolischen Wortes *Nökür* "Genosse'", *Acta Orientalia Academiae Scientiarum Hungaricae* 3 (1952), 1–23.

6   T. Allsen, 'The Yüan Dynasty and the Uighurs of Turfan in the 13th Century', in M. Rossabi (ed.), *China among Equals: The Middle Kingdom and its Neighbors, 10th–14th Centuries* (Berkeley, 1983), pp. 246–8.

7   P. Golden, "'I Will Give the People unto Thee": The Činggisid Conquests and their Aftermath in the Turkic World', *Journal of the Royal Asiatic Society* 10.1 (2000), 27.

8   Z. Bunyatov, *Gosudarstvo Khorezmshakhov-Anushteginidov* (Moscow, 1986), pp. 128–32; Golden, 'Činggisid Conquests', 29.

9   Juvaynī, *History of the World Conqueror*, 16, 1, p. 107.

10   Ibn al-Athīr, in B. Spuler, *History of the Mongols* (London, 1972), p. 30.

11   D. Morgan, *The Mongols* (Oxford, 1986), p. 74.

12   Nasawī, *Sīrat al-ṣultān Jalāl al-Dīn Mangubirtī*, tr. O. Houdas, *Histoire du sultan Djelāl ed-Dīn Mankobirti prince du Khārezm*, (Paris, 1891), 16, p. 63.

13   K. Raphael, 'Mongol Siege Warfare on the Banks of the Euphrates and the Question of Gunpowder (1260–1312)', *Journal of the Royal Asiatic Society*, 19.3 (2009), 355–70.

14   A. Waley (tr.), *The Travels of an Alchemist: The Journey of the Taoist, Ch'ang-ch'un, from China to the Hindukush at the Summons of Chingiz Khan, Recorded by his Disciple, Li Chih-ch'ang* (London, 1931), pp. 92–3.

15   선구적인 연구 Allsen, *Commodity and Exchange*, and G. Lane, *Early Mongol Rule in Thirteenth-Century Iran: A Persian Renaissance* (London, 2003)를 보라.

16   Juvaynī, *History of the World Conqueror*, 27, 1, pp. 161–4.

17   J. Smith, 'Demographic Considerations in Mongol Siege Warfare', *Archivum Ottomanicum* 13 (1994), 329–34; idem, 'Mongol Manpower and Persian Population', *Journal of Economic and Social History of the Orient* 18.3 (1975), 271–99; D. Morgan, 'The Mongol Armies in Persia', *Der Islam* 56.1 (2009), 81–96.

18   *Novgorodskaya Pervaya Letopis' starshego i mladshego isvodov*, ed. A. Nasonov (Leningrad, 1950), p. 61.

19   Ibid., pp. 74–7.

20   E. Petrukhov, *Serapion Vladimirskii, russkii propovedenik XIII veka* (St Petersburg, 1888), Appendix, p. 8.

21   중세 학자들이 타타르와 타르타로스를 연결시키기는 했지만, 타타르는 스텝 지대 전역에서 유목 종족들을 가리키는 말로 사용되고 있었다. '끌다'나 '당기다'를 의미하는 퉁구스어 '타타(ta-ta)'에서 온 것으로 보인다. S. Akiner, *Religious Language of a Belarusian Tatar Kitab* (Wiesbaden, 2009), pp. 13–14.

22   Jackson, *Mongols and the West, pp. 59–60*; D. Sinor, 'The Mongols in the West', *Journal of Asian History* 33.1 (1999), 1–44.

23   C. Rodenburg (ed.), *MGH Epistulae saeculi XIII e regestis pontificum Romanorum selectae*, 3 vols (Berlin, 1883–94), 1, p. 723; Jackson, *Mongols and the West*, pp. 65–9.

24   P. Jackson, 'The Crusade against the Mongols (1241)', *Journal of Ecclesiastical History* 42 (1991), 1–18

25 H. Dörrie, 'Drei Texte zur Gesichte der Ungarn und Mongolen. Die Missionreisen des fr. Julianus O.P. ins Ural-Gebiet (1234/5) und nach Rußland (1237) und der Bericht des Erzbischofs Peter über die Tataren', *Nachrichten der Akademie der Wissenschaften in Göttingen, phil.-hist. Klasse* (1956) 6, 179. 또한 Jackson, *Mongols and the West*, p. 61.

26 Thomas the Archdeacon, *Historia Salonitanorum atque Spalatinorum pontificum*, ed. and trans. D. Krabić, M. Sokol and J. Sweeney (Budapest, 2006), p. 302; Jackson, *Mongols and the West*, p. 65.

27 이 편지들 가운데 두 통의 사본이 현재 남아 있다. C. Rodenberg (ed.), *Epistolae saeculi XII e regestis pontificum romanorum*, 3 vols (Berlin, 1883–94), 2, pp. 72; 3, p. 75.

28 Valtrovà, 'Beyond the Horizons of Legends', 154–85.

29 William of Rubruck, *The Mission of Friar William of Rubruck*, tr. P. Jackson, ed. D. Morgan (London, 1990), 28, p. 177.

30 Ibid., 2, pp. 72, 76; 13, p. 108; Jackson, *Mongols and the West*, p. 140.

31 John of Plano Carpini, *Sinica Franciscana: Itinera et relationes fratrum minorum saeculi XVII et XIV*, ed. A. van den Wyngaert, 5 vols (Florence, 1929), 1, pp. 60, 73–5.

32 John of Plano Carpini, *Ystoria Mongolarum*, ed. A. van den Wyngaert (Florence, 1929), pp. 89–90.

33 'Letter of the Great Khan Güyüg to Pope Innocent IV (1246)', in I. de Rachewiltz, *Papal Envoys to the Great Khans* (Stanford, 1971), p. 214 (with differences).

34 C. Dawson, *Mongol Mission: Narratives and Letters of the Franciscan Missionaries in Mongolia and China in the Thirteenth and Fourteenth Centuries* (London, 1955), pp. 44–5.

35 P. Jackson, 'World-Conquest and Local Accommodation: Threat and Blandishment in Mongol Diplomacy', in J. Woods, J. Pfeiffer, S. Quinn and E. Tucker (eds), *History and Historiography of Post-Mongol Central Asia and the Middle East: Studies in Honor of John E. Woods* (Wiesbaden, 2006), pp. 3–22.

36 R. Thomson, 'The Eastern Mediterranean in the Thirteenth Century: Identities and Allegiances. The Peripheries: Armenia', in Herrin and Saint-Gobain, *Identities and Allegiances*, pp. 202–4.

37 J.-L. van Dieten, 'Das Lateinische Kaiserreich von Konstantinopel und die Verhandlungen über kirchliche Wiedervereinigung', in V. van Aalst and K. Ciggaar (eds), *The Latin Empire: Some Contributions* (Hernen, 1990), pp. 93–125.

38 Wiliam of Rubruck, *Mission of Friar William*, 33, p. 227.

39 George Pachymeres, *Chronicon*, ed. and tr. A. Faillier, *Relations historiques*, 2 vols (Paris, 1984), 2, pp. 108–9; J. Langdon, 'Byzantium's Initial Encounter with the Chinggisids: An Introduction to the Byzantino-Mongolica', *Viator* 29 (1998), 130–3.

40 'Abdallāh b. Faḍlallāh Waṣṣāf, *Tarjiyat al-amṣār wa-tajziyat al-a'ṣār*, in Spuler, *History of the Mongols*, pp. 120–1.

41 Allsen, *Commodity and Exchange*, pp. 28–9.

42 J. Richard, 'Une Ambassade mongole à Paris en 1262', *Journal des Savants* 4 (1979), 295–303; Jackson, *Mongols and the West*, p. 123.

43 N. Nobutaka, 'The Rank and Status of Military Refugees in the Mamluk Army: A

Reconsideration of the *Wāfidīyah*', *Mamluk Studies Review* 10.1 (2006), 55–81; R.ş Amitai-Preiss, 'The Remaking of the Military Elite of Mamluk Egypt by al-Nā ir Muḥammad b. Qalāwūn', *Studia Islamica* 72 (1990), 148–50.

44   P. Jackson, 'The Crisis in the Holy Land in 1260', *English Historical Review* 95 (1980), 481–513.

45   R. Amitai-Preiss, *Mongols and Mamluks: The Mamluk–Ilkhanid War, 1260–1281* (Cambridge, 1995).

46   Jūzjānī, *Tabaḳāt-i-Nāṣirī*, tr. H. Raverty, *A general history of the Muhammadan dynasties of Asia, including Hindūstān, from 810 A.D. to 1260 A.D., and the irruption of the infidel Mughals into Islam* (Calcutta, 1881), 23.3–4, pp. 1104, 1144–5.

47   L. Lockhart, 'The Relations between Edward I and Edward II of England and the Mongol Il-Khans of Persia', *Iran* 6 (1968), 23. 원정에 대해서는 C. Tyerman, *England and the Crusades, 1095–1588* (London, 1988), pp. 124–32.

48   W. Budge, *The Monks of Kublai Khan, Emperor of China* (London, 1928), pp. 186–7.

49   S. Schein, 'Gesta Dei per Mongolos 1300: The Genesis of a Non-Event', *English Historical Review* 94.272 (1979), 805–19.

50   R. Amitai, 'Whither the Ilkhanid Army? Ghazan's First Campaign into Syria (1299–1300)', in di Cosmo, *Warfare in Inner Asian History*, pp. 221–64.

51   William Blake, 'Jerusalem'. 예수의 제자인 아리마타이아의 요셉이 브리튼 제도를 찾아왔다는 전승은 중세 이래 잉글랜드에 널리 퍼졌다. W. Lyons, *Joseph of Arimathea: A Study in Reception History* (Oxford, 2014), pp. 72–104.